2級 電気工事施工 超速マスター 第2版

著 関根 康明

はじめに

２級電気工事施工管理技士は，建設業法に基づく国家資格です。建設業法施行令に定められた，一定の要件に該当する電気工事の管理者として，建設現場の主任技術者になることができます。専任の技術者を配置する工事は，資格を有している者がいなければ受注ができないことから，個人のみならず企業にとっても必要な，社会的評価の高い資格といえます。

試験は，第一次検定と第二次検定があり，第一次検定に合格すると，２級電気工事施工管理技士補，第二次検定に合格すると，２級電気工事施工管理技士になります（免状交付申請後）。

本書では，予備知識のない読者も考慮して，試験で問われる要点をまとめ，わかりやすい解説に努めました。第一次検定の基礎から，その延長上にある第二次検定までを一冊に凝縮していますので，短期間で効率的に学習することができます。第一次検定と第二次検定の両方に共通する基礎的な知識を培っていただくことも，本書が期待するところです。

さらに，各節の終わりでは，過去に出題された重要な問題を掲載しているので，学習の効果を確認することができます。

受検者の皆さんには，電気工事施工管理技士試験に合格するための入門書として，また試験直前には，最終確認を行う総まとめとして，本書を有効に活用していただければと思います。

そして，合格の栄冠を手にされることを祈念いたします。

目次

第3章 関連分野

第4章　施工管理

第5章　法規

第二次検定

第1章 施工経験記述

第2章 施工

第3章 電気用語

第4章 知識問題

※本書で掲載している過去問題は，本文の上記方法に合わせているため，実際の試験とは一部表現が異なります。

受検案内

受検資格

令和6年度からの受検資格（新基準）は，下記のとおりです。旧基準等の詳細は一般財団法人建設業振興基金のホームページを参照してください。

◆第一次検定

試験実施年度に満17歳以上となる者

◆第二次検定

新受検資格によって第二次検定を受検するためには，以下の1～3いずれかの条件を満たす必要があります。

1	2級電気工事施工管理技術検定 第一次検定合格後，実務経験3年以上
2	1級電気工事施工管理技術検定 第一次検定合格後，実務経験1年以上
3	電気工事士試験または電気主任技術者試験の合格後または免状交付後，実務経験1年以上 ※別途，2級 または 1級電気工事施工管理技術検定 第一次検定 の合格が必要

試験日程

◆第一次検定（前期）

●受検申込受付期間：1月下旬～2月上旬

●実施日：6月中旬　　●合格発表日：7月中旬

◆第一次・第二次検定，第一次検定（後期），第二次検定

●受検申込受付期間：7月中旬～7月下旬　　●実施日：11月中旬

●合格発表日

第一次検定（後期）：11月下旬　第二次検定：2月上旬

第一次・第二次検定：2月上旬

試験科目・出題形式

◆**第一次検定**

出題形式：マークシート方式（択一式）

検定科目	検定基準
電気工学等	電気工事の施工の管理に必要な電気工学，電気通信工学，土木工学，機械工学および建築学，発電設備，変電設備，送配電設備，構内電気設備等に関する概略の知識。設計図書を正確に読み取るための知識。
施工管理法	電気工事の施工の管理に必要な施工計画の作成方法および工程管理，品質管理，安全管理等工事の施工の管理方法に関する基礎的な知識。電気工事の施工の管理を適確に行うために必要な基礎的な能力。
法規	建設工事の施工の管理に必要な法令に関する概略の知識。

◆**第二次検定**

出題形式：記述式・択一式

検定科目	検定基準
施工管理法	主任技術者として電気工事の施工の管理に必要な知識。主任技術者として設計図書を正確に理解し，電気設備の施工図の作成，必要な機材の選定，配置等を行うことができる応用能力。

問い合わせ先

一般財団法人建設業振興基金　試験研修本部

〒105-0001

東京都港区虎ノ門4丁目2番12号　虎ノ門4丁目MTビル2号館

TEL　03-5473-1581　Mail　d-info@kensetsu-kikin.or.jp

ホームページ　https://www.fcip-shiken.jp/

第一次検定

第1章

電気工学

第1章 電気工学

CASE 1 電気理論

まとめ & 丸暗記 この節の学習内容とまとめ

□ 導体の抵抗

$R = \rho l/S$

R：導体の抵抗〔Ω〕　ρ：抵抗率〔Ω·m〕

l：導体の長さ〔m〕　S：導体の断面積〔$\mathrm{m^2}$〕

□ オームの法則

$I = V/R$

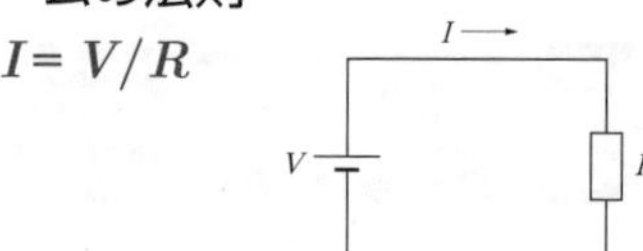

V：電圧〔V〕　I：電流〔A〕　R：抵抗〔Ω〕

□ キルヒホッフの法則

①第1法則

$\Sigma I_i = 0$

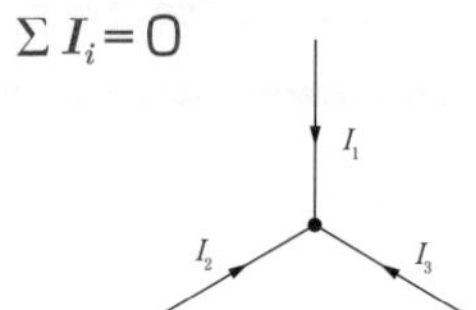

②第2法則

$\Sigma V_i = \Sigma I_i R_i$

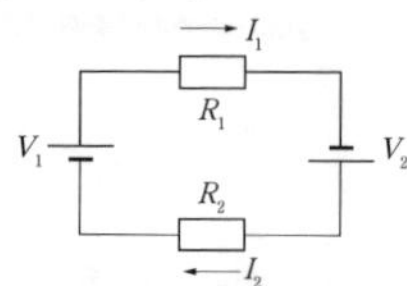

□ 平行板コンデンサの静電容量

$C = \varepsilon S/d$

C：コンデンサの静電容量〔F〕　ε：誘電率〔F/m〕

S：平行板面積〔$\mathrm{m^2}$〕　d：平行板間距離(誘電体厚さ)〔m〕

□ フレミングの左手の法則

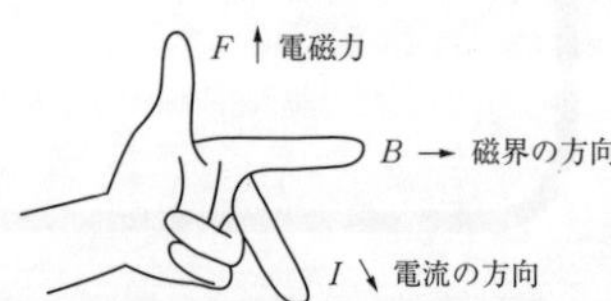

抵抗と電気回路

1 導体の抵抗

電線は電流が流れやすい材質でできており，これを導体[※1]といいます。導体の抵抗 R〔Ω〕は，次の式で表すことができます。

$$R=\rho l/S$$

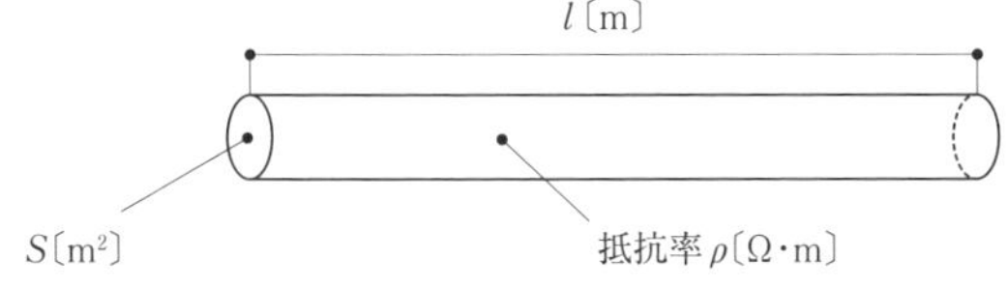

R：導体の抵抗〔Ω〕　ρ（ロー）：抵抗率[※2]〔Ω·m〕

l：導体の長さ〔m〕　S：導体の断面積〔m^2〕

導体の抵抗は，周囲の温度によっても変化し，次の式となります。

$$R=R_0(1+\alpha t)$$

R_0：ある温度の時の抵抗値〔Ω〕

α：抵抗温度係数〔$℃^{-1}$〕　t：温度上昇〔℃〕

例題

図のような金属導体Bの抵抗値は，金属導体Aの抵抗値の何倍になるか求めなさい。

ただし，金属導体の材質および温度条件は同一とする。

※1

導体

電流の流れやすい物体です。電流の流れやすさを表す定数として，導電率があり，大きい順に，銀，銅，金，アルミニウムです。電線導体として銅とアルミニウムが使用されます。なお，導体の反対語は絶縁体で，その中間的性質を持ったものを半導体といいます。

※2

抵抗率

電流の流れにくさを表す定数で，単位断面積，単位長さあたりの電気抵抗です。導電率の逆数で，単位は〔Ω・m〕です。

抵抗率を ρ，導電率を σ（シグマ）とすると，$\rho\sigma=1$ の関係があります。

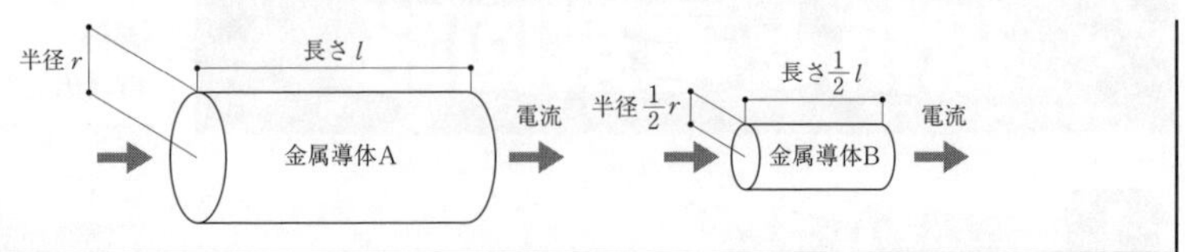

解説

金属導体BはAと比べ，断面積が1/4で，長さが1/2です。

したがって$\boldsymbol{R=\rho l/S}$から，抵抗値は2倍になります。

例題

ある金属体の温度が20℃のとき，その抵抗値が10 Ωである。この抵抗値が11 Ωとなるときの温度を求めなさい。

ただし，抵抗温度係数は0.004℃$^{-1}$で一定とし，外部の影響は受けないものとする。

解説

$\boldsymbol{R=R_0}$（$1+\alpha \boldsymbol{t}$）より，$11=10$（$1+0.004\boldsymbol{t}$）となります。これより，$\boldsymbol{t}=25$となり，温度は$20+25=45$〔℃〕です。

2 電気回路の法則

①オーム[※3]の法則

図の直流回路において，オームの法則が成り立ちます。

$$\boldsymbol{I=V/R}$$

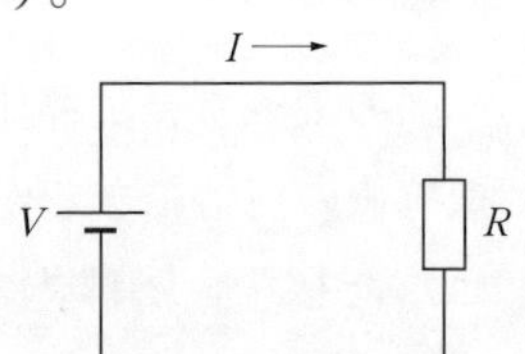

また，$\boldsymbol{V=IR}$，$\boldsymbol{R=V/I}$と変形できます。

$\boldsymbol{V}$：電圧〔V〕　$\boldsymbol{I}$：電流〔A〕

$\boldsymbol{R}$：抵抗〔Ω〕

②キルヒホッフの法則

●第１法則

電気回路の１点に流れ込む電流の和は0です。

（流れ込む電流は＋符号，流れ出す電流は－符号）

$$\sum I_i = 0$$ ※4

たとえば図の場合，

$I_1 + I_2 + I_3 = 0$ です。

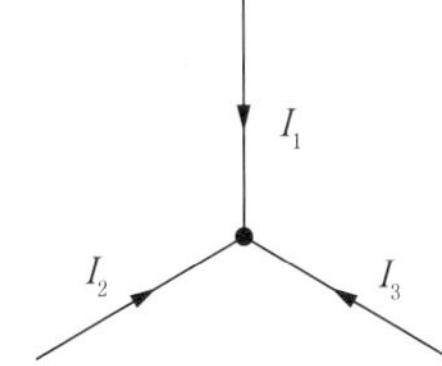

●第２法則

回路で，起電力（電圧）の合計と抵抗の電圧降下の合計は等しくなります。

$$\sum V_i = \sum I_i R_i$$

たとえば図の場合，

$V_1 + V_2 = I_1R_1 + I_2R_2$ です。

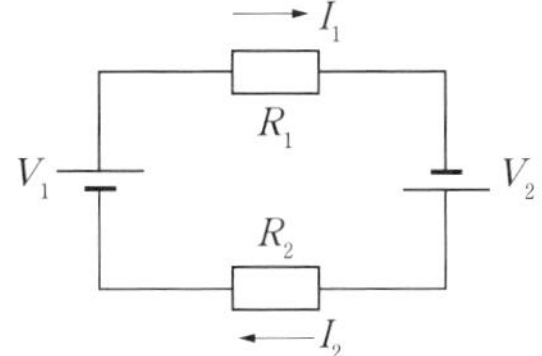

3 合成抵抗

合成抵抗とは，2個以上の抵抗を接続したときの全体の抵抗をいい，接続の仕方により，合成抵抗の求め方が異なります。

①直列接続

抵抗R_1，R_2を直列接続したとき，端子ab間の合成抵抗Rは，次のとおりです。

$$R = R_1 + R_2 \quad \cdots\cdots ①$$

a ○—[R_1]—[R_2]—○ b

直列接続では，抵抗が3個以上でもすべての抵抗値

※3
オームの法則
オームの法則は，直流回路だけでなく交流回路でも成り立ちます。その場合，抵抗Rの代わりにインピーダンスZ（後述）を用いて，$I = V/Z$です。

※4
Σ
合計を表す記号です。ΣI_iは，すべての電流を合計したものです。

を足し算すれば計算できます。

②並列接続

抵抗$\boldsymbol{R_1}$，$\boldsymbol{R_2}$を並列接続したとき，端子ab間の合成抵抗$\boldsymbol{R}$は，次のとおりです。

$$\boldsymbol{R=\frac{R_1R_2}{R_1+R_2}} \quad \cdots\cdots ②$$

a
R_1
b
R_2

抵抗2個の並列接続の場合は，「積/和」で計算できます。3個以上で抵抗の個数が多いときは，$1/\boldsymbol{R}=1/\boldsymbol{R_1}+1/\boldsymbol{R_2}+1/\boldsymbol{R_3}+\cdots\cdots$　から$\boldsymbol{R}$を計算しますが，一般には，公式②を複数回利用します。

例題

図に示す回路における，AB間の合成抵抗値を求めなさい。

解説

6Ω3個の並列接続の部分から計算します。まず，2個の並列接続では，和分の積の公式から，$6\times6/(6+6)=3$〔Ω〕になります。この3Ωと6Ωの並列で，$3\times6/(3+6)=2$〔Ω〕です。したがって，AB間の合成抵抗値は，$6+2=8$〔Ω〕です。

4 ブリッジ回路

図に示す回路を，ホイートストンブリッジ回路といいます。Ⓘは検流計で，微小電流が測定できる電流計です。この検流計に流れる電流が0〔A〕のとき，向かい合った抵抗同士

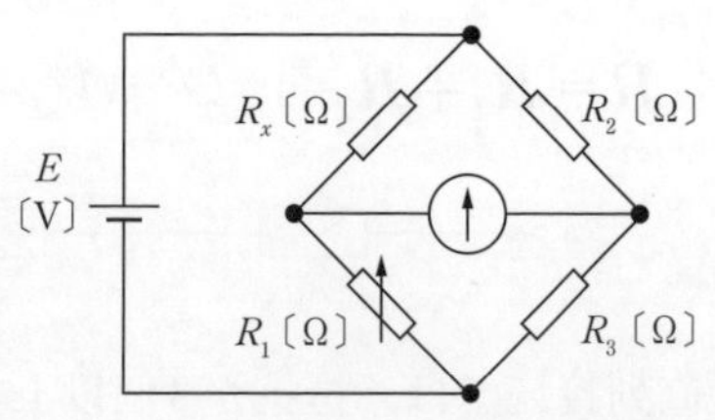

を掛け算した値が等しくなります。

$$R_x \cdot R_3 = R_1 \cdot R_2$$

R_x：未知の抵抗　R_1：可変抵抗

R_2，R_3：既知の抵抗

チャレンジ問題！

問1　難　中　易

図に示す回路において，回路全体の合成抵抗と電流 I_2 の値の組合せとして，正しいものはどれか。

ただし，電池の内部抵抗は無視するものとする。

	合成抵抗	電流 I_2
(1)	10 Ω	4A
(2)	10 Ω	6A
(3)	29 Ω	4A
(4)	29 Ω	6A

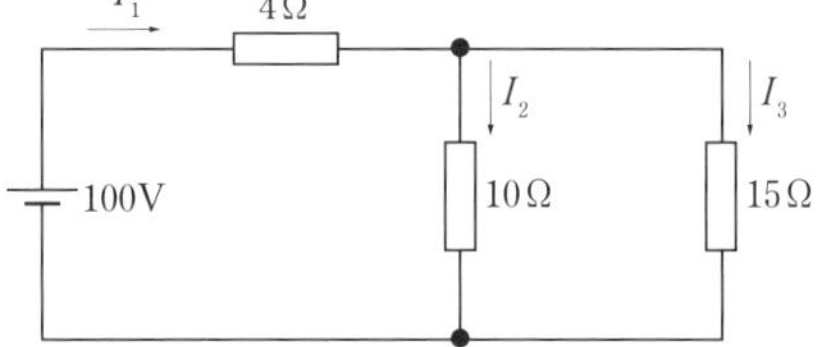

解　説

回路全体の合成抵抗を R〔Ω〕とすると，10Ωと15Ωの並列接続により，10×15/（10+15）=6〔Ω〕になります。4Ωの抵抗との直列接続なので，R=6+4=10〔Ω〕です。

回路全体に流れる電流はオームの法則により，

$I_1 = V/R = 100/10 = 10$〔A〕

次に，キルヒホッフの第1法則により，

$I_2 + I_3 = I_1 = 10$…①

第2法則により，

$I_1 \times 4 + I_2 \times 10 = 100$…②

①，②より，I_2=6〔A〕となります。

解答（2）

電界とコンデンサ

1 電界

①電界

[※5]電界とは，電荷に電気力の働く空間をいいます。また，空間内の点で，単位電荷1〔C〕（クーロン）に働く電気力を電界の強さといいます。

[※6]**電気力線**には，次の性質があります。

- [※7]**正電荷に始まり**，負電荷に終わります。
- [※8]**密度**は，その点の電界の大きさを表します。
- 等電位面と垂直に交わります。
- 電気力線の向きは，その点の電界の方向と一致します。

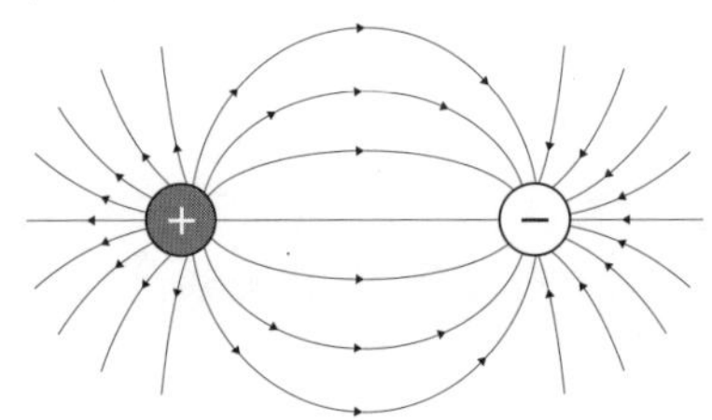

②電界の方向

1つの[※9]**点電荷**を置いて，そこから離れた点Pにおける電界の向きは図のようになります。

$+Q$〔C〕の電荷の場合は右方向，$-Q$〔C〕の電荷の場合は左方向になります。

+Q〔C〕　P　・→電界の方向

−Q〔C〕　←・P　電界の方向

例題

AとBに$+Q$〔C〕の電荷があるとき，電界の方向は，ア～エのどれか。ただし，距離$OR=OA=OB$とする。

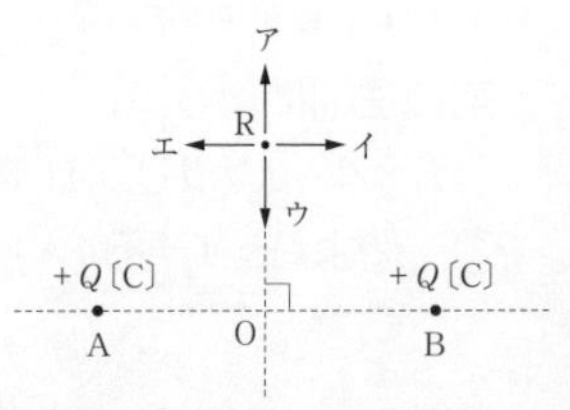

解説

Aの電荷 $+Q$〔C〕による電界の向きは，アとイの中間方向（点線矢印a）になります。また，Bの電荷 $+Q$〔C〕による電界の向きは，アとエの中間方向（点線矢印b）になります。aとbを合成するとアの向きになります。

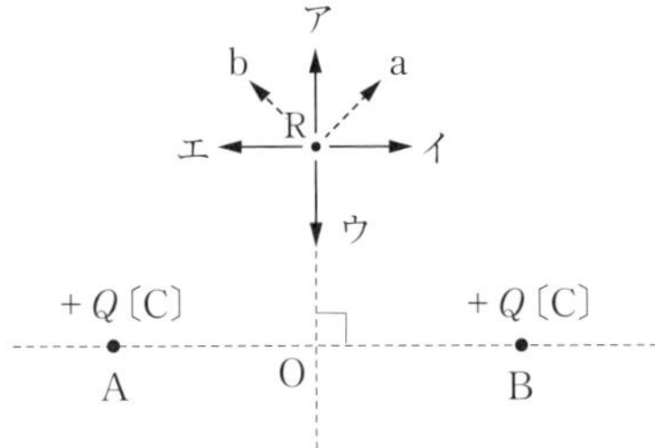

例題

Aに $+Q$〔C〕，Bに $-Q$〔C〕の電荷があるとき，電界の方向はア～エのどれか。

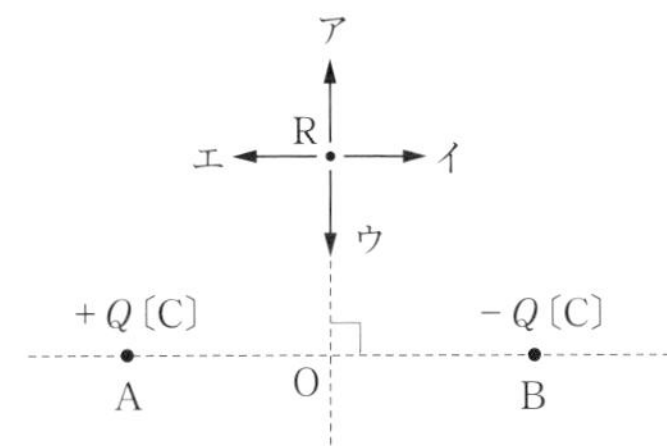

解説

電界の向きは図のようになるため，イの向きになります。

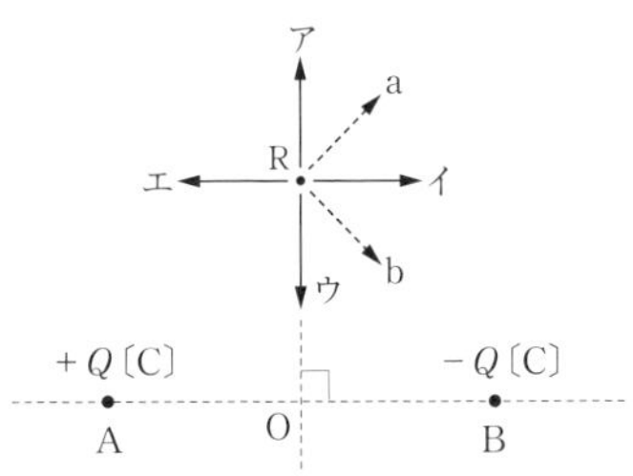

※5
電界
電場ともいいます。

※6
電気力線
電気がどのように作用するかを示した仮想の線です。

※7
正電荷に始まり
電位の高い点から低い点に向かいます。

※8
密度
電気力線が密集するほど電界は強いことになります。

※9
点電荷
点のように小さな電荷のことです。

2 帯電体と静電誘導

帯電とは，＋または－の電気（電荷）を帯びた状態をいい，**帯電体**とは帯電している物体をいいます。

帯電していない導体に帯電体を近づけると，導体は帯電します。たとえば，図のように＋（正）に帯電した物体Ⅰを，物体Ⅱに近づけると，－（負）の電荷がⅠに近い側に集まります。この現象を**静電誘導**といいます。

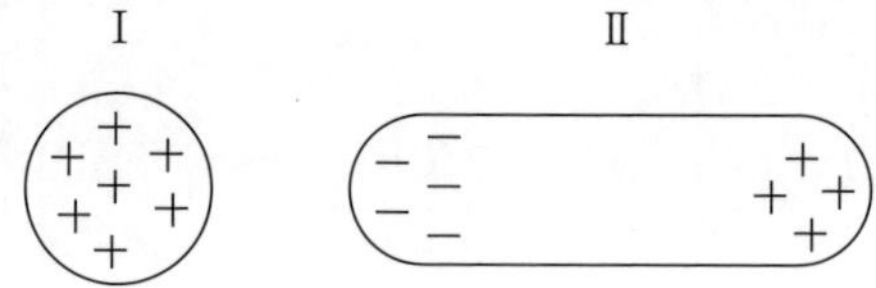

3 電荷と電流

電線の断面をt秒間にQ〔C〕の電荷が一定の割合で通過したときの電流Iの値は，次の式で計算できます。

※10
$$I=Q/t$$

例題

電線の断面を2秒間に40Cの電荷が一定の割合で通過したときの電流の値を求めなさい。

解説

$I=Q/t$　より，$I=40\div 2=20$〔A〕

4 コンデンサ

導体に電圧を加えると電荷が現れます。その電荷を蓄える機器がコンデンサであり，その能力を**静電容量**※11といいます。記号はC，単位は〔F〕（ファラド）です。蓄えられる電荷Q〔C〕は，次のとおりです。

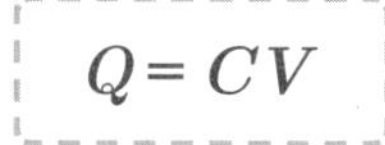

$$Q = CV$$

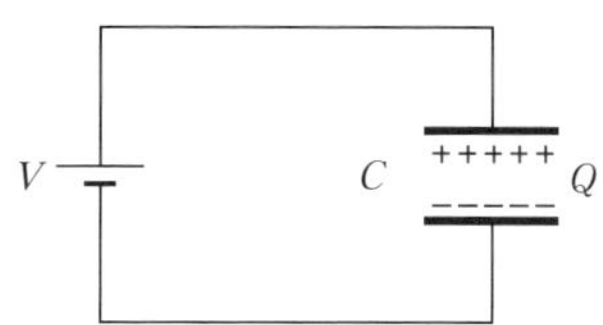

C：静電容量〔F〕　　V：電圧〔V〕

5 合成容量

合成容量[※12]とは，2個以上のコンデンサを接続したときの，全体のコンデンサの静電容量をいいます。接続の仕方により，合成容量の求め方は異なります。

①直列接続

● コンデンサ C_1，C_2 を直列接続したときの合成容量

$$C = \frac{C_1 C_2}{C_1 + C_2}$$

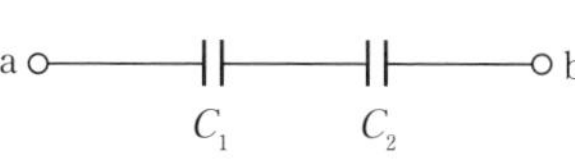

②並列接続

● コンデンサ C_1，C_2 を並列接続したときの合成容量

$$C = C_1 + C_2$$

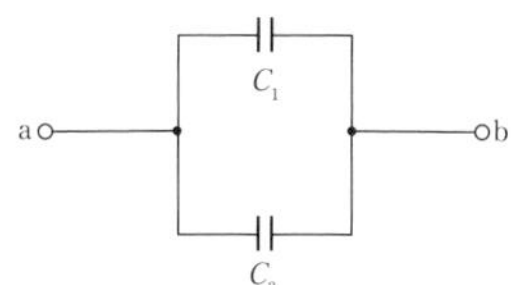

例題

次の図のA，Bにおいて，図Aの合成静電容量を C_A〔F〕，図Bの合成静電容量を C_B〔F〕とするとき，C_A/C_B の値を求めなさい。

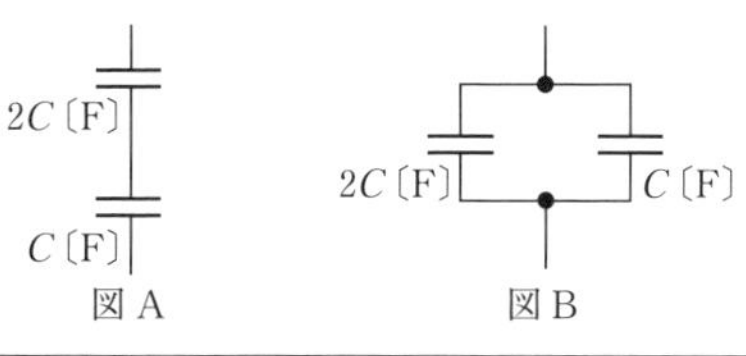

図A　　図B

※10
$I = Q/t$
1秒間に移動する電荷量が電流です。

※11
静電容量
単位は〔F〕ですが，一般には，〔μF〕，〔pF〕の単位が使われます。
1〔μF〕＝10^{-6}〔F〕，
1〔pF〕＝10^{-12}〔F〕

※12
合成容量
コンデンサの合成計算は，抵抗の場合と逆です。

解説

$C_A = 2C/3$, $C_B = 3C$ より, $C_A/C_B = (2C/3)/3C = 2/9$

6 誘電体

誘電体とは, 電界（電気の働く場）において, 原子が**誘電分極**（＋と－に分離）する物体をいいます。プラスチックがその一例で, 絶縁体です。

誘電体には**自由電子**[※13]がほとんどないため, 直流電流は流れません。ただし, 交流の電界では分極の遅れによる交流電流が流れ, 誘電損失を生じます。

誘電率（ε）（イプシロン）は, 平行電極間に充填（じゅうてん）された物質の**誘電分極**のしやすさをいいます。誘電分極しやすい物質は ε の値が大きくなります。

7 平行板電極間の静電容量

2枚の平板（金属板）を平行においてコンデンサをつくります。このときの静電容量 C〔F〕は, 次の式で表されます。なお, 端効果（電界が平板の端部で外側に出る）は無視します。

$$C = \varepsilon S/d$$

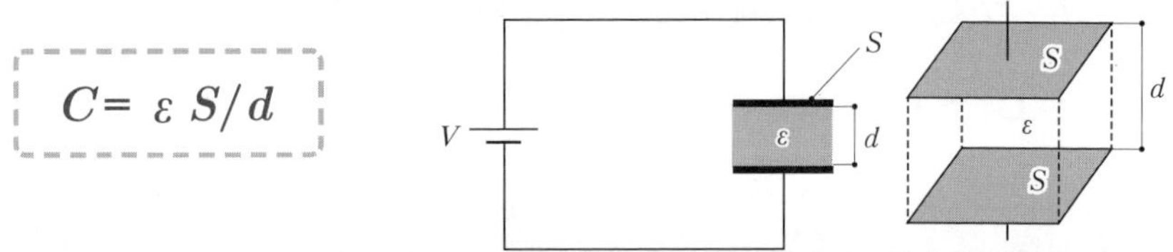

d：平行板間距離〔m〕　ε：誘電率〔F/m〕　S：平行板面積〔m²〕

8 クーロンの法則

2つの点電荷に働く静電力 F〔N〕は次の式で表されます。

$$F = Q_1 Q_2 / 4\pi\varepsilon r^2$$

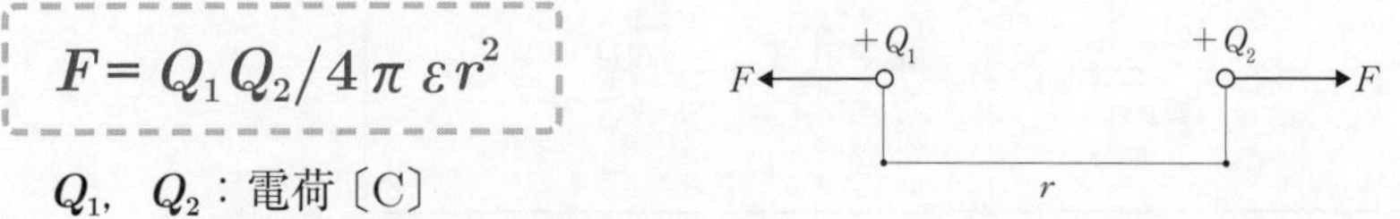

Q_1, Q_2：電荷〔C〕

ε：電荷を取り巻く媒質の誘電率〔F/m〕

r：2つの電荷の距離〔m〕

電荷が同符号（＋同士，－同士）は反発し，異符号（＋と－）は吸引力が点電荷に作用します。

※13

自由電子

原子核（＋を帯びている）から離れて，自由に動ける電子です。

チャレンジ問題！

問1

難　中　易

図に示す面積 S〔m^2〕の金属板2枚を平行に向かい合わせたコンデンサにおいて，金属板間の距離が d〔m〕のときの静電容量が C_1〔F〕であった。その金属板間の距離を $d/2$〔m〕にしたときの静電容量 C_2〔F〕として，正しいものはどれか。

ただし，金属板間にある誘電体の誘電率 ε〔F/m〕は一定とし，コンデンサの端効果は，無視するものとする。

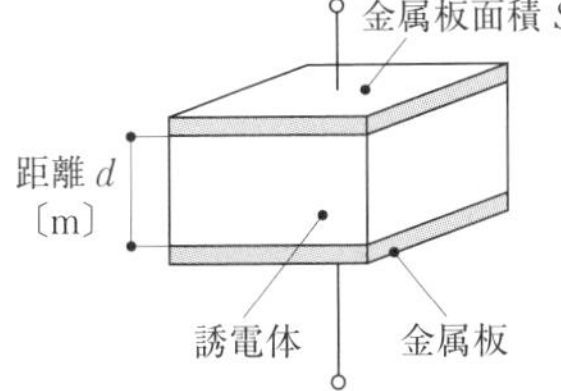

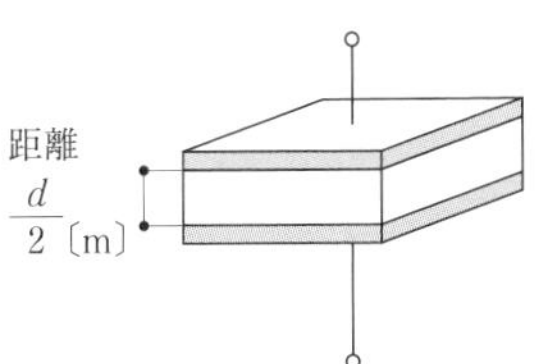

(1)　$C_2 = \frac{1}{4} C_1$〔F〕

(2)　$C_2 = \frac{1}{2} C_1$〔F〕

(3)　$C_2 = 2C_1$〔F〕

(4)　$C_2 = 4C_1$〔F〕

解　説

$C_1 = \varepsilon S/d$　距離を1/2にすると，$C_2 = 2\varepsilon S/d$

解答（3）

磁界とコイル

1 磁界

磁石を置くと，その周囲に鉄などを吸いつける力が働きます。この力を**磁力**といい，磁力の作用する周囲（場，フィールド）を**磁界**[※14]といいます。

磁性体は磁石の性質を持ったもので，磁界中に鉄，ニッケル[※15]，コバルトのような金属を置くと，それらを強く**磁化**[※16]します。磁化したものは強磁性体といわれ，磁石に吸い付きます。

鉄は磁石の素材として広く使われています。炭素などを含む鉄（鉄鋼）は，磁石から離してもわずかに磁化した状態が続きます。そのため，磁石として使用するときには酸化鉄を用いるほか，他の材料と混ぜ合わせてつくられます。

図の磁石ではN極からS極に向かって矢線が出ていますが，これを**磁力線**といいます。磁力線は，電界の場合の**電気力線**と同様に，仮想的な線です。磁力線の本数が多ければ，磁力が強いことを意味します。

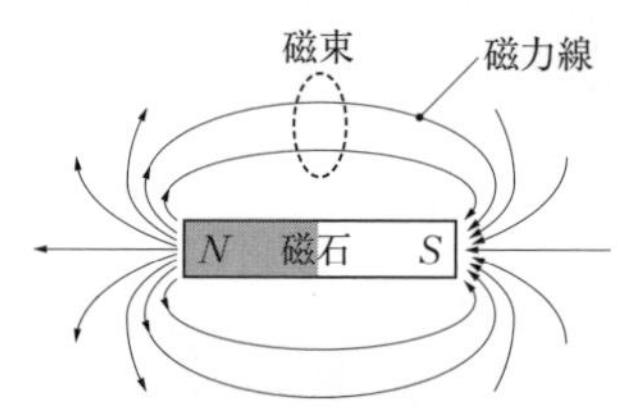

磁界には次の性質があります。

- 磁石にはN極とS極がある
- 磁力線は，N極から出てS極に入る
- 磁力線は分岐，交差しない
- 異種の磁極（N極とS極）の間には，吸引力が働く

2 ヒステリシスループ

鉄のような強磁性体を磁化すると，磁界の強さに応じて磁束[※17]密度が図のように変化します。

このループから次のことがわかります。

- 磁性体のヒステリシス損[※18]は，ループで囲まれた部分の面積に比例する
- **残留磁気**が大きく，**保磁力**が小さいものは電磁石に適す
- 残留磁気が大きく，保磁力も大きいものは，永久磁石に適す

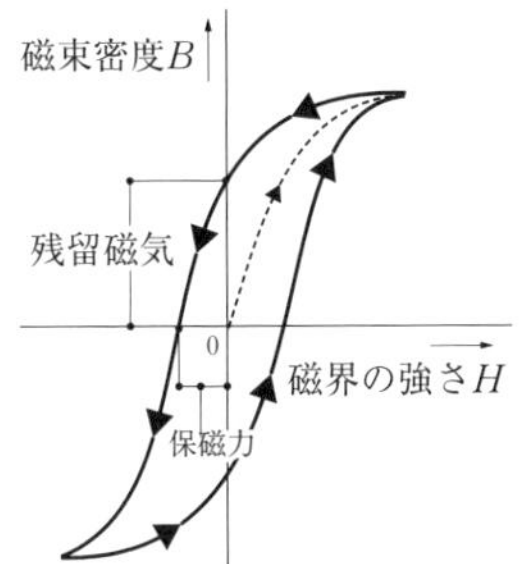

3 右ねじの法則

導体（電線）に電流が流れると，その周囲に磁界が生じます。電流の流れる方向をねじの進む向きにとると，右ねじを回す方向に円形の磁界ができます。これを**右ねじの法則**といいます。

A：電流の流れる方向
B：磁界の発生する方向

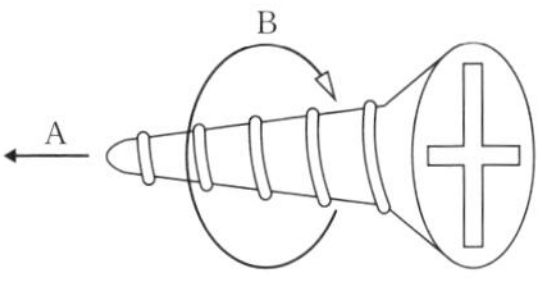

電流の流れる方向や磁界の方向などを紙面上で表現するには，次の記号を用いると便利です。

⊗ 矢尻を見ている（机上の紙面の上から下に向かう方向）

⊙ 矢先を見ている（机上の紙面の下から上に向かう方向）

※14
磁界
磁場ともいいます。

※15
ニッケル
日本の硬貨50円・100円・500円玉もニッケルを含むので，磁石に吸い付きます。

※16
磁化
磁石の性質を持つことです。

※17
磁束
磁力線の束です。

※18
ヒステリシス損
鉄の分子間の摩擦によって生じる損失です。

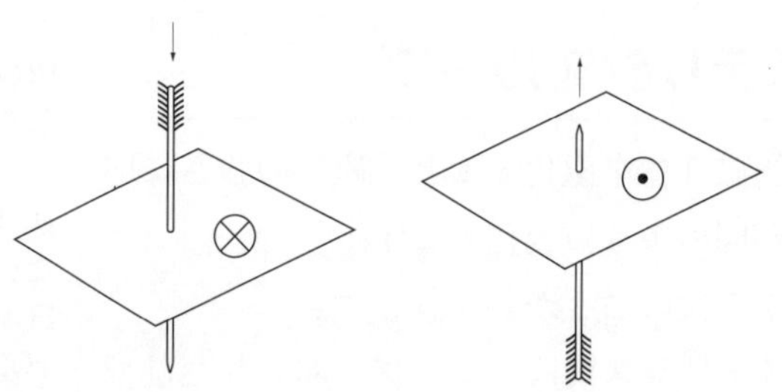

4 磁界の大きさ

①直線状導体

無限に長い直線状導体で，図に示す方向（下から上）に電流Iが流れると，同心円状に磁界が発生します。点Pにおける磁界の向きは，右ねじの法則により矢印の方向となります。

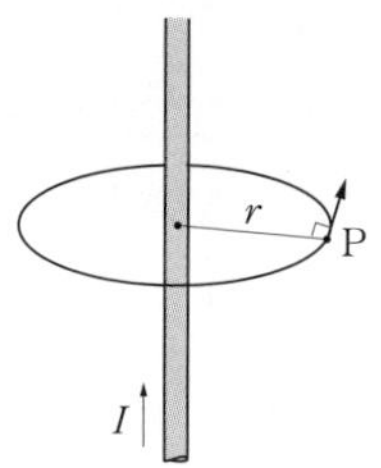

また，磁界の大きさ[※19] H〔A/m〕は次の式で表されます。

$$H=\frac{I}{2\pi r}$$

I：電流〔A〕　r：電線からの距離〔m〕

5 フレミングの左手の法則

フレミングが発見した法則です。磁界中に導体（電線）を置き，電流を流すと，導体を動かそうとする力が働きます。この力を**電磁力**といいます。

左手の親指，人さし指，中指をそれぞれ直角になるように開き，人さし指を磁界B，中指を電流Iの方向に向けると親指の方向に電磁力Fが働きます。

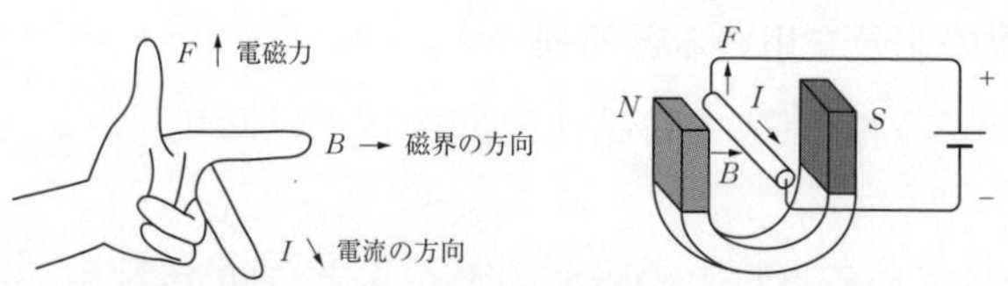

たとえば，右図のように導体をU字形磁石の中に入れ，電流を流します。磁界は，N極からS極に向かうので，**フレミングの左手の法則**[※20]より，導体

は上向きの力を受けます。

例題

図に示す磁極間に置いた導体に電流を流したとき，導体に働く力の方向は，a～dのうち，どの方向か。ただし，電流は紙面の表から裏へと向かう方向に流れるものとする。

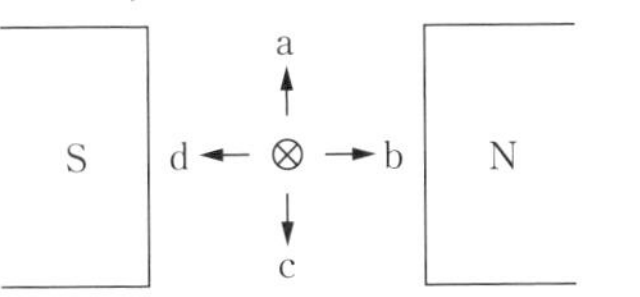

解説

フレミングの左手の法則より，磁界の向きはN→Sにより左方向です。電流は紙面の表から裏に向かうので，力はa方向に働きます。

6 平行導体に働く力

2本の無限に長い導体L_1とL_2は平行です。これに電流を流すと，次のような現象が起こります。

- 導体L_1とL_2に同方向に電流を流すと，導体に吸引力（F）が働く
- 導体L_1とL_2に反対方向に電流を流すと，導体に反発力（F）が働く

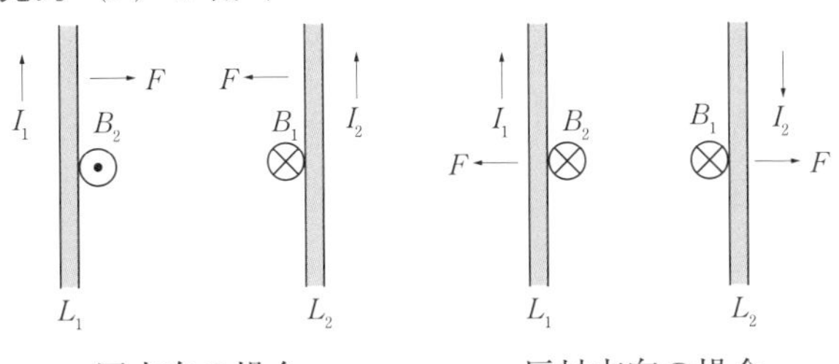

同方向の場合　　　反対方向の場合

※19

磁界の大きさ

円形状導体の磁界の大きさは次のようになります。

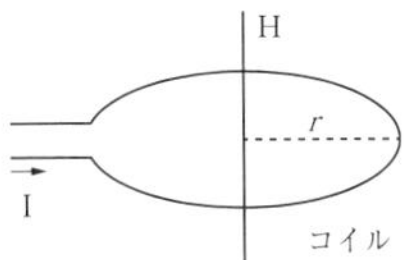

$$H = \frac{I}{2r}$$

N巻きのコイルでは，

$$H = \frac{IN}{2r}$$

※20

フレミングの左手の法則

イギリスの電気工学者で，左手の法則と，右手の法則を考えました。覚え方は，親指が力（F），人さし指が磁界（B），中指が電流（I）なので「FBI」と覚えるか，中指から親指に向かって「電磁力」と覚えます。

B_1はI_1による磁界，B_2はI_2による磁界で，磁界の方向は，図のとおりです。

これは，フレミングの左手の法則で説明できます。

7 ファラデーの電磁誘導

コイルの中を通る磁束が変化すると，コイルに電圧が生じます。この誘導された起電力を**誘導起電力**といいます。コイルの巻き数と，磁石を動かすスピードに比例して大きくなります。これをファラデーの**電磁誘導の法則**[※21]といいます。

図1は，磁石とコイルが静止した状態の磁力線の出ている図です。コイルを貫通する**磁束**は一定です。図2のように，磁石をコイルに速い速度で近付けると，コイルを貫通する磁力線の数が増えます。コイルは磁束の変化を嫌う性質があり，増えた分だけ減らす方向（右方向）に磁力線が発生し，電圧が誘起されます。つまり，検流計Gの指針を振らせます。

逆に，磁石をコイルから離していくと，逆向きの誘導起電力が発生します。

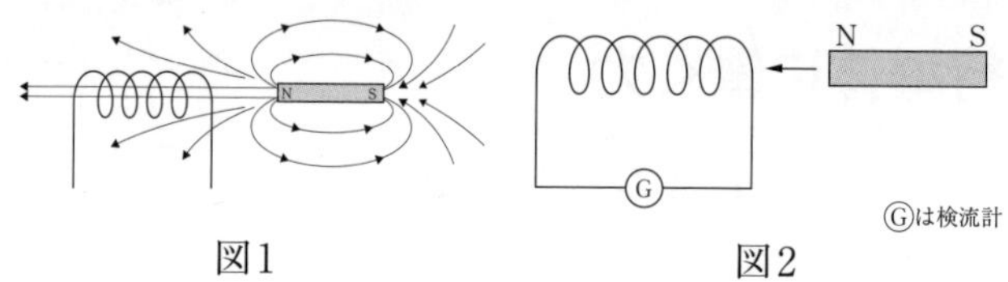

図1　　　図2

8 自己誘導

自己誘導とは，自己のコイルに流れる電流により，自己のコイルに起電力が発生する現象です。誘導される起電力の大きさは，電流の時間的変化にある定数を掛けたものとなります。その定数を**自己インダクタンス**[※22]といい，Lという記号で表します。単位は〔H（ヘンリー）〕です。

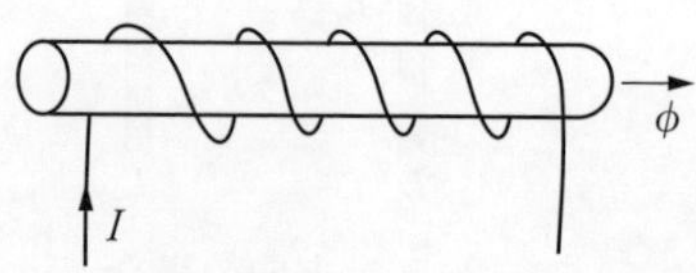

9 環状コイル

①環状コイル

環状コイルとは，図1に示す鉄のような磁性体でドーナツ状の輪をつくったものに，図2のように電線を巻き付けたものです。環の部分を磁路といい，点線で表した中心部を通る部分の長さを，磁路長といいます。

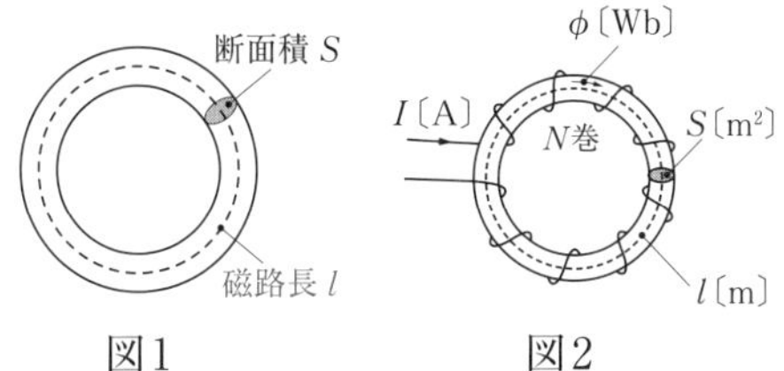

図1　　図2

電線をN〔回〕巻き，電流I〔A〕を流すと，矢印の方向に磁束ϕ〔Wb（ウェーバ）〕が発生します。

②環状コイルのインダクタンス

図は，環状鉄心に2つのコイルが巻いてあります。

コイルN_1に電流を流すと，磁束がコイルN_2を貫通し，電圧が誘起されます。この現象を，相互誘導といいます。1つのコイルが他のコイルに及ぼすインダクタンスを，相互インダクタンスといいます。

コイルAに流した電流により，磁束ϕ_1が生じ，そのうちの何%かがコイルBと鎖交（貫通）します。鎖交する磁束をϕ_2とすると，$\phi_1 = k\phi_2$の関係があります（$0 \leqq k \leqq 1$）。このkを結合係数といいます。漏れ磁束[※23]が無ければ，$k=1$です。

相互インダクタンスMと自己インダクタンスL_1，L_2には次の関係があります。

※21
電磁誘導の法則
磁束の変化を妨げる向きに磁束が発生し，その磁束により電流が流れ，電圧が誘起されます。

※22
自己インダクタンス
コイルの能力を示します。コンデンサの能力を示す静電容量〔F〕と対照して記憶するとよいでしょう。

※23
漏れ磁束
磁束の一部が他方のコイルを貫通しないで，漏れる磁束です。漏れ磁束が無いということは，すべて他コイルを貫通することを意味します。つまり，結合係数$k=1$です。

$$M = k\sqrt{L_1 L_2}$$

例題

自己インダクタンスが20mHと80mHの2つのコイルが巻かれた環状鉄心がある。このときの相互インダクタンスの値を求めなさい。

ただし，漏れ磁束はないものとする。

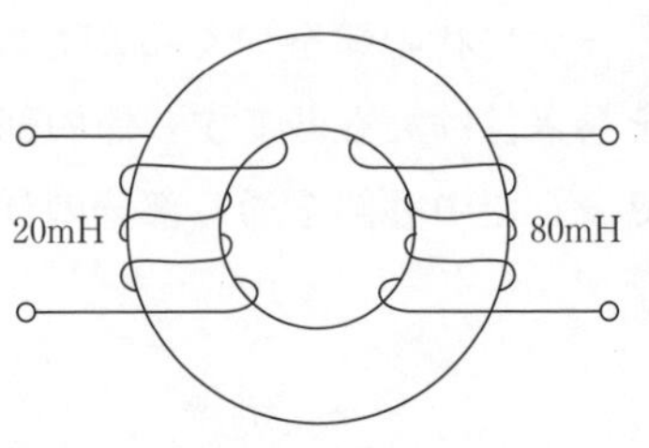

解説

$M = k\sqrt{L_1 L_2} = k\sqrt{20 \times 80} = 40\text{mH}$

チャレンジ問題！

問1　難　**中**　易

図に示す平行導体ア，イに電流を流したとき，導体アに働く力の方向として，正しいものはどれか。

ただし，導体アおよびイには紙面の表から裏に向かう方向に電流が流れるものとする。

(1)　a
(2)　b
(3)　c
(4)　d

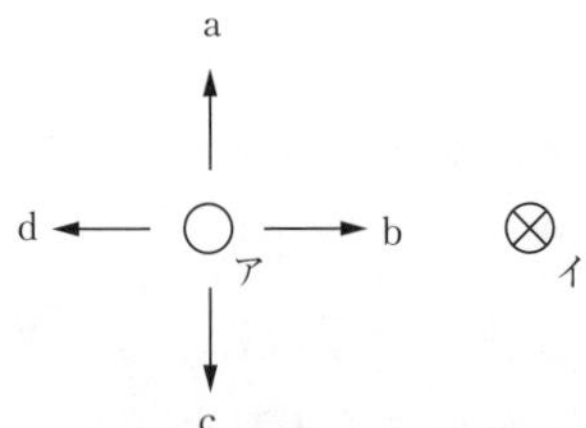

解　説

平行導体ア，イに流れる電流は同方向なので，互いに吸引する方向に力が働きます。したがって，導体アに働く力の方向は，**b**方向の力です。

解答（2）

交流回路

1 単相交流

印加する電圧や，流れる電流の方向および大きさが，一定の周期で変化するものを**交流**といいます。

波形には，三角波，方形波（四角形）など種々ありますが，一般に扱うのは**正弦波**（sin曲線）です。

次の図の波形は単相交流です。

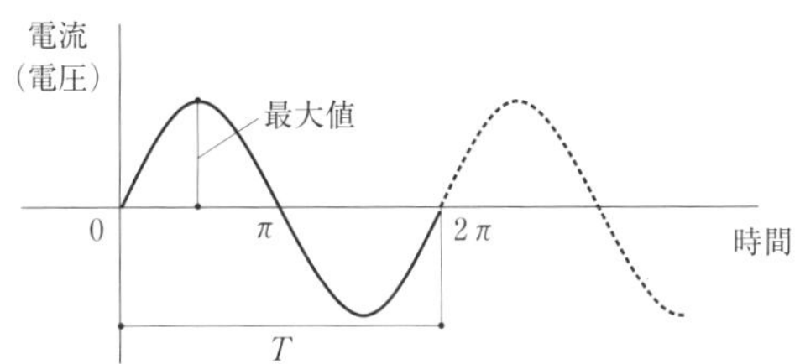

周波数f〔Hz（ヘルツ）〕は波が1秒間に振動する回数で，交流電源の周波数として，日本では50Hzと60Hzが使用されています。周期T〔s〕，**角周波数**ω（オメガ）とは次の関係があります。

$$T=1/f$$

$$\omega=2\pi f$$

一般に，交流の電圧，電流の値は**実効値**[※24]で表示します。

E_e, I_eは実効値の電圧，電流で，E_m, I_mは最大値です。

$$E_e=E_m/\sqrt{2} \quad I_e=I_m/\sqrt{2}$$

また，電圧，電流の**瞬時値**[※25]は小文字で表します。

※24
実効値
直流と同じ大きさの電力が得られる交流の大きさ（電圧，電流）です。

※25
瞬時値
電圧，電流のその時々の大きさを表したものです。交流の場合，直流と異なり時間とともに変化しています。

$e=E_m\sin\omega t$
$i=I_m\sin\omega t$
E_m：電圧の最大値〔V〕
I_m：電流の最大値〔A〕
t：時間〔s〕

2 交流回路の基本パーツ

交流回路を構成する要素（パーツ）として，抵抗 $\boldsymbol{R}$，インダクタンス $\boldsymbol{L}$，静電容量 $\boldsymbol{C}$ の3つがあります。

①抵抗 R〔Ω〕

抵抗は，直流，交流とも純粋に抵抗分として作用します。

②インダクタンス L〔H〕

インダクタンスは，コイル固有の値で周波数とは無関係です。直流では，コイルは単なる巻線として作用するので，抵抗分しかありませんが，交流では抵抗分のほかに，リアクタンス※26（$\boldsymbol{X}$）という電流を阻止するものがあります。

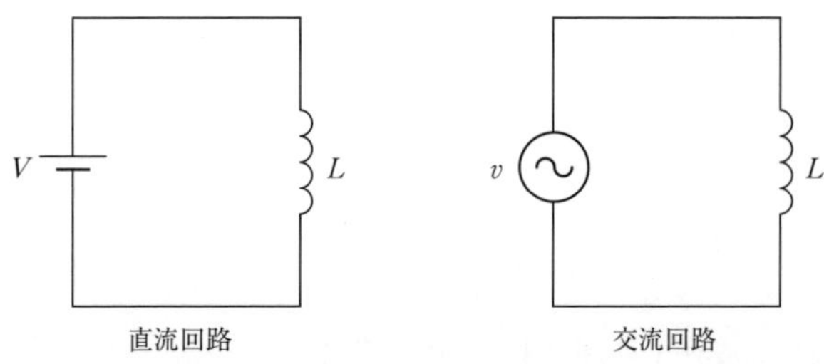

③静電容量 C〔F〕

静電容量 $\boldsymbol{C}$ は，コンデンサ固有の値で周波数とは無関係です。コンデンサは電極間に絶縁材が充填されており，流れる電流は，直流では0ですが，交流では流れを妨げるリアクタンス（$\boldsymbol{X}$）があります。

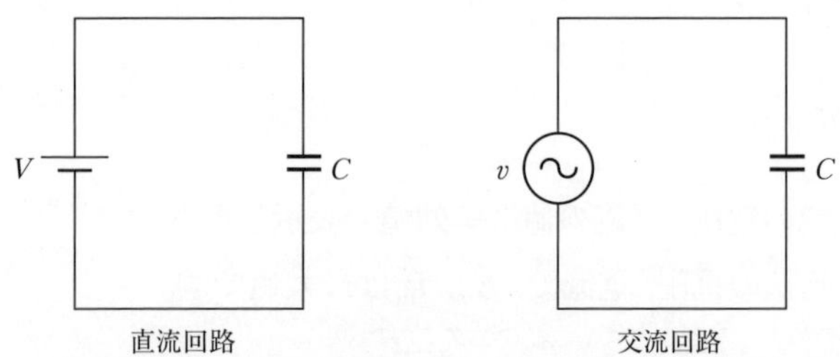

3 インピーダンス

インピーダンス（記号Zで表記）は，抵抗とリアクタンスを合成したものです。

一般に，直交座標[※27]を用いると，図のようになります。

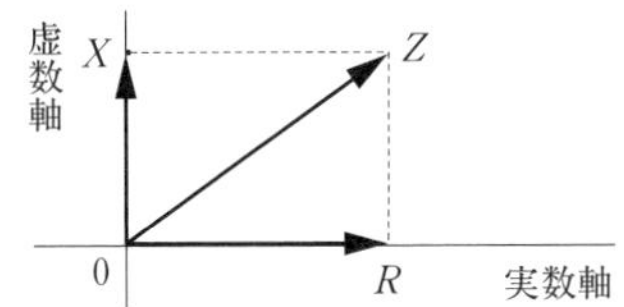

R：抵抗　　**X**：リアクタンス

リアクタンスXは，コイルによるものと，コンデンサによるものがあり，それぞれ，X_L，X_Cと表記します。

リアクタンスの大きさは，それぞれ$X_L = \omega L$，$X_C = 1/\omega C$です。

抵抗，コイル，コンデンサが直列に接続された下図におけるインピーダンスの大きさ[※28]は，次の式で表せます。

$$Z = \sqrt{R^2 + (X_c - X_L)^2}$$

回路の力率[※29]は，R/Zで計算できます。なお，抵抗，リアクタンス，インピーダンスの単位はすべて〔Ω〕です。

4 位相

位相とは，交流波の，ある任意の点に対する相対的位置をいいます。交流では，負荷にコイルやコンデンサが接続されていると，電圧と電流で波形にずれ（位相差[※30]）が生じます。

※26
リアクタンス（X）
コイルによるものと，コンデンサによるものがあり，それぞれ，誘導リアクタンス（X_L），容量リアクタンス（X_C）という場合もあります。

※27
直交座標
横軸を実数軸（抵抗の大きさ），縦軸を虚数軸（リアクタンスの大きさ）とします。
コイルは＋（上方向）で，コンデンサは－（下方向）です。

※28
インピーダンスの大きさ

$$Z = \sqrt{R^2 + (X_C - X_L)^2}$$
$$Z = \sqrt{R^2 + (X_L - X_C)^2}$$

どちらもOKです。
（　）の中は，大きい方から小さい方を引き算しましょう。

※29
力率
供給された電力の何%が有効に働いたかを示すもので，いわゆる効率です。$\cos\theta$で表します。

※30
位相差
抵抗だけの場合は位相差を生じません。

①コイル回路

電圧 V と電流 I をそれぞれ図で表すと，電流は電圧より $\pi/2$ の遅れがあります。

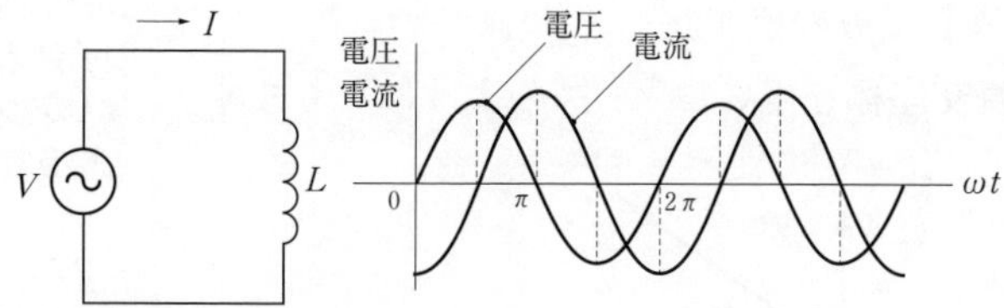

ベクトルで表記すると次の図のようになります。

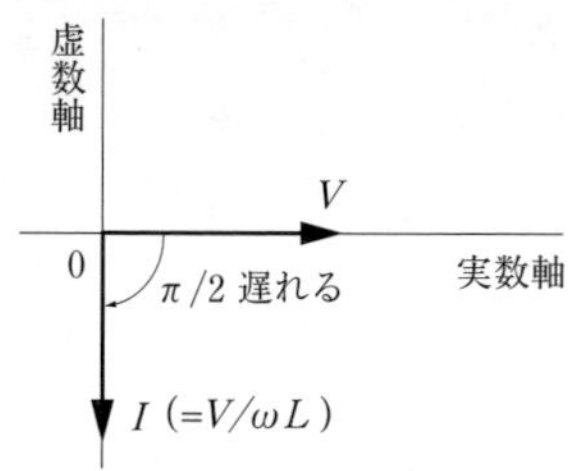

②コンデンサ回路

コンデンサに流れる電流は，電圧より $\pi/2$ ※31 だけ進んでいます。

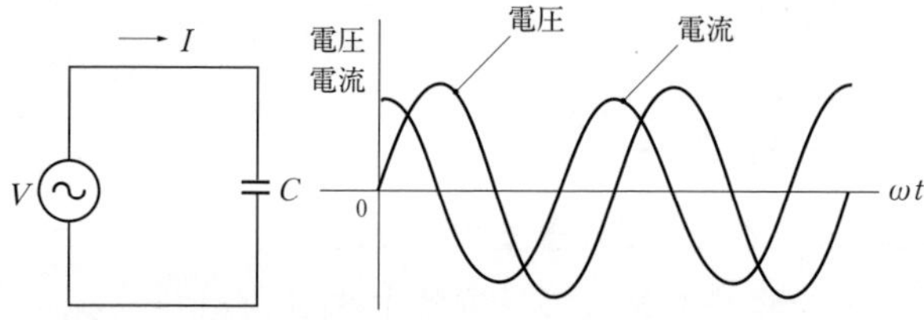

ベクトルで表記すると次の図のようになります。

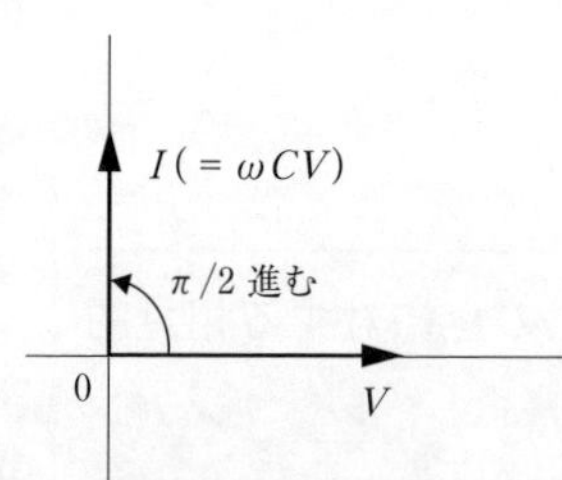

例題

図に示す単相交流回路の電流$\boldsymbol{I}$〔A〕の実効値を求めなさい。

ただし，電圧$\boldsymbol{E}$〔V〕の実効値は200Vとし，抵抗$\boldsymbol{R}$は4Ω，誘導リアクタンス$\boldsymbol{X_L}$は3Ωとする。

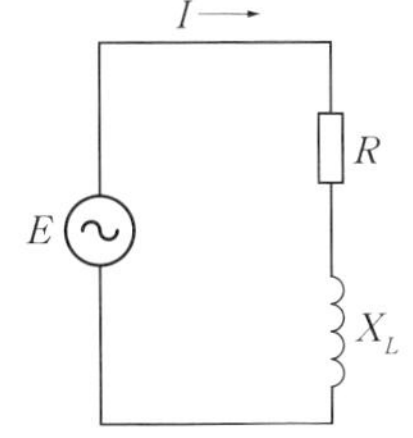

解説

$$\boldsymbol{Z}=\sqrt{4^2+3^2}=\sqrt{25}=5〔Ω〕$$

オームの法則より，

$$\boldsymbol{I}=\boldsymbol{V}/\boldsymbol{Z}=200/5=40〔A〕$$

5 三相交流

①結線

三相交流の結線方法には，スター（Y）結線[※32]とデルタ（Δ）結線[※33]があります。

たとえばスター結線の場合，単相回路が3つあり，これらは，振幅，周期は同じで，位相が$2\pi/3$（120度）ずつずれています。これが平衡三相交流です。

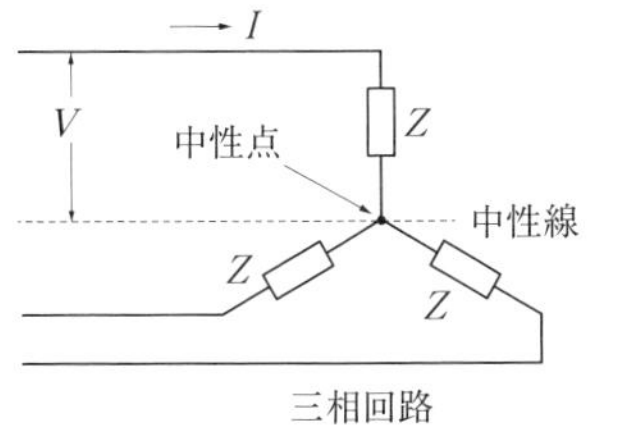

三相回路

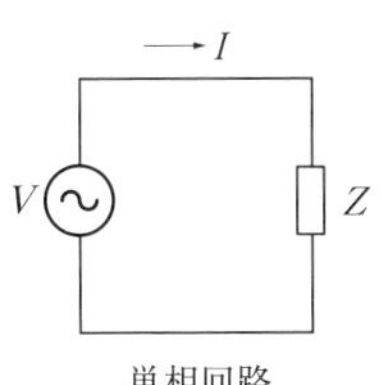

単相回路

②電流の大きさ

スター結線とデルタ結線によって，各電圧，各電流の大きさは，次のようになります。

※31
π/2だけ進んで
π/2＝90度です。波形からは電流の方が遅れているように見えますが，t＝0（原点）で比較すると，電圧が0のとき電流は＋です。つまり，電流が進んでいるということです。

※32
スター（Y）結線
結線した形が星（☆）に似ています。

※33
デルタ（Δ）結線
結線した形が三角形（△）です。

●スター結線（Y結線）

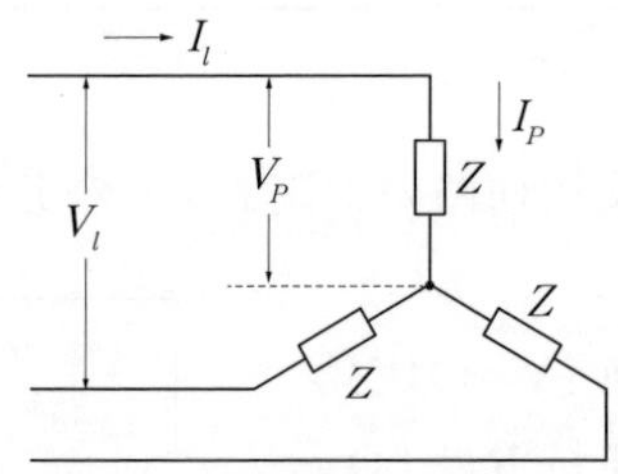

$$V_l=\sqrt{3}V_P \qquad I_l=I_P$$

V_l：線間電圧　V_P：相電圧　I_l：線電流　I_P：相電流

●デルタ結線（Δ結線）

$$V_l=V_P \qquad I_l=\sqrt{3}I_P$$

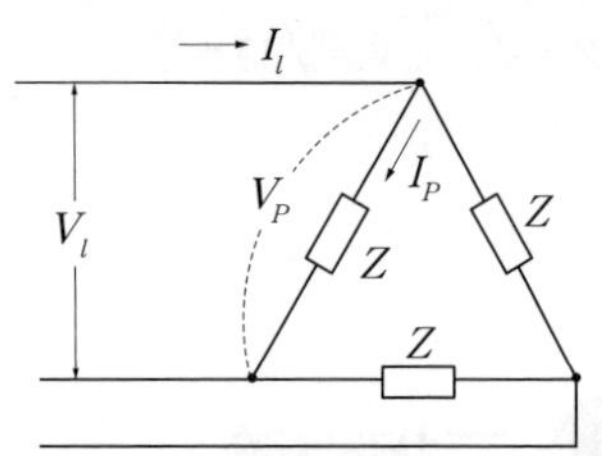

例題

図に示す三相負荷に三相交流電源を接続したときに流れる電流 I〔A〕の値を求めなさい。

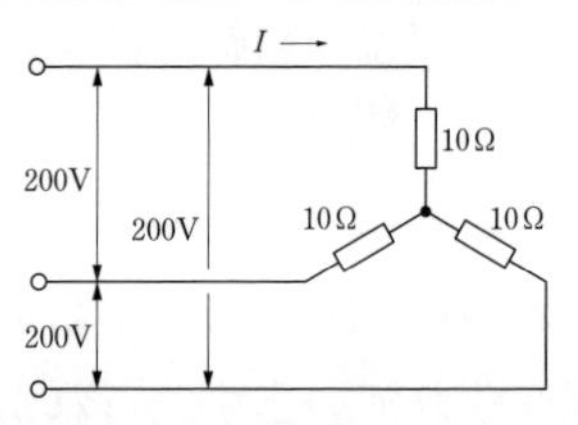

解説

相電圧は $200/\sqrt{3}$ なので，オームの法則から，

$I=(200/\sqrt{3})\div 10=20/\sqrt{3}$〔A〕

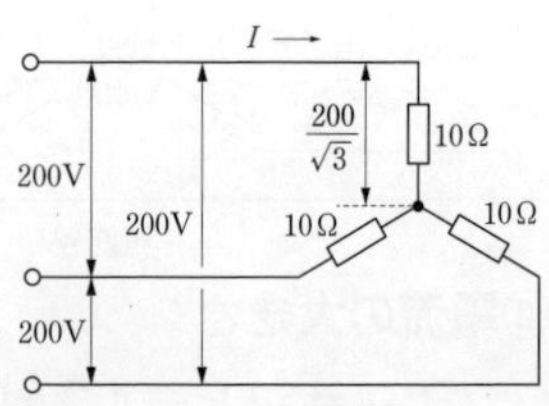

6 電力

①電力の種類

交流の電力には次の3種類があります。

- 皮相電力[※34]　S〔V・A：ボルトアンペア〕
- 無効電力[※35]　Q〔var：バール〕
- 有効電力[※36]　P〔W：ワット〕

②電力の大きさ

有効電力は，次の式で表されます。

- 直流電力　$P = VI$〔W〕
- 単相交流電力　$P = VI\cos\theta$　〔W〕
- 三相交流電力　$P = \sqrt{3}\,VI\cos\theta$　〔W〕

※34
皮相電力
皮相とは，うわべ，見かけという意味です。数値は大きいですが，数値に見合った仕事をしません。

※35
無効電力
電力として取り出すことはできませんが，電圧調整の役にたつ電力です。

※36
有効電力
消費電力ともいいます。

チャレンジ問題！

問1　難　**中**　易

図に示す三相負荷に平衡三相交流電源を接続したときに流れる電流 I〔A〕の値として，適当なものはどれか。

(1) $\dfrac{20}{\sqrt{3}}$A
(2) 20A
(3) $20\sqrt{3}$A
(4) 60A

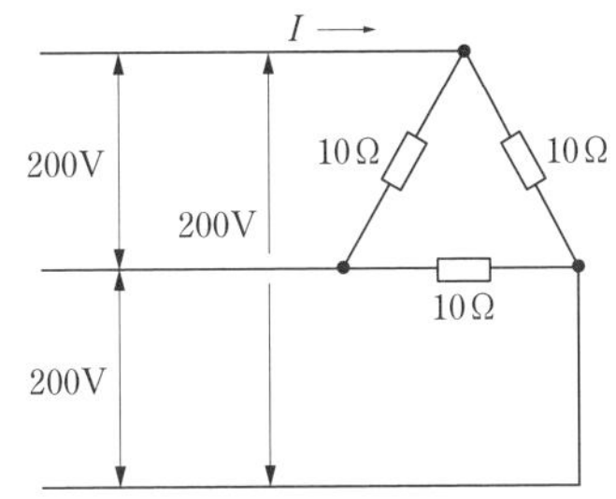

解　説

10Ωの抵抗を流れる相電流 $I_P = I/\sqrt{3}$ であり，オームの法則により，

$I/\sqrt{3} = 200 \div 10$

$I = 20\sqrt{3}$

解答（3）

第1章 電気工学

CASE 2 計器・電気機器

まとめ & 丸暗記 この節の学習内容とまとめ

□ 分流器・倍率器

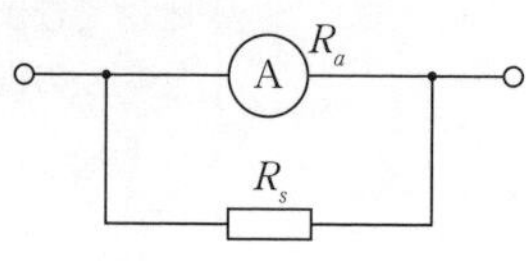

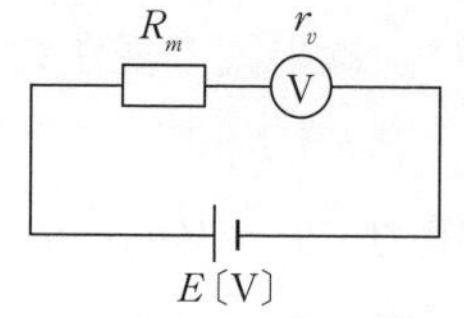

$R_s = R_a$/（拡大倍率－１）　$R_m = r_v$×（拡大倍率－１）

□ 発電機の回転数

$N=120\ f/p$

N：回転数〔min^{-1}〕　f：起電力の周波数〔Hz〕　p：磁極数

□ 変圧器の損失

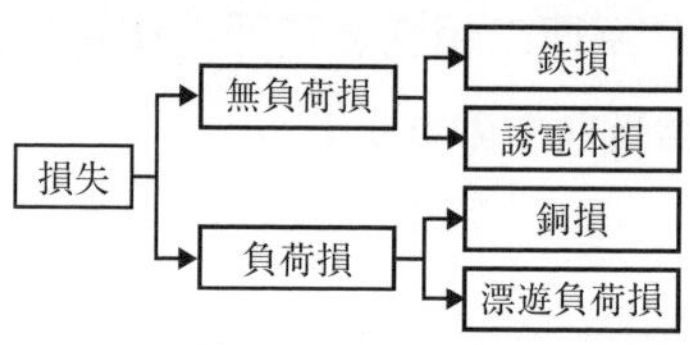

□ V結線

単相変圧器２台

単相100kV・Aの変圧器２台

→三相100$\sqrt{3}$kV・A　利用率は$\sqrt{3}/2$

□ 真空遮断器

①アークによる電極の消耗が少なく，火災のおそれがない

②真空状態にあるバルブの中で接点を開閉し，保守点検が容易

③短絡電流を遮断した後も再使用できる

計器

※1
可動コイル形計器
直流のみに使用される計器はこれだけです。

1 電気計器の種類

電流，電圧，電力，電力量などを計測する計器を電気計器といいます。

種類	記号	動作原理	使用回路	主な計器
可動コイル形	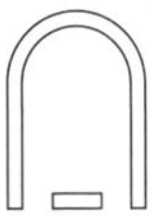	固定永久磁石の磁界と，可動コイルに流れる直流電流との間に働く力により，可動コイルを駆動させる	直流	電圧計 電流計
可動鉄片形	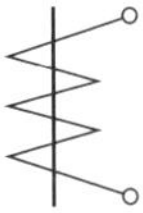	固定コイルに流れる電流の磁界と，その磁界によって磁化された可動鉄片との間に生じる力により，可動鉄片を駆動させる	交流	電圧計 電流計
整流形	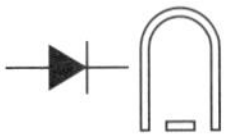	整流器によって交流を直流に交換し，可動コイル形の計器で指示させる	交流	電圧計 電流計
誘導形	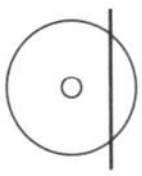	交流電磁石による回転磁界と，その磁界によって可動導体中に誘導されるうず電流との間に生じる力により，可動導体を駆動させる	交流	電力量計
電流力計形	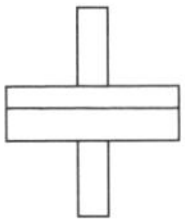	固定コイルに流れる電流の磁界と，可動コイルに流れる電流との間に生じる力により可動コイルを駆動させる	交流 直流	電力計
熱電対形	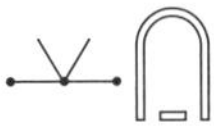	ヒータに流れる電流によって熱せられる熱電対に生じる起電力を可動コイル形の計器で指示させる	交流 直流	電圧計 電流計

直流のみに使用されるものは，**可動コイル形計器**[※1]です。誘導形は電力量計として使用されます。

計器にはアナログ計器とデジタル計器があり，デジタル計器は読み取りの個人差がないことや，計器の内部では**A－D変換**[※2]が行われており，コンピュータに接続してデータの処理ができるという特徴を有しています。

2 電力量計の計器定数

誘導形電力量計の円板の**回転数**[※3]は，電力量に比例します。式で表すと次のとおりです。

$$N = PKT$$

N：回転数　***P***：負荷の電力〔kW〕

K：計器定数〔rev/kW・h〕　***T***：時間〔h〕

※計器定数の単位は〔rev/kW・h〕で，1kW・h当たりの円板の回転数を表します。

例題

計器定数2,000rev/kW・hの単相2線式の電力量計を，電圧100V，電流10A，力率0.8の回路に15分間接続した場合の円板の回転数を求めなさい。

解説

$N = PKT = (100 \times 10 \times 0.8 \div 1{,}000) \times 2{,}000 \times 15/60 = 400$ 回転

3 測定器の接続

電圧計，電流計，電力計の接続方法は図のとおりです。電圧計は**負荷**[※4]に対して並列に接続し，電流計は直列に接続します。電力計は，電圧測定端子を並列に，電流測定端子を直列につなぎます。電圧と電流を測定することで電力が求められます。

4 分流器

電流計の測定範囲を拡大したいとき，電流計と並列に接続する抵抗 R_s のことを**分流器**といいます。

図において，R_a は電流計の内部抵抗[※5]です。

左から流れる電流が抵抗 R_s に分流するため，電流計Ⓐに流れる電流が少なくなり，電流計のフルスケールより大きい電流が測定できます。

分流器の抵抗値は，下記の計算式で求めることができます。

$$R_s = R_a / (\text{拡大倍率} - 1)$$

たとえば，フルスケール100Aの電流計の測定範囲を500Aまで拡大したい場合，拡大倍率は5倍です。電流計の内部抵抗を8Ωとすれば，$R_s = 8/(5-1) = 2$〔Ω〕の分流器を電流計に並列接続すればよいことになります。

電流の分流では，抵抗値の小さい方に多くの電流が流れることを利用します。

例題

図に示す，最大目盛10mA，内部抵抗9Ωの電流計を使用し，最大電流0.1Aまで測定するための分流器 R_s の抵抗値〔Ω〕を求めなさい。

解説

$$R_s = R_a / (\text{拡大倍率} - 1) = 9/(10-1) = 1\text{〔Ω〕}$$

※2
A－D変換
アナログデータとデジタルデータの変換を行うことです。デジタル信号は，コンピュータで処理するため，0と1の2進数が用いられます。

※3
回転数
revolution（回転数）です。

※4
負荷
電気機器（電気製品）を意味します。
一般に抵抗とコイルで表現することが多いです。

※5
内部抵抗
電流計などの機器本体がもつ抵抗です。
電流計は回路に直列に挿入して計測するので，内部抵抗値は小さく，電圧計は並列に挿入するので，その値は大きくなります。

5 倍率器

電圧計の測定範囲を拡大したいとき，電圧計と直列に接続する抵抗R_mのことを**倍率器**といいます。

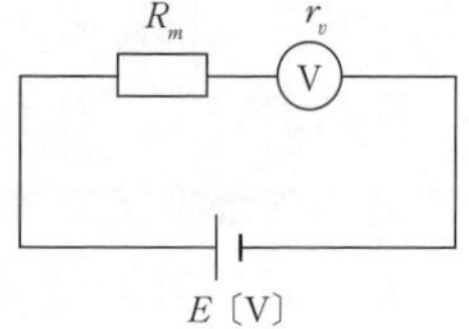

図において，r_vは電圧計の**内部抵抗**です。

電圧が抵抗R_mに分圧するため，電圧計Ⓥにかかる電圧が小さくなり，フルスケールより大きい電圧が測定できます。倍率器の抵抗値は，次の計算式で求めます。

$$R_m = r_v \times (\text{拡大倍率} - 1)$$

たとえば，フルスケール100Vの電圧計の測定範囲を500Vまで拡大したい場合，拡大倍率は5倍です。電圧計の内部抵抗を8kΩとすれば，$R_s = 8 \times (5 - 1) = 32$〔kΩ〕の倍率器を電圧計に直列接続すればよいことになります。電圧の分圧では，抵抗値の大きい方に多くの電圧が加わることを利用します。

チャレンジ問題！

問1　難　**中**　易

内部抵抗20kΩ，最大目盛20Vの永久磁石可動コイル形電圧計を使用し，最大電圧200Vまで測定するための倍率器の抵抗値として，正しいものはどれか。

(1)　160 kΩ
(2)　180 kΩ
(3)　200 kΩ
(4)　220 kΩ

解　説

$R_m = r_v \times$(拡大倍率－1)＝20×(10－1)＝180〔kΩ〕

解答（2）

発電機

1 直流発電機

①原理

直流発電機は，機械動力を受けて直流電力を発生させる電気機械です。

固定子の界磁巻線[※6]が磁界をつくり，回転子を回転させると電機子巻線に電磁誘導作用が起こり，誘導起電力[※7]が発生します。

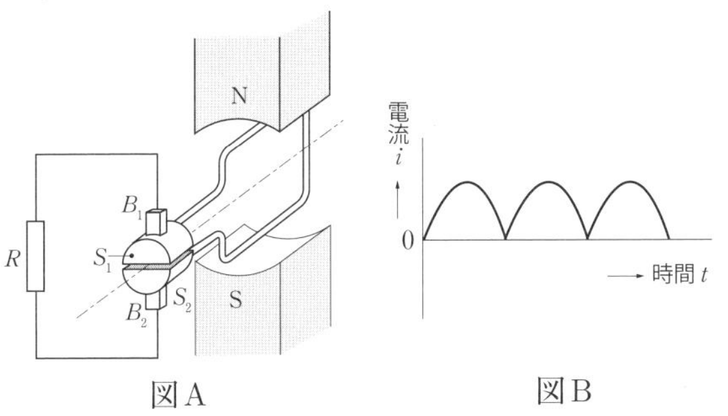

図A　　図B

図A，Bにおいて，図AのS_1とS_2は整流子，B_1とB_2はブラシを示し，これらにより整流をします。図Bは電流の整流された波形です。

出力電圧は，一定界磁[※8]の下では回転速度に比例し，回転数が一定のときは磁束の大きさに比例します。

②界磁巻線

界磁巻線とは，励磁電流を流す巻線のことです。直流発電機では，界磁巻線の電流を変えることにより回転速度を制御することができます。

界磁巻線の接続方法は次のとおりです。

※6
界磁巻線
磁界を発生するコイルです。界磁を永久磁石とした発電機もあります。

※7
誘導起電力
電機子コイルに発生する起電力は，フレミングの右手の法則によって定まる向きに発生します。

※8
界磁
電動機，発電機などの回転電気機器における磁界のことです。

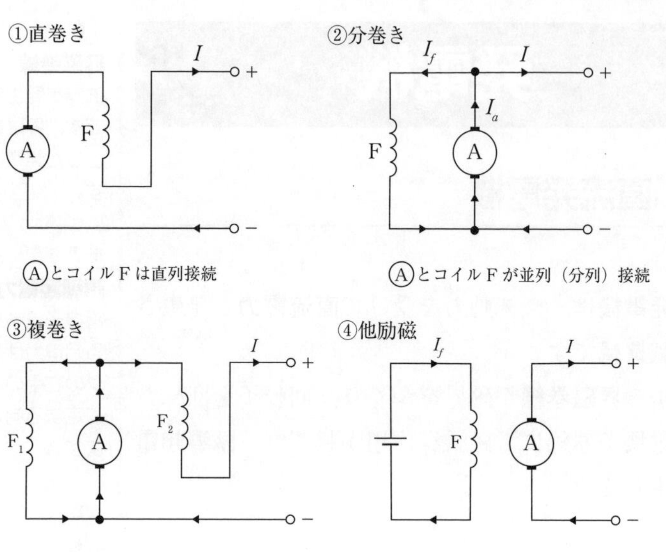

A：電機子　**F**：界磁巻線　***I***：負荷電流　I_a：電機子電流

I_f：界磁電流

③起電力の値

発電機の起電力〔V〕と回転速度〔min^{-1}〕[※9]の関係は次のとおりです。

回転速度N_0のときの起電力がE_0Vの直流他励発電機を，回転速度Nで運転したときの起電力の値Eは，次の式で表されます。

$$E = E_0 \times N/N_0$$

例題

回転速度1,500 min^{-1}のときの起電力が200Vの直流他励発電機を，回転速度1,350 min^{-1}で運転したときの起電力の値を求めなさい。

ただし，界磁電流は一定とする。

解説

200×1,350/1,500＝180〔V〕

2 同期発電機

①種類

同期発電機は，界磁のつくる磁界が電機子巻線を横切る回転速度に同期した電力を発電する交流発電機です。

同期発電機には，回転界磁形と回転電機子形があります。

●回転界磁形

図のように，回転子は界磁（磁石）で，固定子は電機子となります。回転子には小さな直流電気を供給し，電機子コイルに大きな交流電圧が発生します。

容量の大きな電機子を固定し，回転させる必要がないので，一般用途に広く用いられています。

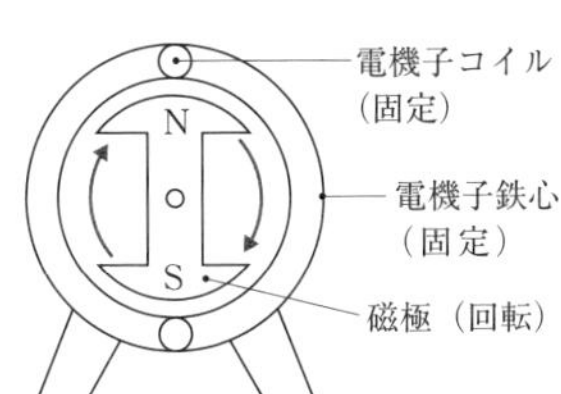

●回転電機子形

固定子が界磁で，回転子が電機子となります。電機子コイルに交流電圧を発生させます。特殊用途の小容量機に用いられます。

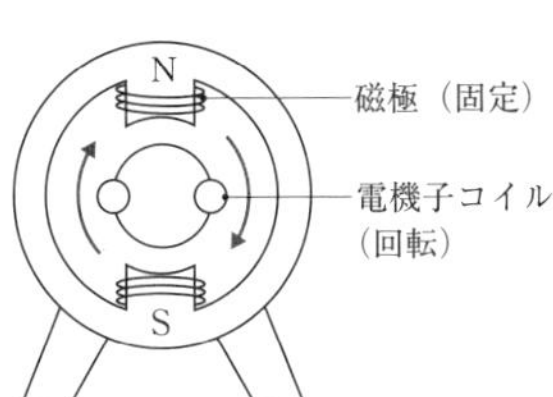

3 並行運転

三相同期発電機の並行運転[※10]を行うための条件として，次のことを一致させます。

●周波数　●起電力の位相

●起電力の大きさ　●電圧波形

●相回転

なお，三相同期発電機の並行運転に，定格電流や定

※9

min^{-1}

1分間当たりの回転数，つまり毎分です。

※10

並行運転

2台以上の発電機を同時運転して出力を得ることです。

格容量を同じにする必要はありません。

4 発電機の回転数

三相同期発電機の回転数は，次の式で表されます。

$$N=120f/p$$

N：回転数〔min^{-1}〕　f：起電力の周波数〔Hz〕　p：磁極数

例題

磁極数pの三相同期発電機が1分間にN回転しているとき，起電力の周波数f〔Hz〕を表す式を求めなさい。

解説

$N=120\,f/p$　より，$f=pN/120$〔Hz〕

チャレンジ問題！

問1　難　**中**　易

同期発電機の並行運転を行うための条件として，必要のないものはどれか。

(1) 定格容量が等しいこと。
(2) 起電力の位相が一致していること。
(3) 起電力の周波数が等しいこと。
(4) 起電力の大きさが等しいこと。

解 説

同期発電機の並行運転を行うための条件として，起電力の位相が一致していること，周波数が等しいこと，起電力の大きさが等しいことなどは，必要ですが，定格容量が等しいことは条件ではありません。

解答（1）

変圧器

1 原理

変圧器は，一般に，ケイ素鋼板成層鉄心[※11]にコイルを巻いた構造で，一次巻線と二次巻線からできています。一次巻線は交流電源，二次巻線は負荷に接続します。

巻線に誘導される誘導起電力は，巻数に比例します。巻数比を a とすると，理想変圧器[※12]では次の関係があります。

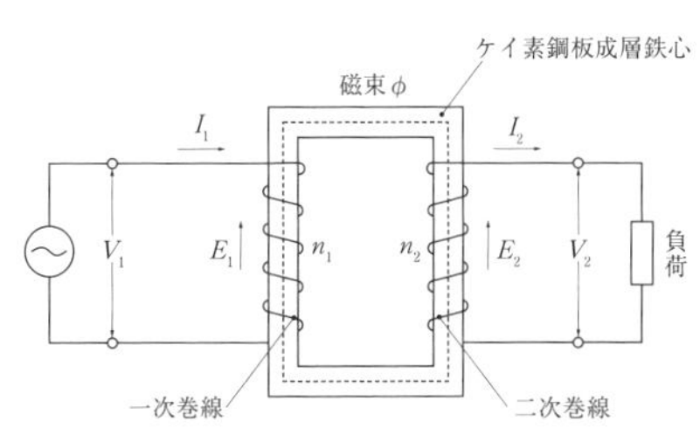

$$a = n_1/n_2 = E_1/E_2$$

また，変圧器の一次側と二次側の電力は等しく，次式が成り立ちます。

$$E_1 I_1 = E_2 I_2$$

n_1：一次巻線の巻数，E_1：一次側誘導起電力〔V〕，I_1：一次側電流〔A〕

n_2：二次巻線の巻数，E_2：二次側誘導起電力〔V〕，I_2：二次側電流〔A〕

例題

一次側に電圧6,600Vを加えたとき，二次側の電圧が110Vとなる理想変圧器があります。二次側の電圧を105Vにするための一次側の電圧〔V〕を求めなさい。

※11
成層鉄心
薄くスライスしたような鋼板を，何層にも重ねて成形したものです。中心部は，ドーナツ状にくり抜かれています。

※12
理想変圧器
磁束漏れ，損失の無い変圧器です。

解説

$a = n_1/n_2 = E_1/E_2$ より，

巻数比 $a = 6{,}600/110 = 60$

∴　$105 \times 60 = 6{,}300$〔V〕

2 変圧器の種類

変圧器には次の種類があります。

①油入変圧器

鉄心と巻線を絶縁油の中に収めたもので，絶縁性，冷却性に優れています。重量や寸法が大きく，設置スペースを要する欠点はありますが，騒音が小さく，安価であるため，一般に使用されています。

絶縁油に要求される特性は次のとおりです。

- 絶縁耐力が大きいこと
- 冷却作用が大きいこと
- 粘度が低いこと
- 引火点が高いこと

②モールド変圧器

巻線部をエポキシ樹脂などの絶縁物で覆った変圧器です。小型軽量で絶縁性，難燃性に優れていますが，鉄心が露出しているため振動，騒音が大きくなります。

③ガス絶縁変圧器

鉄心と巻線を，不活性ガスである**SF_6**[※13]ガスの中に収めたものです。SF_6ガスは，無色，無臭，無毒，不燃性の気体です。

3 変圧器の損失

変圧器には損失があります。大別すると，無負荷時にも生じる**無負荷損**と負荷時だけに生じる**負荷損**があります。

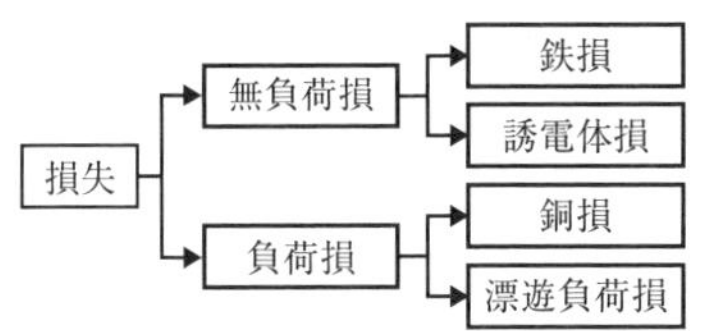

変圧器の**鉄損**[※14], 銅損, および変圧器効率のグラフは, 次の図のとおりです。

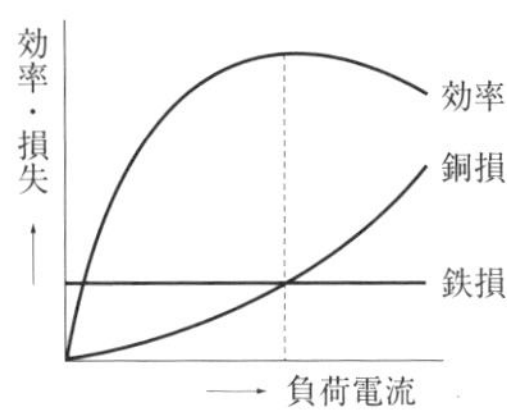

無負荷損の主なものは鉄心に生じる**鉄損**, 負荷損の主なものは巻線に生じる**銅損**です。使用する周波数が一定であれば, 鉄損は負荷電流によらず一定で, 銅損は負荷電流の二乗に比例します。

変圧器の**効率**[※15] η (イータ) は, 変圧器の入力に対する出力の比で, 次の式で表されます。

$$\eta = \frac{出力}{入力} \times 100 〔\%〕 = \frac{出力}{出力 + 損失} \times 100 〔\%〕$$
$$= \frac{出力}{出力 + 無負荷損 + 負荷損} \times 100 〔\%〕$$

また, 変圧器の効率は, 無負荷損 (鉄損) と負荷損 (銅損) が等しいときに最大となります。

4 並行運転

複数の変圧器を並行して運転する場合, 負荷は**変圧器の定格容量に応じて按分**[※15]されます。また, 変圧器の結線方法により組合せ可能なものと不可能なものがあります。次の表において, 可能な組合せは○, 不可能な組合せは×で示しています。

※13
SF_6 ガス
六フッ化硫黄ガスのことです。絶縁性は優れていますが, 地球温暖化ガスの1つです。

※14
鉄損
ヒステリシス損やうず電流損があります。

※15
定格容量に応じて按分
〔例〕
100kV・Aと300kV・Aの変圧器を並列運転し, 200kV・Aの負荷に供給するときの変圧器の負荷分担を求めなさい。
〔解説〕
200kV・Aを1：3に分けると,

$$200 \times \frac{1}{4} = 50$$

$$200 \times \frac{3}{4} = 150$$

よって,
100kV・Aの変圧器は50kV・A, 300kV・Aの変圧器は150kV・Aの負荷分担になります。

	$\Delta-\Delta$	$\Delta-Y$	$Y-\Delta$	$Y-Y$
$\Delta-\Delta$	○	×	×	○
$\Delta-Y$	×	○	○	×
$Y-\Delta$	×	○	○	×
$Y-Y$	○	×	×	○

並行運転の主な条件は次のとおりです。

- 一次，二次の定格電圧が等しいこと
- 極性が等しいこと
- 巻線比が等しいこと
- 内部抵抗とリアクタンスの比が等しいこと
- 相回転が同一であること（三相）

5 *V*結線・*Δ*結線

① *V*結線

単相変圧器2台を用いて*V*結線すると，三相変圧器として使用できます。

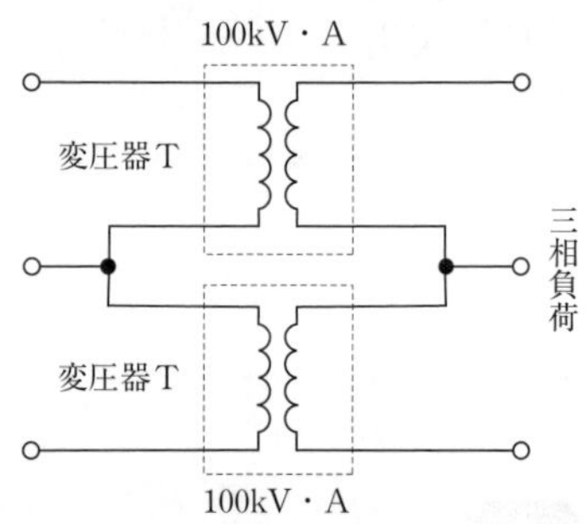

100kV・Aの変圧器2台を***V***結線すると，$100\sqrt{3}$ kV・Aの三相負荷に電気を供給できます。変圧器の**利用率**[※16]は$\sqrt{3}/2$です。

② *Δ*結線

単相変圧器3台を用いて***Δ***結線すると，三相変圧器として使用できます。

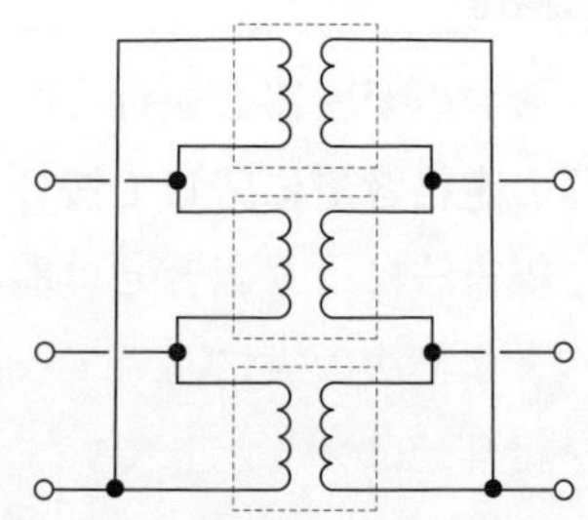

100kV・Aの変圧器3台を***Δ***結線すると，300kV・Aの三相負荷に電気を供給できます。変圧器の利用率は1です。

例題

定格容量P〔kV・A〕の単相変圧器2台を*V*結線とした場合，三相負荷に供給可能な最大容量〔kV・A〕と利用率を求めなさい。

※16
利用率
単相変圧器1台のkV・Aが，三相変圧器の何kV・Aを出力しているかを数値化したものです。

解説

最大容量は，変圧器2台で出力する容量で，利用率は1台分となります。

最大容量：$\sqrt{3}$P〔kV・A〕，利用率：$\sqrt{3}/2$

チャレンジ問題！

問1

難 **中** 易

定格容量が100kV･Aと300kV･Aの変圧器を並行運転し，240kV･Aの負荷に供給するとき，変圧器の負荷分担の組合せとして，適当なものはどれか。

ただし，2台の変圧器は並行運転の条件を満足しているものとする。

	100kV･A 変圧器	300kV･A 変圧器
(1)	24kV･A	216kV･A
(2)	30kV･A	210kV･A
(3)	60kV･A	180kV･A
(4)	100kV･A	140kV･A

解 説

240kV･Aの負荷を100：300＝1：3に按分します。

100kV･A 変圧器…240×1/4＝60kV･A

300kV･A 変圧器…240×3/4＝180kV･A

解答（3）

遮断器等

1 遮断器

①真空遮断器・空気遮断器

負荷電流はもとより，地絡電流や，**定格遮断電流**以下の**短絡電流**などの，いわゆる事故電流も**遮断**することができます。

アーク[※17]による電極の消耗が少なく，火災のおそれがないので多頻度操作用に用いられます。

真空遮断器（VCB）は，真空状態にあるバルブの中で接点を開閉します。小型軽量で**真空バルブ**の保守が不要であるため，保守点検が容易です。短絡電流を遮断した後も再使用できますが，電流遮断時に，異常電圧を発生するおそれがあります。

空気遮断器（ACB）は,電路を遮断するとき，遮断アークに**圧縮空気**を吹き付けて消弧する形式の遮断器です。遮断時に大きな騒音を発します。

②ガス遮断器

ガス遮断器（GCB）は，空気遮断器と似たような消弧方法ですが，主に，**SF_6ガス**を吹き付けて消弧する方式が採用されています。SF_6ガスは，ガス圧の増加によって絶縁耐力が増加する特徴があります。

遮断時の騒音は空気遮断器に比べて小さく，高電圧・大容量の遮断器として使用されています。

2 進相コンデンサ

進相コンデンサは力率を改善する電気機器です。誘導性負荷と並列に接続して力率を改善した場合，電源側に生じる効果は次のとおりです。

- 電圧降下の軽減
- 電力損失の低減
- 無効電流の減少

なお，電圧波形のひずみの改善や，周波数変動の抑制効果はありません。

※17
アーク
大きな電流が流れているときに接点の開閉を行うと，絶縁破壊による放電が起こります。

3 直列リアクトル

直列リアクトルとは，進相コンデンサと接続[※18]するもので，電圧波形のひずみを軽減する役割があります。進相コンデンサは電子機器の影響を受けやすく，高調波によって電圧波形がひずみます。特に**第5高調波**による影響は大きく，基本波と第5高調波を合成したひずみ波は図のとおりです。

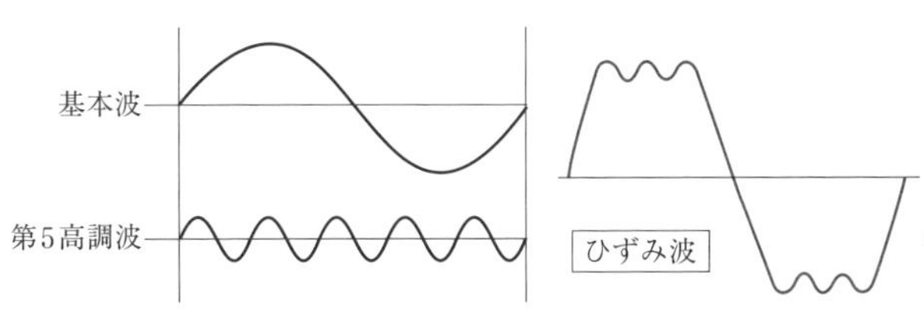

※18
接続

回路電圧6,600Vに6%のリアクトルを接続するとコンデンサの定格電圧は7,020Vです。

チャレンジ問題！

問1 難 **中** 易

進相コンデンサを誘導性負荷と並列に接続して力率を改善した場合，電源側に生じる効果として，不適当なものはどれか。

(1) 電力損失の低減
(2) 電圧降下の軽減
(3) 無効電流の減少
(4) 電圧波形のひずみの改善

解説

進相コンデンサには，電圧波形のひずみの改善効果はありません。

解答（4）

CASE 3

電力系統

まとめ & 丸暗記　この節の学習内容とまとめ

□　水力発電の式

理論水力　$P=9.8QH$〔kW〕

発電機の出力　$P_G=9.8QH\eta_T\eta_G$〔kW〕

H：有効落差〔m〕　　Q：流量〔m^3/s〕

η_T：水車効率　　η_G：発電機の効率

□　変電所の機能

①送配電系統の保護
②送配電系統の無効電力の調整
③送配電電圧の維持，昇圧または降圧
④送配電系統の電力潮流の調整
⑤事故が発生した送配電線を電力系統から切り離す

□　調相設備と電圧調整

①電力用コンデンサは，進相無効電力を段階的に調整
②分路リアクトルは遅相無効電力を段階的に調整
③静止形無効電力補償装置（SVC）や同期調相機は，遅相から進相まで連続的に調整

□　電力損失の軽減対策

①配電電圧を高くする
②太い電線に張り替える
③給電点をできるだけ負荷の中心に移す
④電力用コンデンサを設置して力率を改善する
⑤単相３線式の配電方式を採用する

水力発電

1 水力発電の式

水力発電は，水を高所から落下させ水車を回転させることで発電します。水の持つ位置エネルギーを水車の運動エネルギーに変えて，水車と連動する**発電機**により電気エネルギーとして出力します。

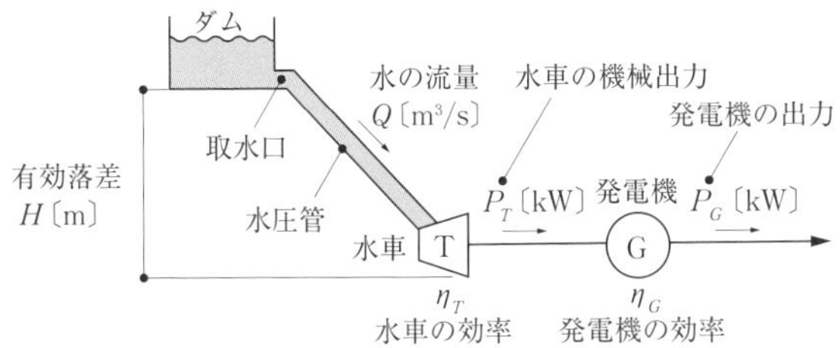

有効落差$\boldsymbol{H}$〔m〕の高さより，流量$\boldsymbol{Q}$〔m³/s〕の水を落下させたとき，水車に与えられるエネルギー$\boldsymbol{P}$〔kW〕は，次式で表されます。これを**理論水力**[※1]といいます。

$P=9.8QH$〔kW〕

また，水車の出力$\boldsymbol{P_T}$〔kW〕，発電機の出力$\boldsymbol{P_G}$〔kW〕は，水車の効率をη_T，発電機の効率をη_Gとすると，次式で表されます。

$$P_T=9.8QH\eta_T \text{〔kW〕}$$

$$P_G=9.8QH\eta_T\eta_G \text{〔kW〕}$$

2 ダムの構造

水力発電のダムの構造方式は次のとおりです。

※1
理論水力
$P=9.8QH$で表されます。機器の損失等を無視したもので，実際はこれより出力Pは小さくなります。
なお，9.8は重力加速度gの値です。

①アーチダム[※2]

コンクリートを主材料とし，水圧の外力を主に両岸の**岩盤**で支える構造で，川幅が狭く両岸が高く，かつ両岸，底面ともに堅固な場所につくられます。

②アースダム

堤体の中央部に粘土などで心壁をつくり，周囲に土を盛り，締め固めてつくります。

③ロックフィルダム

岩石，土砂を積み上げてつくります。図は，堤体内部に遮水壁を設けたものですが，表面を遮水するものもあります。

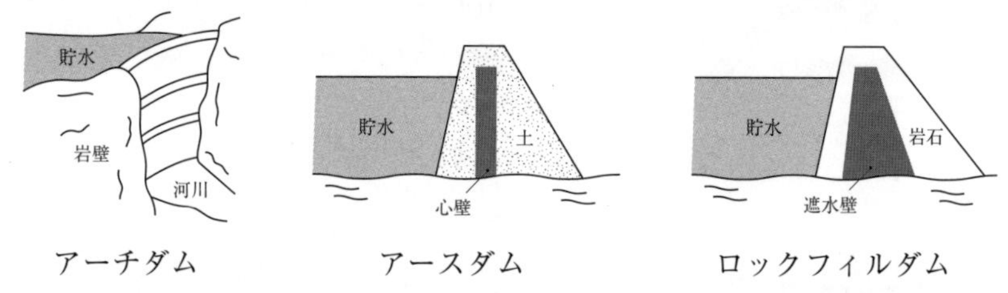

アーチダム　アースダム　ロックフィルダム

ダムに水路（水圧管）を組み合わせたものが，ダム水路式です。

3 発電方式

水力発電の**発電方式**は次のとおりです。

①流れ込み式

河川の自然流量に応じて発電する方式です。

②調整池式

深夜または**軽負荷時**[※3]に河川水量の全部または一部を蓄えておき，ピーク負荷時に発電放流し，河川流量を有効に利用して発電する方式です。

１日から１週間程度の電力需要に対応します。

③貯水池式

豊水期[※4]の水を蓄えておき，渇水期に利用することにより，河川流量の季節的変動を調整して発電する方式です。水量が豊富で電力の消費量が比較的少ない春先や秋口などに河川水を大きな池[※5]に貯めておき，電力需要の大きい夏季や冬季にこの水を使用します。

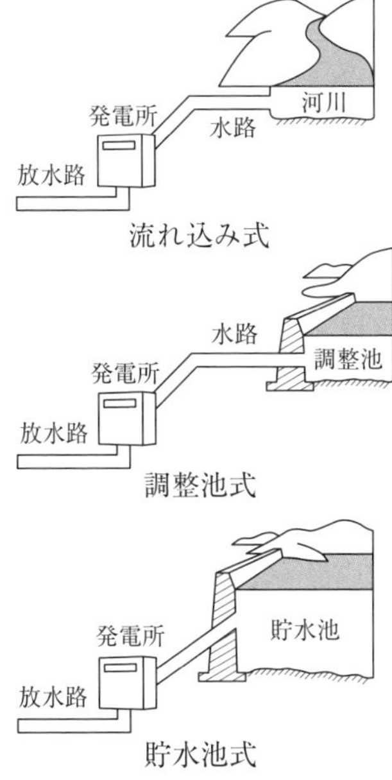

④揚水式

深夜などの供給余力を利用してポンプを運転し，下部池から上部池まで水を汲み上げ，ピーク負荷時[※6]にこの水を利用して発電する方式です。

貯留された水だけを利用する**純揚水式**と，河川から上池へ流れ込んだ水も発電に利用する**混合揚水式**があります。

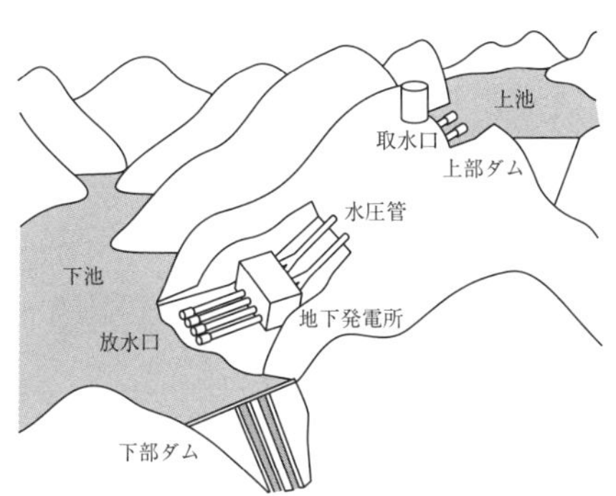

※2
アーチダム
アーチ（円弧）の一部のような形状です。

※3
軽負荷時
一般には，深夜のように昼間に比べて電力をあまり使用しない時間帯をいいます。工場地帯の場合は，休日などもこれに該当します。

※4
豊水期
河川の水量が豊富な時期をいいます。梅雨の時期などは豊水期といえます。

※5
池に貯めておき
調整池と貯水池がありますが，前者は短い日数，後者は長期間にわたります。

※6
ピーク負荷時
一日の電力需要で，ピーク（最大）となる時間帯をいいます。通常，午後2時から午後4時頃が需要のピークです。

4 水撃作用

水力発電設備における**水圧管**は，水力発電に必要な落差を伝える構造物です。流水が通過する際に大きな圧力がかかるため，**水車入口弁**を閉鎖して使用水量を急激に変化させると，**水撃作用**※7により**圧力波**※8が発生して，腐食等で劣化した水圧管を破裂させることがあります。

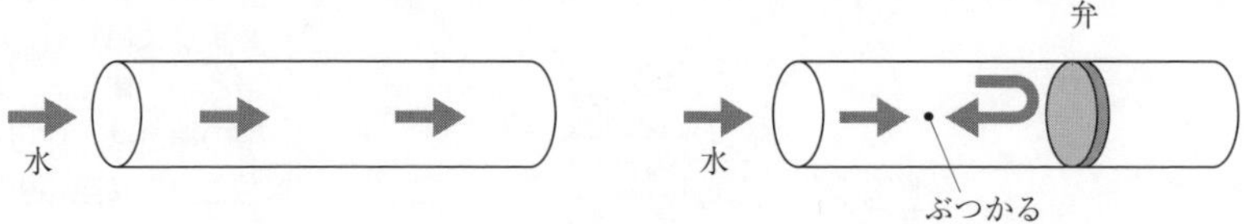

水撃作用は，水圧鉄管が長いほど大きくなるので，防止策として，水圧管はできるだけ曲がりを少なくし直線状配管（短い配管）にします。また，水車入口弁の閉鎖に要する時間が短いほど大きくなるので，**閉鎖はゆっくり**と時間をかけて行います。

サージタンク※9を設けると，水撃作用による圧力変動を吸収することができます。

チャレンジ問題！

問1　難　**中**　易

ダム水路式発電所の水圧管における水撃作用に関する記述として，最も不適当なものはどれか。

(1) 水圧管を破裂させることがある。
(2) 水圧管が長いほど大きくなる。
(3) 水車入口弁の閉鎖に要する時間が長いほど大きくなる。
(4) 水車の使用水量を急激に変化させた場合に発生する。

解説

水撃作用は，水車入口弁の閉鎖に要する時間が短いほど大きくなります。

解答（3）

汽力発電

1 汽力発電

汽力発電は，蒸気タービンを原動機に用いた火力発電のことです。

※蒸気タービンは外燃機関の一種で，外部で発生させた高温の蒸気をタービン（羽根車）に吹き付けて回転させ，動力や推進力を発生させる機関です。

重油，LNG，石炭などを燃やした熱で高温・高圧の蒸気をつくります。この蒸気をタービンの羽根車に吹き付けて回転させ，タービンにつないだ発電機を動かし発電します。

2 熱サイクル

熱サイクルとは，気体を何段階かの状態に変化させ，元の状態に戻すことをいいます。

熱サイクルのうち最も基本的なものをランキンサイクルといいます。水は給水ポンプからボイラ内の蒸発管と過熱器を経て過熱蒸気[※10]となり，タービンを回転させます。

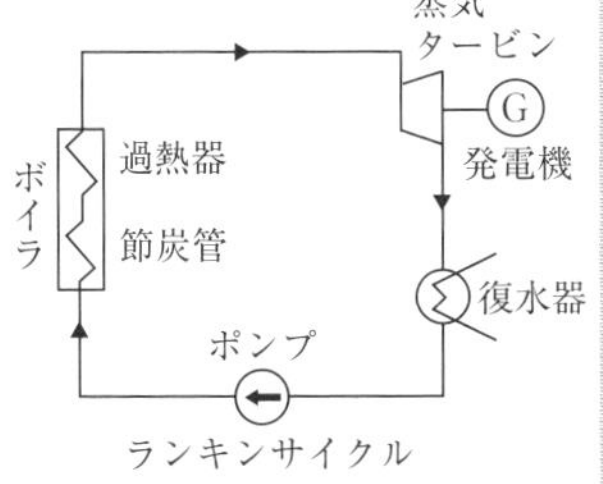

タービンの回転軸により発電機の回転子がまわり，発電します。発電した後の蒸気は復水器に導かれ，海水で冷やされて水に戻ります。この復水器の中は，タービンからの蒸気の引き込みをよくするため，真空になっています。

※7
水撃作用
ウォータハンマ現象ともいいます。弁体が急激に閉じられると，水に圧量変動を生じ，圧力波が逆流して金槌（ハンマ）で管をたたくような衝撃があります。

※8
圧力波
この圧力波は上流（水が流れてきた方）に向かいます。

※9
サージタンク
調圧水槽のことで，水の変動を一時的に蓄えることで流量を緩和して増減を平準化することができます。

※10
過熱蒸気
大気圧下では，水を加熱して100℃で気化し蒸気になりますが，さらに加熱して100℃を超える温度になった蒸気のことです。

節炭器は，排ガスの余熱でボイラの給水を加熱する機器です。ボイラの燃焼ガスの余熱を利用し，煙突から排出されるガスの熱量を少なくして燃料の節約をはかるもので，エコノマイザともいいます。

再熱サイクルは，タービンが高圧と低圧の二段になっています。高圧タービン出口の蒸気をボイラの**再熱器**に戻して再び加熱します。その蒸気を低圧タービンで使用すると，熱効率が向上します。右図は，汽力発電の強制循環ボイラの概要図です。

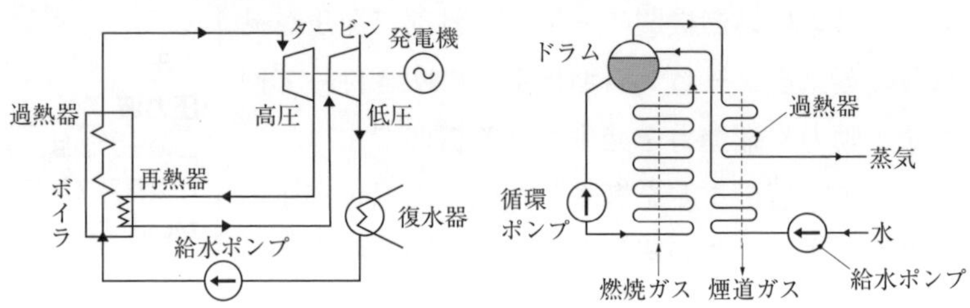

※11 **再生サイクル**は，タービンの排熱を給水加熱器に供給します。

チャレンジ問題！

問1 　難　**中**　易

汽力発電所の熱効率の向上対策として，不適当なものはどれか。

(1) 高圧タービン出口の蒸気を加熱して低圧タービンで使用する。
(2) 復水器の圧力を高くする。
(3) タービン入口の蒸気を高温・高圧とする。
(4) 節炭器を設置し，排ガスの熱量を回収する。

解説

復水器はタービンからの蒸気の引き込みをよくするため，真空になっています。これにより熱効率がよくなります。

解答 (2)

変電所と送配電

1 変電所の機能

変電所は，次の機能を担います。

- 送配電系統の保護
- 送配電系統の**無効電力**[※12]**の調整**
- 送配電電圧の維持，**昇圧または降圧**
- 送配電系統の**電力潮流**の調整

  ※送配電系統の切換えを行い，電力の流れを調整することです。
- 事故が発生した送配電線を**電力系統から切り離す**

なお，送配電系統の周波数が一定になるように**出力調整を行う機能はありません**。

2 調相設備と電圧調整

調相設備とは力率を改善するための設備をいいます。**無効電力を制御**することによって送電線損失を軽減し，これにより送電容量の確保と**系統電圧変動の抑制**を図るために設置します。

電力用コンデンサは，**進相用**として用いられ，送配電系統の無効電力を**段階的に調整**します。

分路リアクトルも同様に段階的に調整しますが，コンデンサとは逆に，系統の進み過ぎた力率を遅らせる，遅相用として用いられます。

その他に，遅相から進相まで連続的に調整できる，**静止形無効電力補償装置**（SVC）や**同期調相機**もあります。

※11

再生サイクル

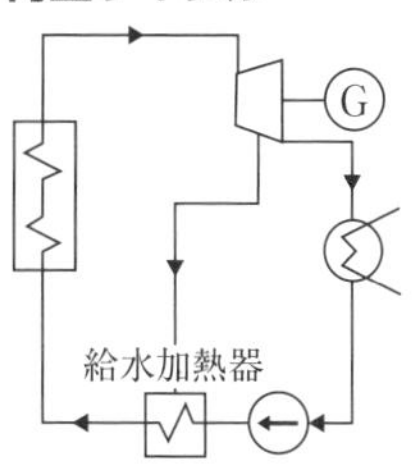

※12

無効電力

電源と負荷の間を往復するだけで，消費されない電力です。
コイルによるものを遅れ無効電力といい，コンデンサによるものを進み無効電力といいます。
なお，有効電力とは，負荷で消費される電力です。

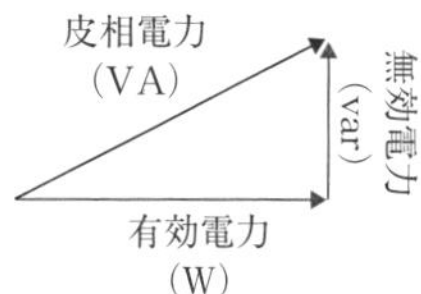

3 単導体・多導体

架空送電線において，**単導体**とは，三相の各相をそれぞれ1本の電線（導体）で構成するもので，**多導体**は，複数本の電線を30～50cm程度の間隔に並列に架設する方式をいいます。

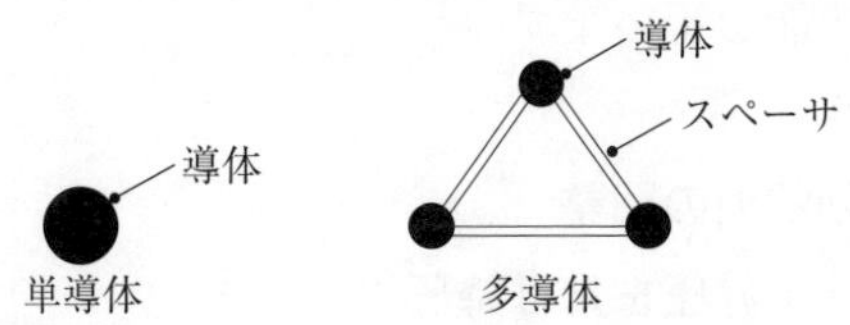

4 コロナ放電

送電電圧の高い架空送電線において，**周辺空気の絶縁が破壊**されて青白い光を発生します。これがコロナ放電です。雨天時に発生しやすく，送電効率が低下し，ラジオ受信障害が発生します。コロナ放電は，多導体より単導体の方が発生しやすくなります。

5 配電系統の給電方式

①樹枝状方式

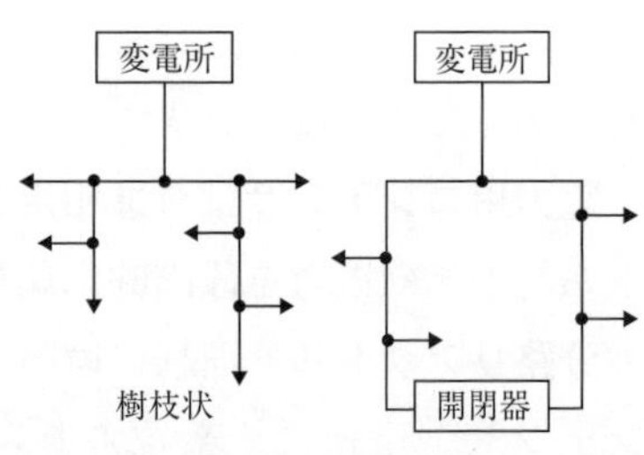

樹枝状方式は放射状方式とも呼ばれ，高圧フィーダー[※13]を負荷の分布に応じて木の枝のように分岐線を出す方式です。

一般に，隣接する配電線との間に常時の連絡用開閉器を設置します。

②ループ方式

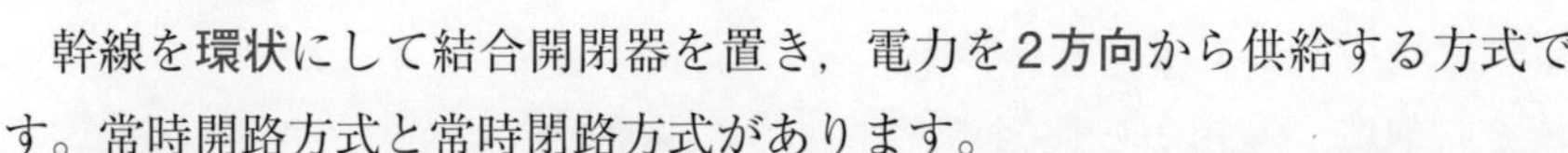

幹線を**環状**にして結合開閉器を置き，電力を**2方向**から供給する方式です。常時開路方式と常時閉路方式があります。

事故時にその区間を切り離すことにより，他の健全区間に供給できるので，樹枝状方式に比べて，**供給信頼度が高い**方式で，**需要密度の高い地域**

に適しています。

6 電力損失の軽減対策

配電系統には，電流によるジュール熱で電力損失が生じます。その軽減対策は次のとおりです。

- 配電電圧を高くする
- 太い電線に張り替える
- 給電点をできるだけ負荷の中心に移す
- 電力用コンデンサを設置して力率を改善する
- 負荷の不平衡を是正する
- 単相3線式の配電方式を採用する

なお，変圧器二次側の中性点を接地することや，放電クランプ[※14]を設置することは電力損失の軽減対策にはなりません。

※13
高圧フィーダー
高圧の電気を，他のキュービクルなどに給電するためのケーブル，配線をいいます。

※14
放電クランプ
がいし破損や電線溶断を防止するために，雷過電圧による放電を高圧がいし頂部に取り付けた金具とがいしベース金具，腕金との間で行わせるものです。

チャレンジ問題！

問1 難 **中** 易

変電所の機能に関する記述として，不適当なものはどれか。

(1) 送配電系統の電力潮流の調整を行う。
(2) 送配電系統の無効電力の調整を行う。
(3) 事故が発生した送配電線を電力系統から切り離す。
(4) 送配電系統の周波数が一定になるように出力調整を行う。

解 説

変電所には，送配電系統の周波数が一定になるように出力調整を行う役割はありません。

解答 (4)

第1章  電気工学

CASE 4 電気応用

まとめ & 丸暗記　この節の学習内容とまとめ

□ 光源

光源の種類	平均演色評価数	ランプ効率〔lm/W〕	定格寿命〔時間〕
ハロゲン電球	◎	×	×
Hf蛍光ランプ	○	○	○
メタルハライドランプ	○	○	○
水銀ランプ	△	△	○
低圧ナトリウムランプ	×	◎	○

□ 照度基準

用途	推奨照度〔lx〕
事務室	750
電子計算機室　集中制御室　会議室　集会室	500
書庫　電気室	200
階段	150
廊下　エレベータ	100

□ 照度計算

①点光源　$E=\dfrac{I}{r^2}$〔lx〕　②光束法　$E=\dfrac{F\cdot N\cdot U\cdot M}{A}$

□ 電気加熱

①抵抗加熱　②アーク加熱　③赤外線加熱　④誘電加熱
⑤誘導加熱

照明

1 用語と単位

①放射束

単位時間に,ある面を通過する放射エネルギー量です。

②視感度[※1]

ある波長の放射エネルギーが，人の目に光としてどれだけ感じられるかを表すものです。

③光束[※2]〔lm：ルーメン〕

電磁波の放射束のうち光として感じるエネルギーの量です。

④光度〔cd：カンデラ〕

点光源からある方向の単位立体角当たりに放射される光束の量です。

⑤輝度〔cd/m^2〕

ある方向への光度を，その方向への見かけの面積で割ったものです。

⑥照度〔lx：ルクス〕〔lm/m^2〕

照射面の単位面積当たりに入射する光束を照度といいます。照射面の明るさを表します。

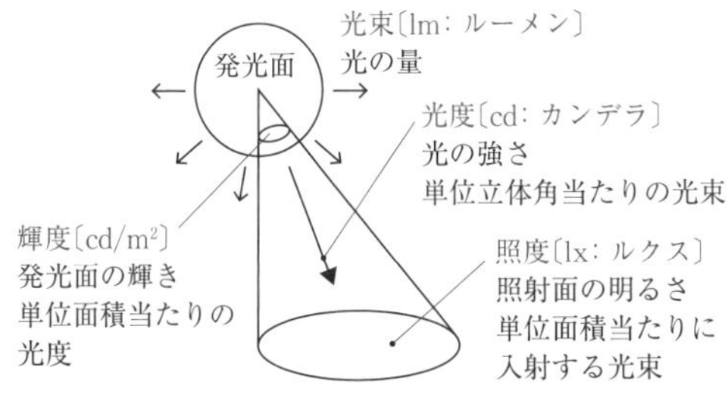

⑦色温度〔K：ケルビン〕

光源の色を黒体放射の温度[※3]で表したものです。

※1

視感度

人間の目が波長ごとに光を感じ取る強さの度合を表すもので，可視光線の波長領域 380～760nm の中央付近の波長で最大となり，両端へ近づくほど小さくなります。

※2

光束

物質に入射する光束の反射率，透過率および吸収率の総和は 1 になります。

※3

温度

絶対温度（単位はK）で表します。

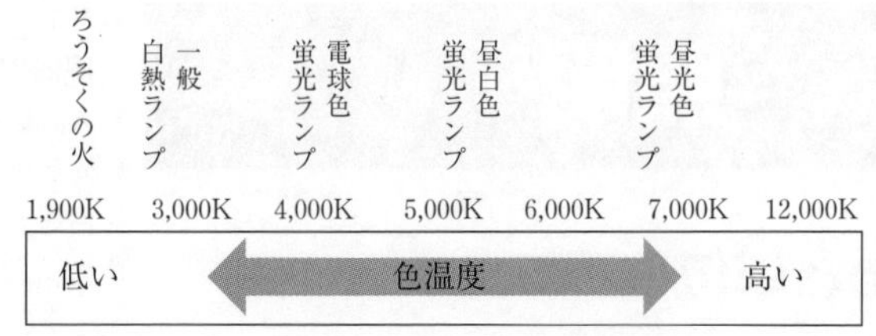

⑧演色性

光源による色の見え方が基準光源にどれだけ近いかを表したものです。**平均演色評価数**[※4]（***Ra***）が高いほど優れています。精密な作業における演色性については，***Ra***の最小値として80が推奨されています。

⑨グレア

視野の中に輝度の高い光源などがあることにより，不快を感じたり物の見え方を害することをいいます。人に不快感を及ぼす**不快グレア**と視対象物を見えにくくする**減能グレア**，網膜が順応不能となる不能グレアに分類されます。

2 光源

①電球

電球には，白熱電球とハロゲン電球があります。

白熱電球は，ガラス球体内のタングステンのフィラメントを電流により高温に加熱し，その**熱放射**によって発光させる光源です。ガラス球体内には**不活性ガス**[※5]が封入されています。効率が低く，寿命は1,000～1,500時間程度と短いですが，平均演色評価数は100点です。

ハロゲン電球は，色温度の低い光源です。白熱電球のガラス球体内に微量のハロゲン物質を封入した電球で，白熱電球に比べて，高効率，長寿命です。

②蛍光ランプ

ガラス管内壁に塗布された蛍光体が，放電により発生する紫外線によって励起され発光します。ガラス管内の水銀蒸気にアルゴンを加えることで，始動電圧を下げることができます。

高周波点灯専用形蛍光ランプ[※6]は，寿命も長く色温度の高いランプです。

③水銀ランプ

発光管内に高圧水銀蒸気とアルゴンガスが封入されています。発光管内の高圧水銀蒸気圧中におけるアーク放電を利用している**放電ランプ**です。

蛍光ランプに比べて※7ランプ効率が低いです。

④メタルハライドランプ

高圧水銀ランプの発光管の中に，ハロゲン化物質などを封入し，演色性を改善したランプです。

⑤低圧ナトリウムランプ

発光管の中に，ナトリウムなどを封入した放電ランプです。発光は橙黄色の単色光で演色性が悪いですが，ランプ効率は最高レベルです。

トンネル照明，高速道路照明などに用いられます。

⑥高圧ナトリウムランプ

※8蒸気圧が10kPa程度の高圧ナトリウム蒸気中の放電により発光します。演色性はかなり改善され，輝度の高い放電ランプです。

⑦LED

pn接合の個体デバイスであり，順方向に電流を流すと発光します。**電界発光**といい，エレクトロルミネセンス（熱放射以外の発光）の一種です。LEDの特徴は次のとおりです。

- 蛍光ランプに比べて振動や衝撃に強い
- 周囲温度の影響を受けにくい
- 最も長寿命である
- 小型・軽量であるため，デザイン性に優れ自由な形状の照明器具が製作可能

※4
平均演色評価数
100点満点で表します。白熱電球が満点です。

※5
不活性ガス
他の物質と化学反応しないガスです。アルゴン，キセノン，クリプトンなどです。

※6
高周波点灯専用形蛍光ランプ
Hf蛍光ランプと呼ばれるもので，高周波点灯回路専用に使用される蛍光ランプです。
Hf：ハイフレケンシー（高周波）

※7
ランプ効率
ランプが発する全光束を，そのランプの消費電力〔W〕で除した値をランプ効率といい，数値が大きいほど省エネランプです。

※8
蒸気圧
ランプで，高圧○○，低圧○○という用語がありますが，電圧ではなく，内部に封入されている気体の圧力をいいます。

3 照度基準

日本産業規格（JIS）による，各室内，場所における維持照度の推奨値は表のとおりです。照明設計の基準値とされています。

領域・作業または活動の種類	推奨照度	領域・作業または活動の種類	推奨照度
設計・製図	750	書庫	200
キーボード操作・計算	500	倉庫	100
事務室	750	更衣室	200
電子計算機室	500	便所・洗面所	200
集中監視室・制御室	500	電気室・機械室，電気・機械室などの配電および計器盤	200
受付	300	階段	150
会議室・集会室・応接室	500	廊下・エレベータ	100
宿直室	300	玄関ホール(昼間)	750
食堂	300	玄関ホール(夜間)・玄関(車寄せ)	100

4 点光源による照度計算

点光源による，床面P点の水平面照度 $\boldsymbol{E}$〔lx〕を求める式は，次のとおりです。

$$\boldsymbol{E}=\frac{\boldsymbol{I}}{\boldsymbol{r}^2}\text{〔lx〕}$$

$\boldsymbol{I}$〔cd〕：P点方向への光度

$\boldsymbol{r}$〔m〕：光源とP点との距離

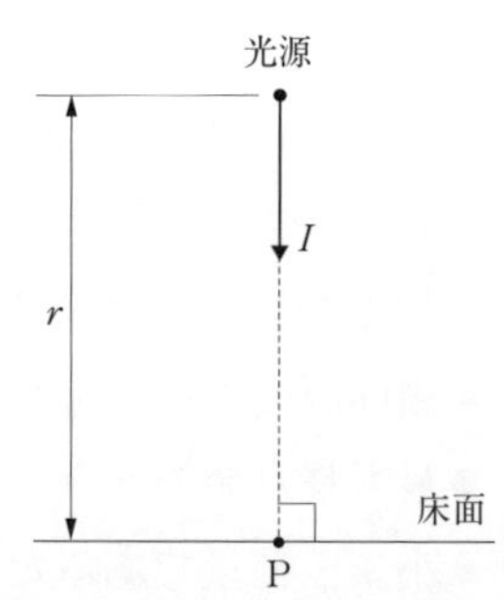

例題

図においてP点の水平面照度 $\boldsymbol{E}$〔lx〕の値を求めなさい。

ただし，光源はP点の直上にある点光源とし，P方向の光度Iは160 cd とする。

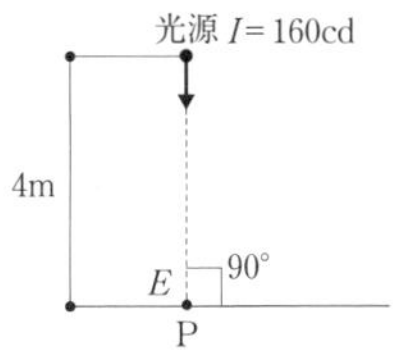

解説

$E = I/r^2 = 160/16 = 10$ 〔lx〕

5 光束法

光束法は，室の平均照度を求める計算方法です。照明器具の光束値，室の大きさ，天井高さ，壁面の反射率から計算します。用語についてみていきます。

①室指数[※9]

$$\text{室指数} = \frac{X \cdot Y}{H \cdot (X + Y)}$$

X：室の間口〔m〕

Y：室の奥行〔m〕

H：天井高さ〔m〕

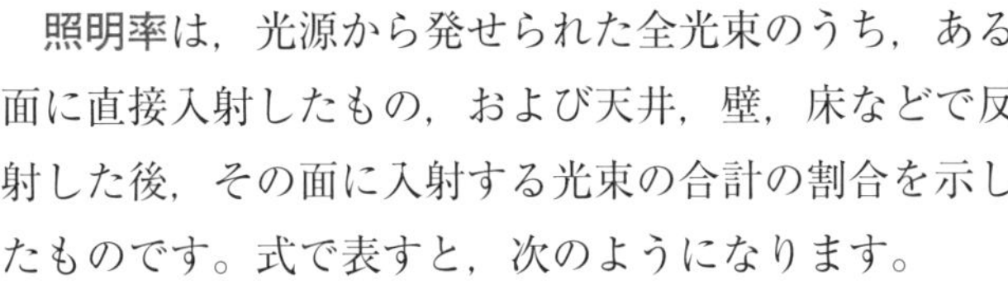

②照明率

照明率は，光源から発せられた全光束のうち，ある面に直接入射したもの，および天井，壁，床などで反射した後，その面に入射する光束の合計の割合を示したものです。式で表すと，次のようになります。

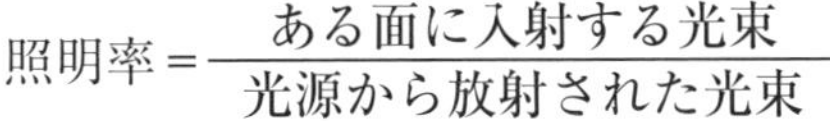

$$\text{照明率} = \frac{\text{ある面に入射する光束}}{\text{光源から放射された光束}}$$

室指数と関連があり，室指数が大きいほど，照明率も大きくなります。

また，天井面の反射率が大きいほど，照明率は大きくなります。

※9

室指数

① $X = Y = 10$m，$H = 2.5$mのとき，室指数 = 2

② $X = 5$m，$Y = 20$m，$H = 2.5$mのとき，室指数 = 1.6

③ $X = Y = 5$m，$H = 2.5$mのとき，室指数 = 1

①と②は室面積と天井高さが同じです。正方形に近いほど室指数は大きく，細長い室ほど小さい値になります。①と③は，どちらも正方形ですが，③のように小さい正方形では，室指数は小さくなります。

③保守率[※10]

保守率とは，ある期間使用した後に測定した平均照度の，新設時に測定した平均照度に対する割合です。式に表すと次のようになります。

$$保守率 = \frac{ある期間経過後の照度}{初期照度}$$

6 光束法による照度計算

光束法は，部屋の**全般照明**による照度計算に使用される基本的な手法です。照明ランプの固有の光束の値を用いて，部屋の大きさ，天井高さ，壁面の反射率から平均照度を求めます。

室内の平均照度 $\boldsymbol{E}$〔lx〕は，次のように表せます。

$$\boldsymbol{E} = \frac{\boldsymbol{FUMN}}{\boldsymbol{A}} \text{〔lx〕}$$

$\boldsymbol{F}$：ランプ1本の光束〔lm〕　$\boldsymbol{U}$：照明率　$\boldsymbol{M}$：保守率　$\boldsymbol{N}$：ランプ本数
$\boldsymbol{A}$：室の面積〔m^2〕

チャレンジ問題！

問1　　難 **中** 易

事務所の会議室の基準面における維持照度の推奨値として，「日本産業規格（JIS）」の照明設計基準上，適当なものはどれか。

(1) 200 lx
(2) 300 lx
(3) 500 lx
(4) 750 lx

解　説

会議室の基準面における維持照度の推奨値は，500 lxです。

解答（3）

電気加熱

1 電気加熱の特徴

電気エネルギーを利用した加熱を電気加熱といい，次のような優れた特徴があります。

- 真空中で容易に加熱できる
- 内部加熱が容易である
- 温度制御が容易である
- 加熱のための燃焼廃棄物が発生しない

2 加熱方式

①抵抗加熱

抵抗体に通電した際に生じる[※11]ジュール熱を利用した加熱方式です。被熱物に直接電流を流して加熱する**直接加熱**と，発熱線を熱してその熱で被熱物を加熱する**間接加熱**があります。間接加熱は発熱体（抵抗体）と被熱物が別であり，ニクロム線を利用した電熱器などに用いられています。

被熱物
抵抗体
交流電源

②アーク加熱

電極間や，電極と被熱物の間にアーク電流を流して放電現象を起こし，その際生じる**アーク熱**を利用して加熱します。[※12]アーク溶接や[※13]アーク炉に利用されています。

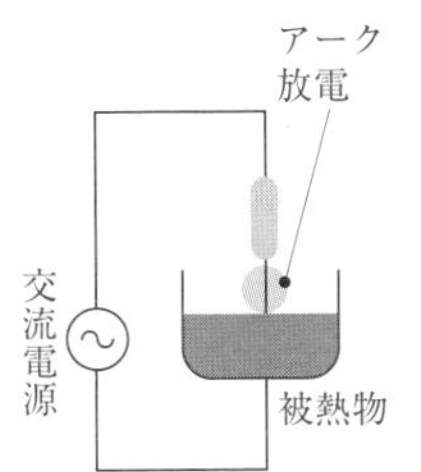

※10
保守率
メンテナンスがよければ保守率は高くなります。下面開放形器具は，簡易密閉形器具（下面カバー付）と比較して，保守率は大きくなります。

※11
ジュール熱
$Q=I^2R$です。

※12
アーク溶接
建設現場でよく使用される溶接です。

※13
アーク炉
金属材料や耐火物などを溶解する電気炉です。

③赤外線加熱

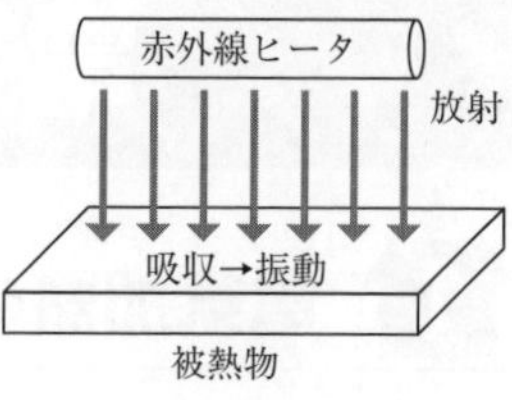

赤外線電球などの発熱体による放射熱を利用します。光源から赤外線が放射されると，被熱物において吸収されたエネルギーが分子の運動により振動し，その摩擦により熱が発生します。

④誘電加熱

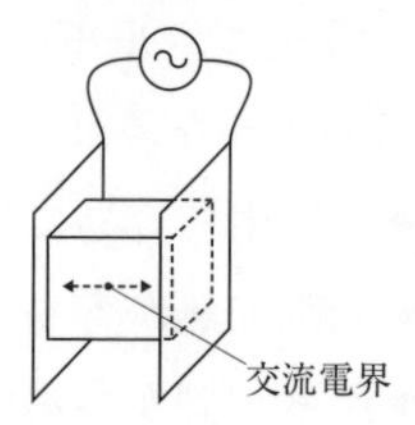

交番電界※14中に置かれた被熱物中に生じる**誘電損**※15により加熱するものです。誘電加熱の一部である**マイクロ波加熱**※16は，電子レンジなどに利用されています。

⑤誘導加熱

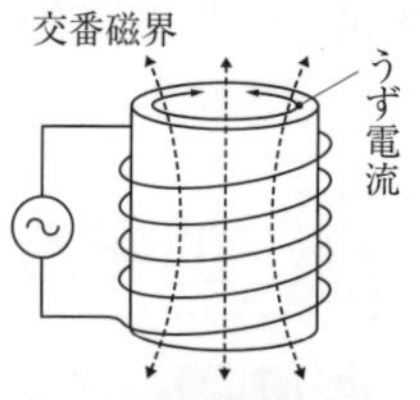

交番磁界内において，導電性の物体中に生じる**うず電流損**や磁性材料に生じる**ヒステリシス損**を利用して加熱します。**電磁調理器**などに利用されています。

チャレンジ問題！

問1　難　**中**　易

電気加熱の方式に関する記述として，最も不適当なものはどれか。

(1) 抵抗加熱は，通電した際に発生するジュール熱を利用する。
(2) 誘電加熱は，交番電界中において，絶縁性被熱物中の誘電損による発熱を利用する。
(3) アーク加熱は，電子ビーム照射による熱を利用する。
(4) 赤外線加熱は，赤外線電球などの発熱体による放射熱を利用する。

解　説

アーク加熱は，電子ビーム照射による熱を利用するものではなく，放電現象を起こし，その際生じるアーク熱を利用して加熱します。

解答（3）

電動機

1 三相誘導電動機

①特性曲線

三相誘導電動機は，三相交流によって駆動する電動機です。固定子と回転子にそれぞれ巻線があり，両巻線の**電磁誘導作用**によって，トルクを発生して軸が回転します。

三相誘導電動機の出力に対する回転速度，効率，トルク，一次電流，すべりなどの図を**出力特性曲線**といいます。

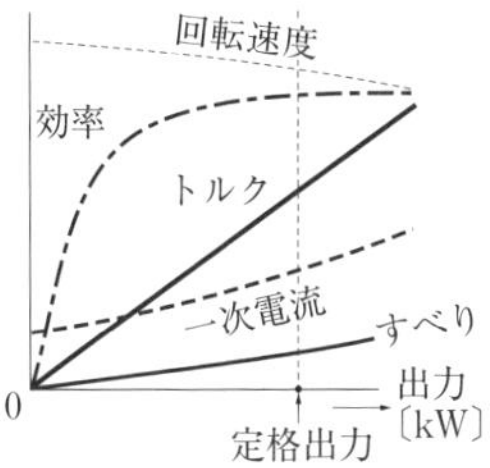

②速度

三相誘導電動機では，位相が120度ずつずれた３つの**交流電流**を電動機に流すことにより，回転する磁界を発生させます。これを**回転磁界**といいます。**回転子**は回転磁界に引きずられることで回転します。誘導電動機では，回転磁界の速度を**同期速度**といい，それに少し遅れて電動機の軸心が回転する**回転速度**があります。回転速度は，すべり[※17] sの分だけ同期速度より少し遅くなります。

※14
交番電界
電界の方向が時間とともに変化（逆向き）します。

※15
誘電損
誘電体に交流電界を加えたとき，誘電体内で電力の損失（熱損失）が起こります。この損失を誘電損といいます。なお，誘電体とは，電界内に置くと誘電分極（両端の表面にそれぞれ正と負の電荷が現れる）する物質のことです。

※16
マイクロ波加熱
周波数が300MHz～30GHzのマイクロ波を用います。

※17
すべり
誘導電動機のトルクは，回転子導体が回転磁束を切ることによって生ずる回転子電流により発生するので，回転子の回転速度は回転磁界速度と同値でなく，わずかに小さい値となります。一般に，パーセントで表します。

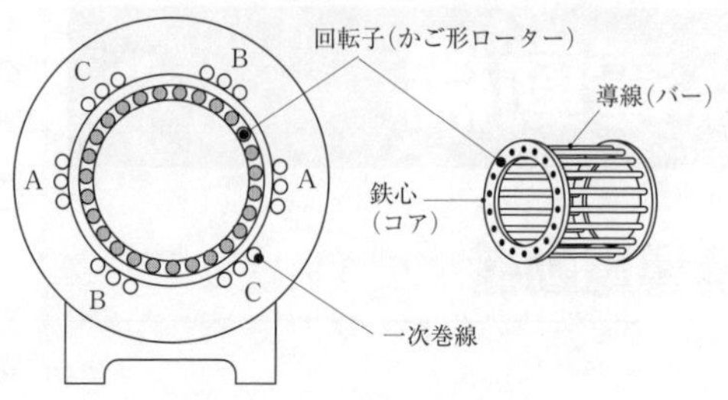

同期速度と回転速度は次の式で表されます。

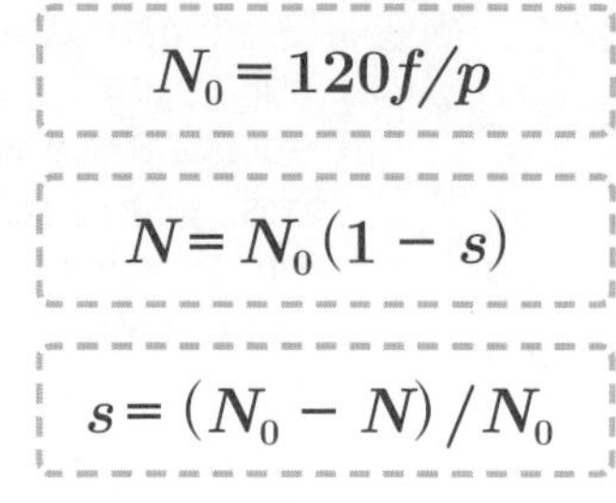

$$N_0 = 120f/p$$

$$N = N_0(1 - s)$$

$$s = (N_0 - N)/N_0$$

N_0：同期速度〔min^{-1}〕
N：回転子の速度〔min^{-1}〕
f：周波数
p：磁極数[※18]
s：すべり

上式からわかるように，回転速度は同期速度より遅くなります。また，回転速度は周波数に比例し，磁極数に反比例します。

電動機の特性として，負荷が減少するほど，回転速度は速くなります。また，電源電圧が低下すると回転速度は遅くなりますが，同期速度は変わりません。

③三相誘導電動機の始動

●全電圧始動法

三相の定格電圧を直接，巻線に加えて始動する方法です。電源（R，S，T）をそのまま投入するので，直入始動ともいいます。始動時に，定格電流の**5～7倍の始動電流**が流れます。小さい容量の電動機に用いられます。

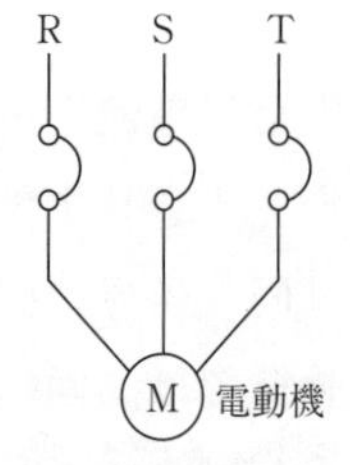

また，三相電源の3本の電線のうち，いずれか2本を入れ替えると，電動機の回転方向は逆になります。

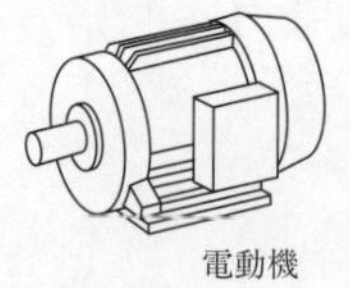
電動機

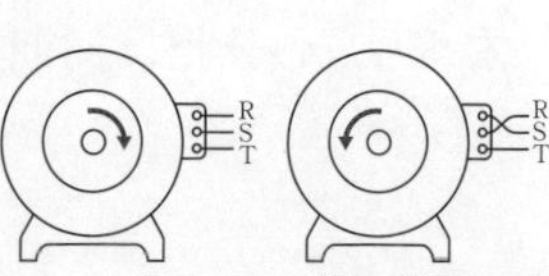

※R, S, T は電源の相順を表す

● $Y-\Delta$始動法（スター・デルタ）

始動時に一次巻線を**Y**結線とし，各相に電源電圧の1／$\sqrt{3}$倍の電圧を加えます。徐々に速度が上昇したら，**Δ**結線に切替えて各相に全電圧を加えて運転します。

全電圧始動法に比べると，**始動電流，始動トルク**ともに1/3に低下します。5.5kW以上の中程度の電動機に用いられます。

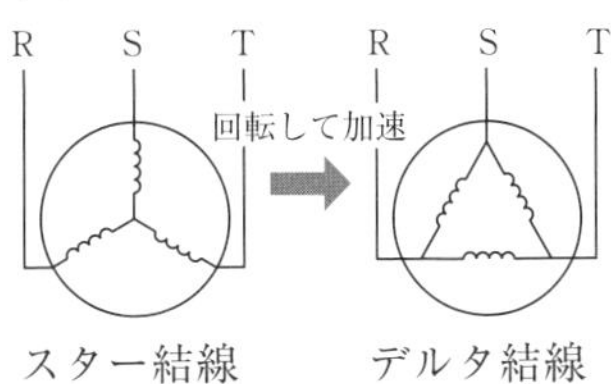

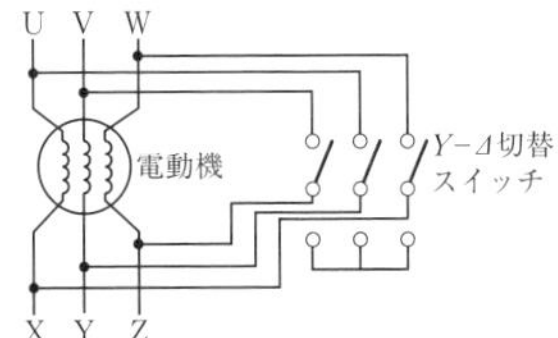

Y－Δ始動装置を用いた回路図

●始動補償器法（コンドルファ始動）

始動用変圧器を用いて始動時に低電圧で始動し，速度が増すと全電圧に切替える方法です。

※18

磁極数

極数は誘導モータの固定子につくられる磁極の数で，N極とS極の一組で2極です。極はP（pole）で示されます。

2，4，6などの偶数値でこの数が大きくなると構造的に複雑かつ回転数が小さくなります。

2 単相誘導電動機

単相誘導電動機の始動

分相始動式は，主巻線とそれに直角に補助巻線を設け，補助巻線電流位相を主巻線電流より進み位相にして始動トルクを得る方式です。

そのほか，コンデンサ始動，くま取りコイルによる始動も単相誘導電動機の始動方法です。

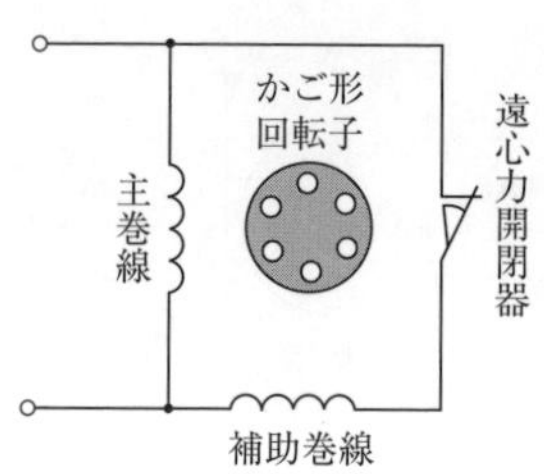

チャレンジ問題！

問1　難　中　易

三相誘導電動機の特性に関する記述として，最も不適当なものはどれか。

(1) 回転速度は，同期速度より遅くなる。
(2) 回転速度は，電源周波数が低くなるほど遅くなる。
(3) 回転速度は，すべりが減少するほど速くなる。
(4) 回転速度は，固定子巻線の極数が多くなるほど速くなる。

解 説

$N_0=120f/p$，$N=N_0(1-s)$，$s=(N_0-N)/N_0$より，回転速度は固定子巻線の極数が多くなるほど遅くなります。

解答（4）

第一次検定

第2章

電気設備

CASE 1 発電設備

まとめ & 丸暗記　この節の学習内容とまとめ

□ 水車

ペルトン水車	衝動水車	吸出し管なし
フランシス水車	反動水車	吸出し管あり

□ 火力発電所の設備

①微粉炭器　②節炭器　③復水器
④過熱器　⑤空気予熱器

□ 水車発電機とタービン発電機の比較

比較項目	水車発電機	タービン発電機
回転速度	遅い	速い
回転子	突極形	円筒形
磁極数	6～32	2，4
軸方向	縦	横

□ 母線

発電所や変電所内において受変電設備の主回路となる導体。電源から生じるすべての電流を受け，外線に分電する線のこと

□ 調相設備

①電力用コンデンサ　②分路リアクトル　③同期調相機
④静止形無効電力補償装置（SVC）
①と②は段階制御，③と④は連続制御

水力発電所

1 水力発電所の仕組み

水力発電所は，図のような仕組みで発電します。

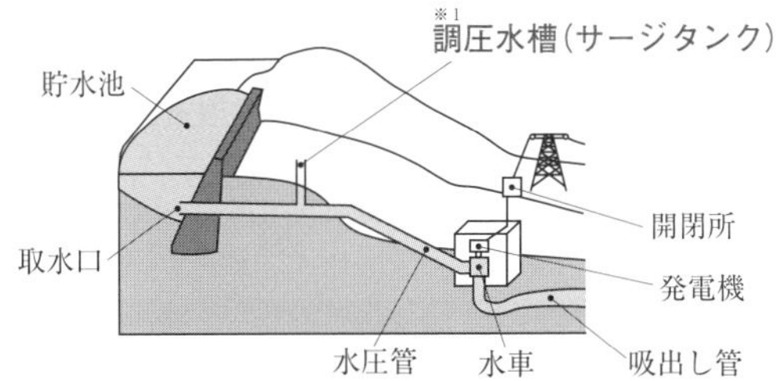

2 水車

①ペルトン水車

ペルトン水車は，ノズルから流出するジェット水流を※2ランナに作用させて回転力を得るもので，※3**衝動水車**に分類されます。

水車のノズル内には，負荷に応じて使用流量を調整するための※4**ニードル**が設けられています。

急激な負荷変化でも水圧管内の圧力上昇を抑制することが可能です。

なお，ペルトン水車には，※5**吸出し管**はありません。

②フランシス水車

フランシス水車は，ランナの出口から放水面までの接続管として吸出し管が設置される**反動水車**の1つです。

流水がランナ内で，半径方向から軸方向に向きを変えて流出する構造です。ランナとの間のガイドベーンの開度で流入水量を調整します。

※1
調圧水槽（サージタンク）
水の衝撃を緩和するために設ける，高さのある水槽です。

※2
ランナ
羽根車のことです。ジェットを受けるバケットと，バケットの取付部であるディスクからできています。

※3
衝動水車
水流をランナに直接当てる水車です。ペルトン水車は衝動水車の代表格であり，試験では，ペルトン水車がよく出題されます。

※4
ニードル
円錐形の流量調整弁です。

※5
吸出し管
反動水車のランナ出口に接続し，放水面までの落差を有効に利用する導水管です。

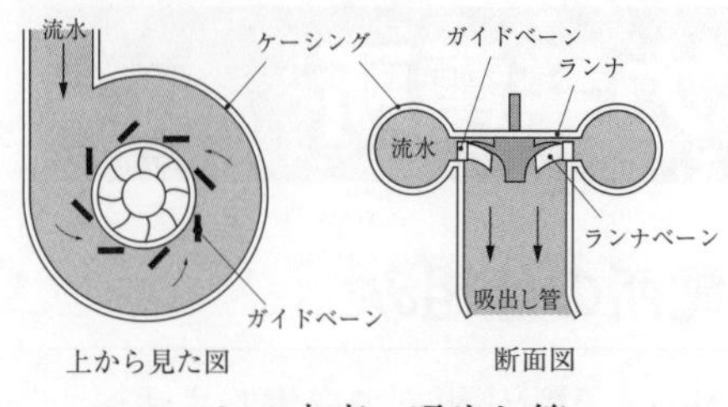

フランシス水車の吸出し管

そのほかに，プロペラ水車，デリア水車，斜流水車なども**反動水車**[※6]です。

チャレンジ問題！

問1　難　中　易

水力発電に用いられる水車に関する次の記述のうち，[　　　]に当てはまる語句の組合わせとして，適当なものはどれか。

「圧力水頭を速度水頭に変えた流水をランナに作用させる構造の水車を[　ア　]と呼び，ノズルから流出するジェットをランナのバケットに作用させる[　イ　]が代表的である。」

	ア	イ
(1)	衝動水車	フランシス水車
(2)	衝動水車	ペルトン水車
(3)	反動水車	フランシス水車
(4)	反動水車	ペルトン水車

解　説

衝動水車は，水流をランナに作用させる構造の水車で，ペルトン水車が代表的です。

解答（2）

火力発電所

1 火力発電所の仕組み

火力発電所の一般的な仕組みは図のとおりです。

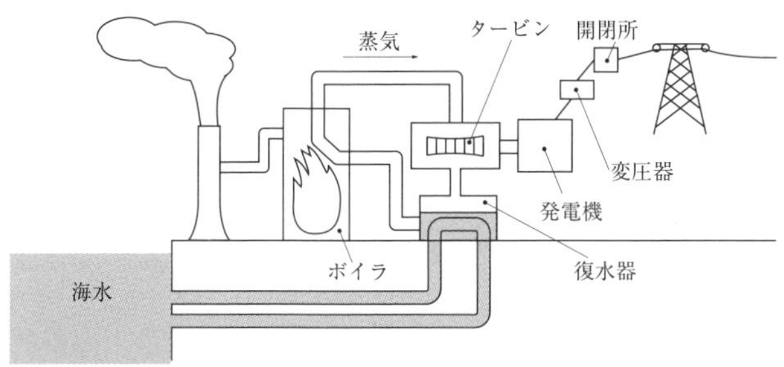

2 発電所の設備

発電所の主な機器には次のものがあります。

①微粉炭器

石炭を粉末にしてバーナから炉内に吹き込み，浮遊燃焼させます。

②節炭器

煙道ガスの余熱を利用してボイラへの給水を加熱し，熱効率※7を向上させます。

③復水器

タービンの排気蒸気を冷却凝縮するとともに，水として回収します。

④過熱器

ボイラで発生させた蒸気をさらに加熱し高温の過熱蒸気とする装置です。

※6

反動水車

圧力水頭を持った流水が水車内を通過し，反動力で回転力を得る水車です。

※7

熱効率

熱機関に供給されたエネルギーのうち，仕事に変えられた熱量の割合のことです。

下図は，熱機関に投入した熱エネルギー（Q_1）が，外部に仕事（W）をして，排熱（Q_2）することを示したものです。

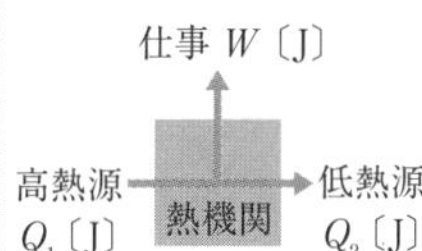

熱効率 $= W/Q_1$
$= (Q_1 - Q_2)/Q_1$

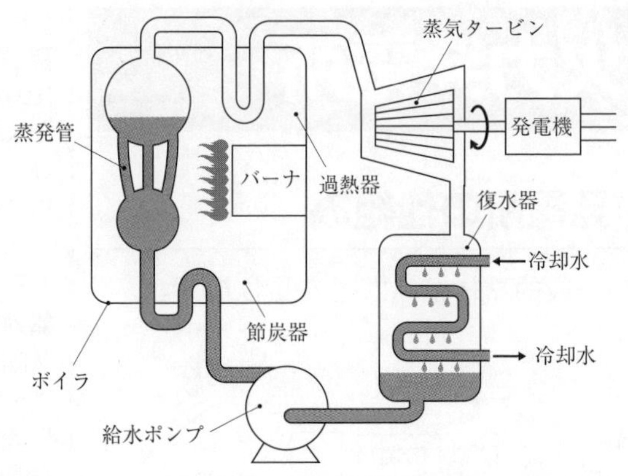

⑤空気予熱器

煙道排ガスで燃焼用空気を**予め加熱**し，燃焼効率を向上させます。

3 大気汚染防止

火力発電所から出る排気ガスの排出量を低減，無害化する装置として，次のものがあります。

①脱硝装置

火力発電所から排出される燃焼ガスに含まれる**窒素酸化物**（**NOx**[※8]）を，アンモニアと**反応**させて窒素と水に分解し無害化することにより，NOxの排出量を低減します。

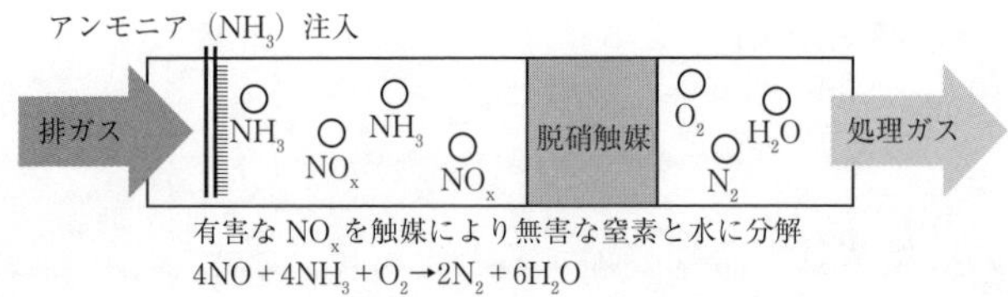

有害なNO_xを触媒により無害な窒素と水に分解
$4NO + 4NH_3 + O_2 \rightarrow 2N_2 + 6H_2O$

②脱硫装置

化石燃料の燃焼により，その排煙に含まれる**硫黄酸化物**（**SOx**）を除去し，大気への排出を低減する装置です。

③電気集塵機

燃料燃焼時に発生する**粒子状物質**を低減するための装置です。**煤塵**[※9]などを捕集します。

4 水車発電機とタービン発電機

水車発電機は，水力発電所で水車によって駆動される発電機です。立軸形発電機で，中落差から低落差ではフランシス水車で駆動されます。

タービン発電機は，火力発電所の蒸気タービンにより駆動される発電機です。大容量機では，水素冷却方式が採用されています。

両者の比較は表のとおりです。

比較項目	水車発電機	タービン発電機
回転速度	遅い	速い
回転子	突極形	円筒形
磁極数	6～32	2，4
軸方向	縦	横

※8
NOx
NOは一酸化窒素，NO_2は二酸化窒素です。一般にNOは空気中の酸素（O_2）と結びついてNO_2になります。
硫黄酸化物（SOx）についても同様です。

※9
煤塵（ばいじん）
重油や石炭を燃焼させたときに，燃焼しない炭素成分を主体としたものです。

チャレンジ問題！

問1　　難　中　易

火力発電に用いられるタービン発電機に関する記述として，最も不適当なものはどれか。

(1) 水車発電機に比べて，回転速度が速い。
(2) 大容量機では，水素冷却方式が採用される。
(3) 回転子は，突極形が採用される。
(4) 軸形式は，横軸形が採用される。

解説

火力発電に用いられるタービン発電機の回転子は，突極形でなく円筒形が採用されています。

解答（3）

変電所

1 母線

母線とは，発電所や変電所内において受変電設備の主回路となる導体で，電源から生じるすべての電流を受け，外線に分電する線のことです。

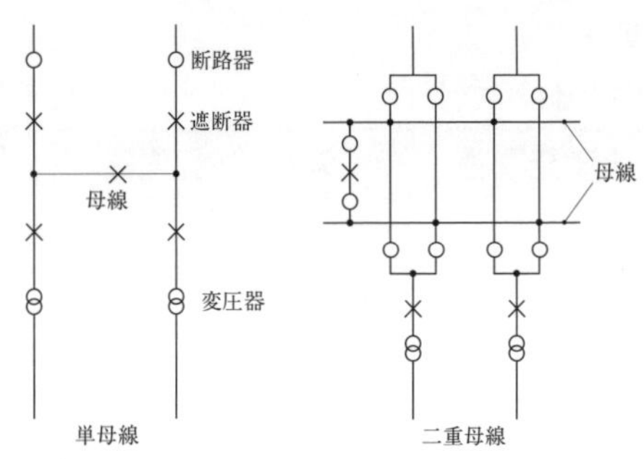

比較項目	単母線	複母線
変電所の規模	小規模	大規模(上位系統の変電所)
所要機器数	少ない	多い
点検時	全停電	部分停電

単母線は，複母線（二重母線）に比べて所要機器が少なく，最も単純な母線方式です。母線側の断路器の点検時に全停電となりますが，複母線は，機器の点検，系統運用が容易です。

2 遮断器

変電所や受変電設備において，遮断器は**短絡電流を遮断する能力**を持っており，次のものがあります。

①ガス遮断器

圧縮したガス中で回路の電極を解離し，発生したアーク[※10]に超音速流を吹き付けて消弧します。

②磁気遮断器

アークに磁界を加えて引き伸ばし，アークシュート[※11]内に押し込んで冷却し消弧する方式です。

③真空遮断器

高真空中での高い絶縁耐力と，強力なアークの拡散作用により消弧する方式です。

※10
アーク
大電流を遮断する際に発生する放電です。

※11
アークシュート
アークを消失させるためのケースです。

3 変圧器

変圧器は，油を使用する**油入式**と油を使用しない乾式に大別されます。油入式の変圧器は，その名のとおり，巻線の絶縁と冷却を目的として**鉱油**が使用されています。変圧器の**過負荷運転**や長時間使用は，絶縁油の温度が上昇し，性能が低下します。そこで，絶縁油を冷却する必要があります。冷却方式の特徴は次のとおりです。

①油入自冷式

変圧器内部の絶縁油の自然対流によって鉄心および巻線に発生した熱を外箱に伝え，外箱からの放射と空気の自然対流によって熱を外気に放散させる方式です。自冷式は自然空気で冷却をします。

構造が簡単で保守が容易であるため，広く用いられています。

②油入風冷式

絶縁油を外部ファンで強制的に冷却します。

③送油自冷式

送油式は油を強制循環して冷却します。

④送油風冷式

油を強制循環して**外部ファン**で強制的に冷却します。冷却効果が高く，大容量器に用いられますが，冷却ファンによる騒音の大きいことが難点です。

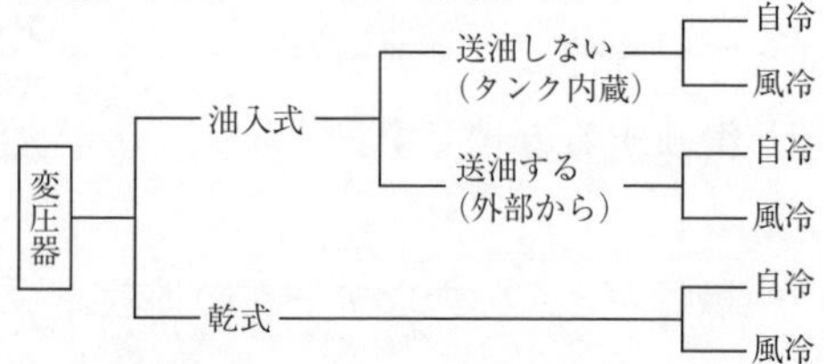

4 変圧器の騒音と防止対策

変圧器の騒音には，巻線間に働く電磁力で生じる振動による**通電騒音**と，磁気ひずみなどで鉄心に生じる振動による**励磁騒音**[※12]があります。変圧器本体の騒音は，励磁騒音が主要因です。

騒音対策は，次のとおりです。

①鉄心に**高配向性ケイ素鋼板**[※13]を使用する
②変圧器の鉄心材料に**磁気ひずみ**[※14]の小さいケイ素鋼板を採用する
③鉄心の断面積を大きくして磁束密度を小さくする
④変圧器に防音タンク構造を採用する
⑤変圧器本体の下に**防振ゴム**を敷く
⑥変圧器を変電所敷地境界からできるだけ遠ざけた配置とする

①～④は変圧器を製作するメーカの構造設計上の対策で，⑤は施工者(電気工事業者)，⑥は工事設計者の対策といえます。

5 コンサベータ

絶縁油の劣化を防止することを目的として**コンサベータ**[※15]を使用します。

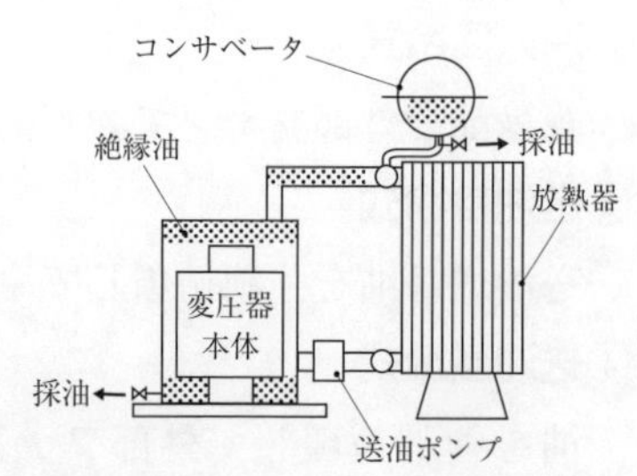

変圧器の絶縁油は，加熱冷却によって膨張と収縮を繰り返します。変圧器内部の**呼吸作用**[※16]により，空気中に含まれる水分と絶縁油が接触し**絶縁油が酸化**します。

コンサベータ内部は変圧器と同じ絶縁油で満たされ，上部に空気袋が収容されており，絶縁油が膨張すると空気袋から吸湿呼吸器を通して外部に排出され，絶縁油が収縮すると，吸湿呼吸器から外気が空気袋に流入する仕組みになっています。これにより，変圧器内部で絶縁油と空気が接触することがなくなり，絶縁油劣化を抑制できます。

6 保護装置

油入変圧器の内部異常を電気的に検出する継電器として，**比率差動継電器**があります。比率差動継電器は，特別高圧変圧器の内部故障検出に広く使用されている継電器で，変圧器の一次側と二次側に**変流器**をそれぞれ設け，発生する電流の差を検出して警報を発信します。

油入変圧器の内部異常時に発生するガスによる内圧の上昇を検出する装置として，ブッフホルツ**継電器**があります。変圧器本体とコンサベータとの間に取り付けられ，変圧器内部故障の際に発生するガスあるいは絶縁油の油流を検出します。

なお，**負荷時タップ切換変圧器**は，負荷電流が流れている状態で段階的に**電圧調整**できる変圧器です。

7 調相設備

①電力用コンデンサ

系統に接続し段階的に無効電力を調整し力率を改善します。

②分路リアクトル

深夜などの軽負荷時に誘導性の負荷が少なくなった

※12
励磁騒音
変電室で鳴る，ブーンという音が励磁騒音です。

※13
高配向性ケイ素鋼板
ケイ素を数%含んだ鋼板で，圧延したときに結晶配列がほとんど同じ方向のものをいいます。特にズレが3度程度のものを高配向性ケイ素鋼板といいます。

※14
磁気ひずみ
磁気ひずみとは，鉄などの強磁性体に外から磁界を与えるとわずかに形状が変化する現象です。

※15
コンサベータ
変圧器内の絶縁油が空気に接する面積を小さくするように設置された油の入る箱で，変圧器本体より高い位置に設置されます。

※16
呼吸作用
空気の出入りが発生することです。絶縁性能など電気特性の劣化につながります。

とき，長距離送電線やケーブル系統などの進相電流による受電端の電圧上昇を抑制します。

③同期調相機

遅相から進相まで連続的に無効電力を調整します。

④静止形無効電力補償装置（SVC）[※17]

リアクトル電流の位相制御を行う静止形無効電力補償装置は，連続的に無効電力を調整します。

8 ガス絶縁開閉装置（GIS）

ガス絶縁開閉装置（GIS）[※18]は，接地された金属製の密閉容器内に遮断器，断路器，母線など変電設備一式を収容した装置です。絶縁特性，消弧能力をもったSF_6（六フッ化硫黄）ガスで主回路を絶縁しています。SF_6ガスの地球温暖化係数[※19]は非常に大きいです。

充電部が露出していないことから，感電のおそれがなく安全性に優れており，外気の影響を受けないので，長い年月にわたり高信頼性が確保できます。しかし，内部事故の場合，機器が密閉されているため復旧までの時間が長くかかります。

画像提供：株式会社明電舎

9 その他設備

①負荷開閉器

定格電流までの負荷電流やループ電流の開閉能力を持ちますが，短絡時の事故電流の遮断はできません。

②計器用変圧器

直接測定することができない高電圧を，測定しやすい電圧にします。

③変流器

直接測定することができない大電流を小さい電流にします。

④避雷器

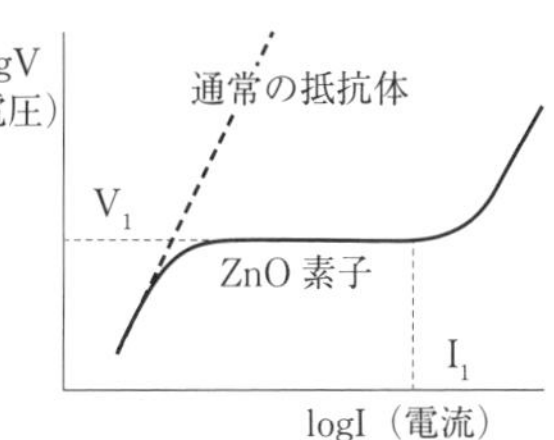

非直線抵抗特性に優れた酸化亜鉛形（ZnO）のものが多く使用されています。電気的特性は，通常の抵抗体に比べて非常に大きな非直線性の電圧－電流特性を持っています。印加電圧が微小な領域では絶縁体として働き，雷サージのような大電圧では導体として働きます。

大きな電圧がかかっても電流が流れやすいので雷サージから受変電機器を安全に守ることができます。

※17
SVC
Static Var Compensatorの略。

※18
GIS
Gas Insulated Switchgearの略。

※19
地球温暖化係数
地球の温暖化を促進させてしまう物質（6種類）を数値化したものです。二酸化炭素を1とし，SF_6はおよそ24,000です。

チャレンジ問題！

問1　難　**中**　易

変電所の変圧器の騒音に関する記述として，最も不適当なものはどれか。

(1) 変圧器の騒音には，巻線間に働く電磁力で生じる振動による通電騒音がある。
(2) 変圧器の騒音には，磁気ひずみなどで鉄心に生じる振動による励磁騒音がある。
(3) 鉄心に高配向性ケイ素鋼板を使用することは，騒音対策に有効である。
(4) 鉄心の磁束密度を高くすることは，騒音対策に有効である。

解　説

鉄心の磁束密度は小さい方が騒音対策に有効です。

解答（4）

CASE 2 送配電設備

まとめ & 丸暗記　この節の学習内容とまとめ

□ 中性点接地

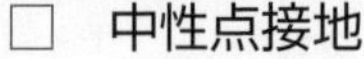

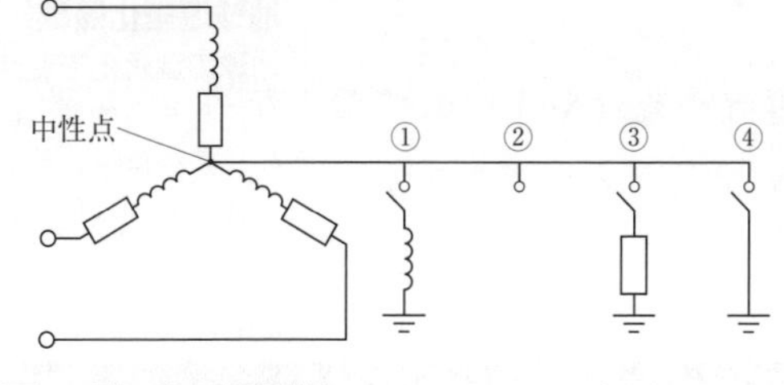

①：消弧リアクトル接地
②：非接地
③：抵抗接地
④：直接接地

□ がいしの種類

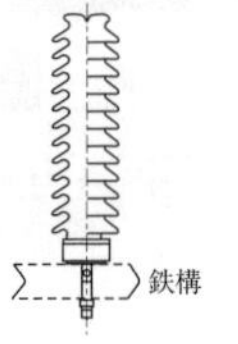

ラインポストがいし

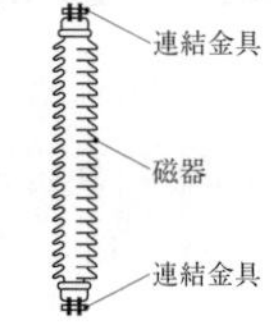

長幹がいし

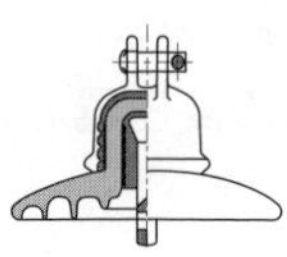
懸垂がいし

□ 電線のたるみ

架空送電線における支持点間の電線のたるみの近似値 D〔m〕
※電線支持点の高低差はない。

$$D=\frac{WS^2}{8T}\text{〔m〕}$$

S：径間〔m〕　T：電線の最低点の水平張力〔N〕
W：電線の単位長さ当たりの重量〔N/m〕

架空送電線

1 保護システム

電力系統の安定性を維持するため，保護リレーシステム[※1]が必要です。異常が発生した機器を系統から切り離し，送配電線路の事故拡大を防ぎます。

保護リレーシステムは，直撃雷から機器を保護するものではありません。

保護継電システムの構成に必要な機器として，遮断器，保護継電器，計器用変成器，変流器などがあります。

2 鋼心アルミより線（ACSR）

鋼心アルミより線（ACSR[※2]）とは，電線の中心部に亜鉛メッキ鋼線を中心に配置し，その周囲を硬アルミ線でより合わせた電線です。鋼線部で張力，アルミ部で導電を分担します。強度もあり軽量なため，長距離送電用の架空電線として用いられています。

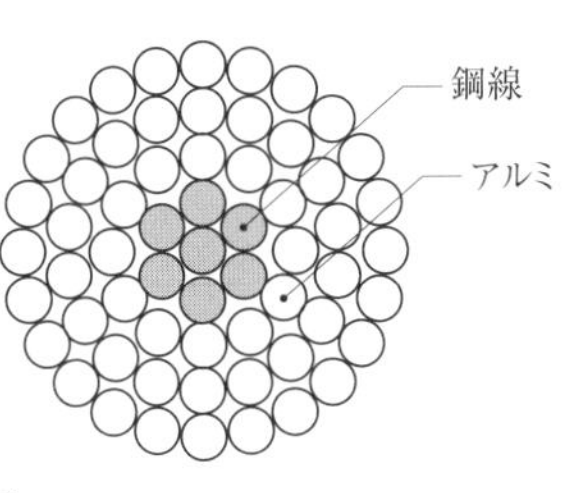

3 線路定数

線路定数は，架空送電線路の電気的特性を決める数値です。送電線路は，抵抗，漏れコンダクタンス，インダクタンス，静電容量の4つの定数を持つ連続した電気回路とみなすことができます。

※1
保護リレーシステム
避雷器は保護リレーシステムを構成する機器ではありません。

※2
ACSR
Aluminium Conductors Steel Reinforcedの略。

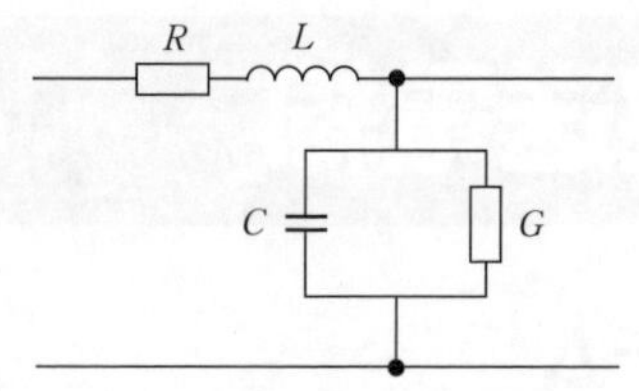

線路定数[※3]を定める要素として関係するのは次のものです。

- 電線の種類
- 電線の太さ
- 電線配置

4 中性点接地方式

①目的

中性点接地は，次の目的で行います。

- 地絡[※4]事故による異常電圧の発生を防止する
- 一線地絡事故における，健全相の電圧上昇を抑制する
- 保護継電器の作動を確実にする

②中性点接地方式

架空送電線の**中性点接地**方式には，中性点に接続する方法により，次のものがあります。

- **非接地**

高圧配電線路で最も多く採用されている中性点接地方式です。

- **直接接地**

直接，何も介さずに接地します。**地絡電流が大きくなり**，通信線への誘導障害が発生する欠点がありますが，一線地絡時の**健全相の電圧上昇が最も小さい**接地方式であり，電線路や変圧器の絶縁を軽減できます。

- **抵抗接地**

500～1,000Ω程度の抵抗を接続します。

- **消弧リアクトル接地**

消弧リアクトルを接続します。

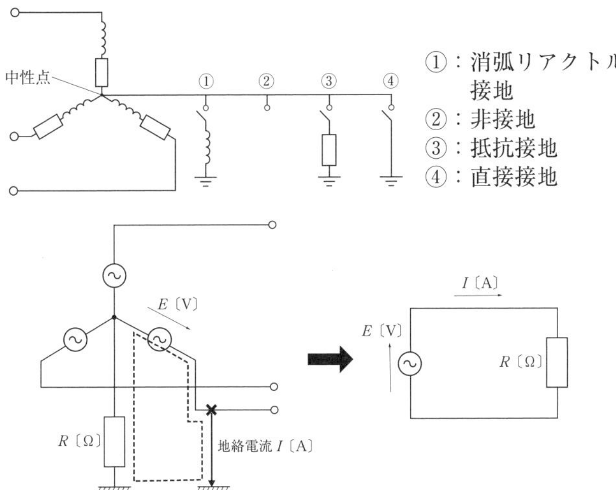

抵抗接地の例

5 がいし

がいしの種類は，次のとおりです。

①ラインポストがいし

鉄構などに直立固定させ，電線を磁器体頭部に固定して使用します。

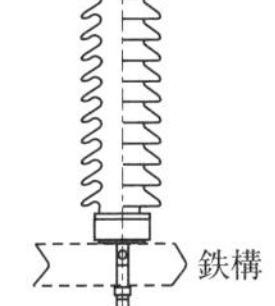

②長幹がいし

幹が長く，塩害，塵埃（じんあい）の多い場所で使用します。

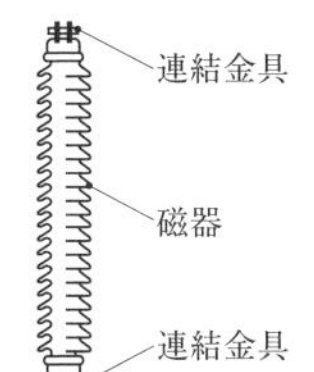

③懸垂がいし

使用する電圧に応じて，連結個数を増やして使用します。

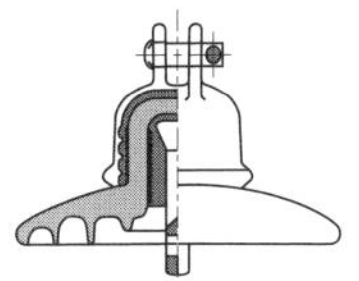

※3

線路定数を定める要素

電流，電圧の大きさや負荷の力率とは無関係です。

※4

地絡

電線の導体部分が大地に触れ，地面に流れることを意味します。地面に連絡するので，地絡と呼ばれています。このとき流れる電流が地絡電流です。一般に，高圧受電設備の地絡継電器の動作電流は，200mAに設定されます。

④高圧ピンがいし

高圧の架空電線を支持します。

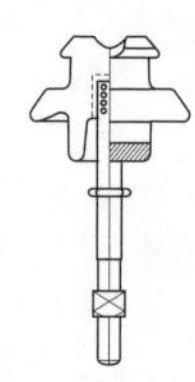

6 附属品

架空送電線の附属品は次のとおりです。

①スパイラルロッド

電線の周りに数本巻き付けて，電線が風の流れと定常的な共振状態になることを防止し，電線特有の風音の発生を抑制します。

②アーマロッド[※5]

電線の振動による素線切れや，事故電流による溶断を防止するため，懸垂クランプ付近の電線に巻き付けて補強するものです。

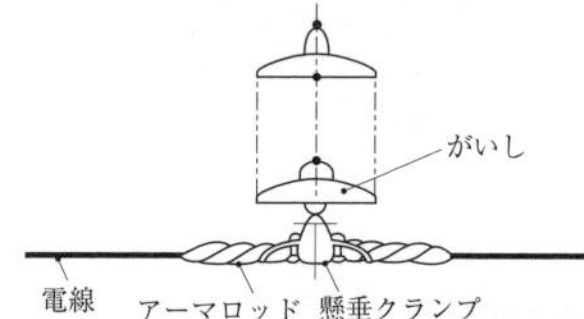

③スペーサ

多導体[※6]では，短絡電流による電磁吸引力や強風により，電線相互が接近や接触することを防止するため，電線相互の間隔を保持する目的で取り付けます。

④ダンパ[※7]

微風振動に起因する電線の疲労，損傷などを防止する目的で，電線の振動エネルギーを吸収させるため，電線に取り付けます。

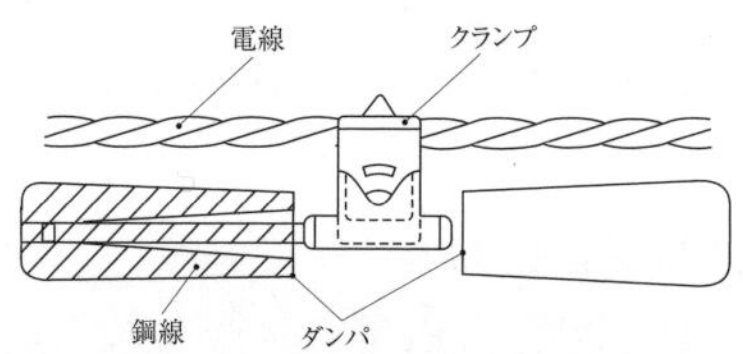

7 架空送電線の振動

①スリートジャンプ

スリートジャンプ[※8]は，電線に付着した氷雪の落下により電線が跳ね上がる現象です。

②微風振動

毎秒数メートル以下の微風が電線に対して水平に吹いたとき，上下振動します。直径に対して重量の軽い電線に起こりやすく，また，支持物の径間が長く，電線の張力が大きいほど起こりやすくなります。

8 架空地線

架空地線とは，雷撃から送電線，配電線を保護するため，電線上部に架設する接地線です。雷が最上部に張られた架空地線に落雷し，行き先は大地にアースされるようになっており，電力線への直撃雷[※9]を防止する効果があります。

直撃雷に対しては，遮へい角が小さいほど遮へい効率が大きく，1条より2条とした方が遮へい効率が大きくなります。

架空地線は，誘導雷[※10]により電力線に発生する異常電圧を低減する効果があります。

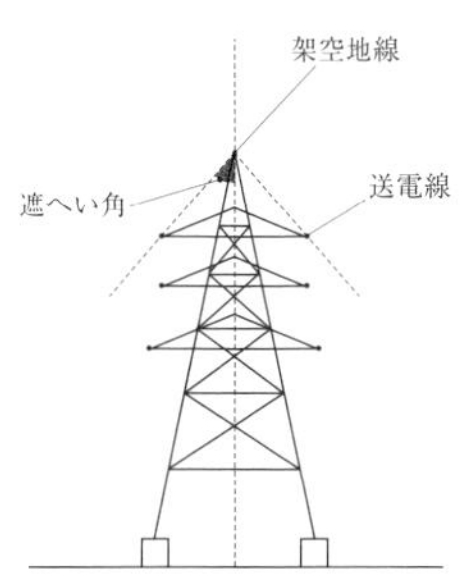

9 雷害

①フラッシオーバ

架空送電線路（電力線）に落雷すると高電圧が生じ，がいし等で絶縁破壊が起こります。結果として，電力線から鉄塔に電流が流れます。この放電現象がフラッシオーバです。フラッシオーバは，がいし類の絶縁耐力を上回る異常電圧が侵入したときに発生します。

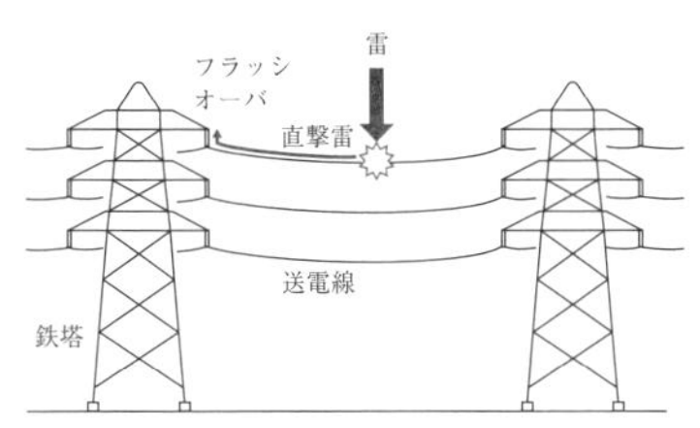

※5
アーマロッド
懸垂クランプの吊り下げ部分の電線が，素線切れするのを防ぐために巻き付けられる補強線です。電線と同種類の金属でできています。

※6
多導体

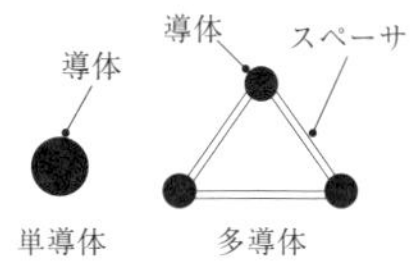

※7
ダンパ
電線の振動による疲労を防止するために，電線の支持点付近に設ける制動子（錘（おもり））です。

※8
スリート
氷雪のことです。

※9
直撃雷
架空電線に直接落雷することです。

※10
誘導雷
送電線の周辺に落雷した際に発生した電圧が誘導電流を起こして送電線に影響を及ぼします。

②雷害対策

架空送電線の雷害対策は次のとおりです。

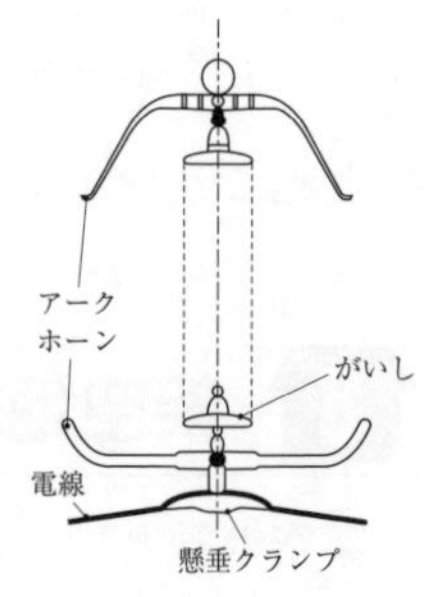

- がいし連のフラッシオーバによるがいし破損を防止するため，アークホーン[※11]をがいし連の両端に設ける
- 高圧線路に沿って，**架空地線**を施設する
- 配電用機器の近傍に，**避雷器**を設置する（A種接地）
- 高圧がいしの頭部に，**放電クランプ**を取り付ける

10 塩害対策

架空送電線路の塩害[※12]対策として次のものがあります。

- 長幹がいしやスモッグがいしを採用する
- がいしの連結個数を増加させる
- がいしの表面にシリコンコンパウンドを塗布する

11 電磁誘導障害の軽減対策

架空送電線により通信線に発生する電磁誘導障害の軽減対策は次のとおりです。

- 送電線と通信線の離隔距離を大きくする
- 通信線に遮へい層付ケーブルを使用する
- 送電線をねん架（各相をひねること）する
- 架空地線に導電率のよい材料を使用する
- 送電線の中性点の接地抵抗値を大きくする
- 故障回線を迅速に遮断する

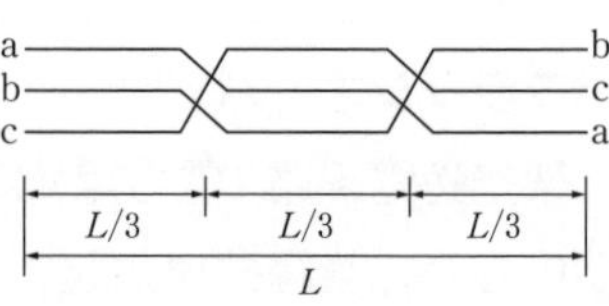

12 コロナ放電の抑制対策

架空送電線路におけるコロナ放電とは，送電線周囲の空気の絶縁が破壊されて，青白い光を発する現象をいいます。**コロナ放電の抑制対策**として

は，架線時に電線を傷つけないことや，外径の大きい電線や多導体を用いること，がいし装置に遮へい環（シールドリング）を設けることなどがあります。

電線のねん架を行うことは対策とはなりません。

※11
アークホーン
送電線を絶縁支持しているがいしを保護するため，その両端に付設したホーン（角）状の金属性の電極です。フラッシオーバの際生じるアークを電極間に生じさせ，がいし破損を防止します。

※12
塩害
海岸に近い地域で起こる，潮風による自然災害です。がいし等に塩分が付着して絶縁が劣化します。

13 電線のたるみ

架空送電線における支持点間の電線のたるみの近似値 D〔m〕を求める式は次のとおりです。なお，電線支持点の高低差はないものとします。

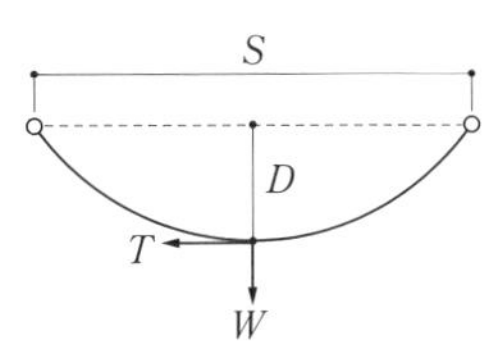

$$D=\frac{WS^2}{8T}\text{〔m〕}$$

S：径間〔m〕
T：電線の最低点の水平張力〔N〕
W：電線の単位長さ当たりの重量〔N/m〕

チャレンジ問題！

問1　難 **中** 易

架空送電線路の塩害対策に関する記述として，最も不適当なものはどれか。

(1) がいし連にアークホーンを取り付ける。
(2) 懸垂がいしの連結個数を増加させる。
(3) がいしの表面にシリコンコンパウンドを塗布する。
(4) 長幹がいしやスモッグがいしを採用する。

解　説

がいし連にアークホーンを取り付けるのは，雷害対策であって，塩害対策ではありません。

解答（1）

地中送電線路

1 フェランチ現象

フェランチ現象は，送電線の送電端電圧より受電端電圧が高くなる現象で，電線路に分路リアクトルを接続すると抑制できます。架空送電線でも発生しますが，地中送電線（ケーブル）で起こりやすい現象です。

特に次の条件で起こりやすくなります。

- 電線路のこう長が長い
- 深夜などの軽負荷時に発生しやすい
- 遅れ力率の負荷がほとんど接続されていないときに発生しやすい

※進み力率の負荷が多く接続されているときに発生しやすい

これらは，次に説明するケーブルに見られる静電容量に起因しています。

2 作用静電容量

ケーブルは，架空送電線に比べると，構造的に静電容量が非常に大きくなります。

ケーブルの静電容量は図のようになり，**作用静電容量**[※13] Cは，次の式で表すことができます。

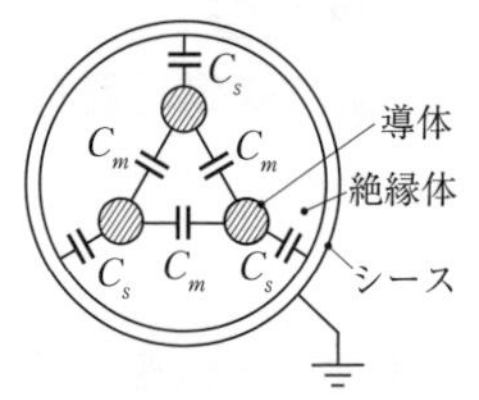

$$C = C_s + 3C_m \text{〔}\mu\text{F〕}$$

C_s：対地静電容量〔μF〕　　C_m：線間静電容量〔μF〕

架空送電線においては，ねん架をして各相の作用静電容量，インダクタンスを平衡させます。

3 充電電流

ケーブルを無負荷状態で充電すると電流が流れます。これが**充電電流**[※14]です。

充電電流 Ic〔A〕は次の式で表すことができます。

$$Ic = \frac{\omega CV}{\sqrt{3}} \text{〔A〕}$$

V：線間電圧〔V〕

C：ケーブルの1線当たりの静電容量〔F〕

ω：角周波数〔rad/s〕

（$\omega = 2\pi f$，f：周波数）

※13
作用静電容量
1線と中性点の静電容量です。
$C = C_s + 3C_m$ は，公式丸暗記問題が出題されているので，「さよう，タイチと指せんか」と覚えます。

※14
充電
電圧をかけることです。

チャレンジ問題！

問1　難　**中**　易

図は3芯電力ケーブルの無負荷時の充電電流を求める等価回路図である。充電電流 I_c〔A〕を求める式として，適当なものはどれか。

ただし，各記号は次のとおりとする。

V：線間電圧〔V〕

C：ケーブルの1線当たりの静電容量〔F〕

f：周波数〔Hz〕

(1) $I_c = 2\pi fCV$〔A〕

(2) $I_c = 2\pi fCV^2$〔A〕

(3) $I_c = 2\pi fCV/\sqrt{3}$〔A〕

(4) $I_c = 2\pi fCV^2/\sqrt{3}$〔A〕

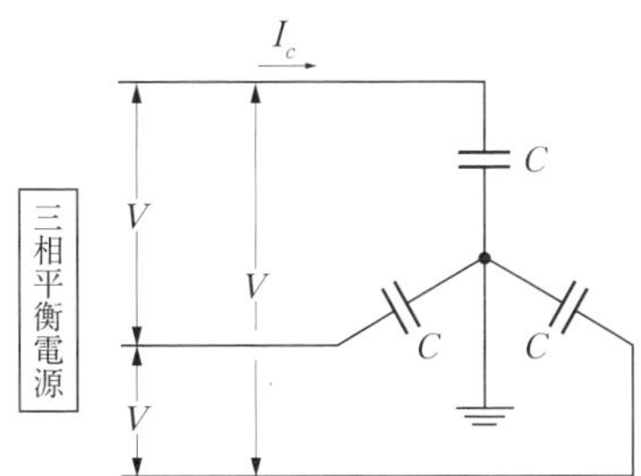

解説

$I_c = \omega CV/\sqrt{3}$ において，$\omega = 2\pi f$ を代入すると，$I_c = 2\pi fCV/\sqrt{3}$

解答（3）

配電線路

1 電圧フリッカ

電圧フリッカとは，負荷の変動によって**配電電圧**が短時間の周期的変動を繰り返す現象です。照明器具が明るくなったり，暗くなったりしてチラつきます。

一般に，配電線路に電圧フリッカを発生させる機器としては，アーク炉，スポット溶接機，圧延機（プレス機）などです。蛍光灯は，電圧フリッカの影響を受ける機器であり，発生源ではありません。

2 高調波

①高調波

日本で使用される**商用周波数**[※15]は，50Hzと60Hzですが，この周波数を持った正弦波を**基本波**と呼び，その整数倍の周波数を持った正弦波を**高調波**といいます。

たとえば，基本波と第3高調波を合成する（左図）と，ひずんだ波（右図）になります。

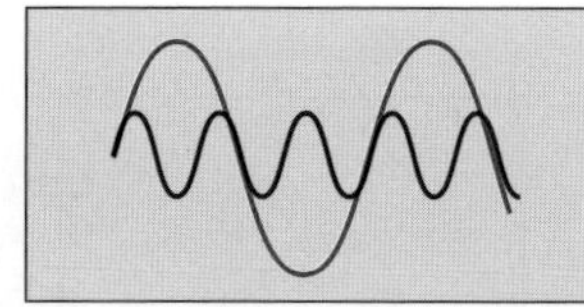
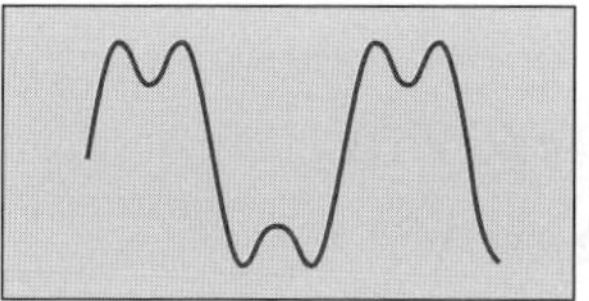

②影響と対策

高調波成分は，第3，第5，第7などの低次かつ**奇数次**のものが多く，変圧器など鉄心を有する機器の**鉄損**を**増大**させ，また，電力用コンデンサを加熱し，焼損等の障害を起こします。

高調波を発生する機器として，アーク炉，整流器，サイクロコンバータなどがあります。

電力用コンデンサは高調波を発生するものではなく，影響を受ける機器です。

3 電線の記号と用途

配電線路に用いられる電線の種類と主な用途の組合わせは次のとおりです。

電線の名称	記号	主な用途
屋外用ビニル絶縁電線	OW	低圧架空配電用
引込用ビニル絶縁電線	DV	低圧架空引込用
引込用ポリエチレン絶縁電線	DE	低圧架空引込用
接地用ビニル絶縁電線	GV	接地用
屋外用架橋ポリエチレン絶縁電線	OC	高圧架空配電用
高圧引下用架橋ポリエチレン絶縁電線	PDC	高圧引下用

4 供給電圧

一般送配電事業者が供給する電気の電圧について，電気事業法には次のように定められています。

①標準電圧200Vの電気を供給する場所

202Vの上下20V[※16]を超えない値に維持するように努めます。

②標準電圧100Vの電気を供給する場所

101Vの上下6V[※17]を超えない値に維持するように努めます。

5 低圧配電方式

主な低圧の配電方式は次のとおりです。

※15
商用周波数
電力会社が供給する電気の周波数です。日本では，50Hzと60Hzです。基本周波数ともいいます。

※16
202Vの上下20Vを超えない値
202±20なので，182～222Vの範囲です。

※17
101Vの上下6Vを超えない値
101±6なので，95～107Vの範囲です。

①単相2線式

一般住宅などの電気機器や照明器具などに使用されます。

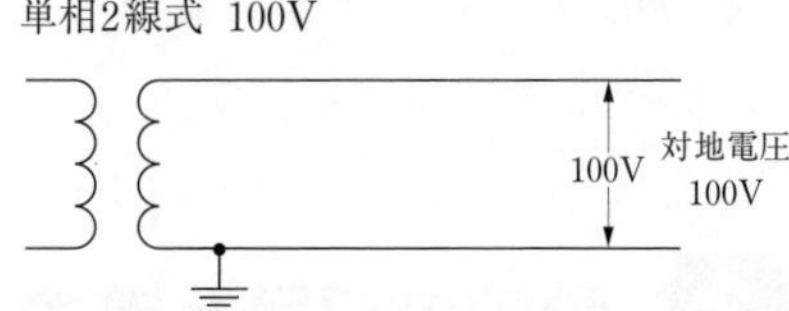

②単相3線式

一般住宅などの電気機器や照明器具などに使用されます。単相100Vと単相200Vの2種類の電圧が取り出せ，**最もよく使用**されている電気方式です。

変圧器の二次側電線3本のうち，上下2本が非接地側電線（電圧線），中央の電線が接地側電線（中性線）で，大地に接地されています。

中性線と各電圧線の間に接続する負荷容量の差は大きくならないようにします。つまり，中性線と各非接地側電線との間に接続する負荷の各合計容量は，できるだけ平衡させるということです。こうすることで，中性線には電流がほとんど流れず，電力損失も少なくなります。

3極が同時に遮断される場合を除き，中性線には**過電流遮断器**を設けることはできません。

なお，使用電圧が200Vであっても，**対地電圧は100V**[※18]です。

③三相3線式

事務所ビルや工場などの三相200Vの**電動機**などに使用されます。

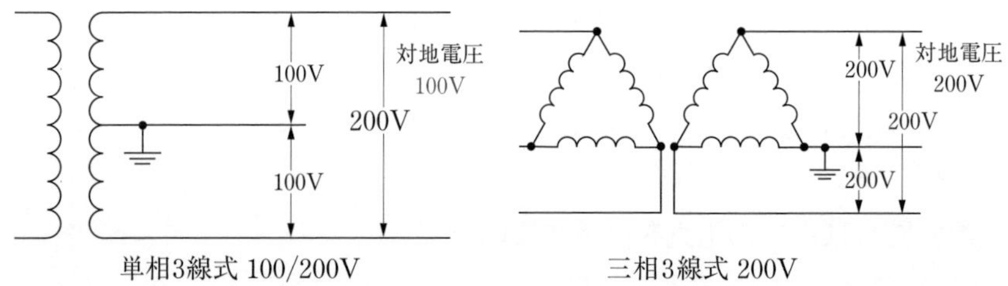

単相3線式 100/200V　　三相3線式 200V

6 電圧降下

①単相2線式配電線路

単相2線式配電線路において，送電端電圧 V_s〔V〕と受電端電圧 V_r〔V〕の間の**電圧降下** v〔V〕を表す簡略式は次のとおりです。

$$v=2I(R\cos\theta+X\sin\theta)\ \text{〔V〕}$$

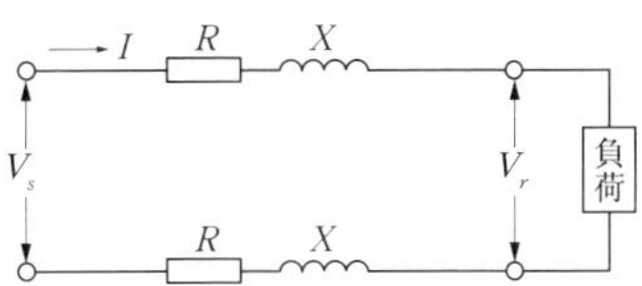

$\boldsymbol{I}$：線電流〔A〕　　$\boldsymbol{R}$：1線当たりの抵抗〔Ω〕

$\boldsymbol{X}$：1線当たりのリアクタンス[※19]〔Ω〕

$\cos\theta$：負荷の力率　　$\sin\theta$：負荷の無効率

②三相3線式配電線路

三相3線式配電線路の送電端電圧 $\boldsymbol{V_s}$〔V〕と受電端電圧 $\boldsymbol{V_r}$〔V〕の間の電圧降下 $\boldsymbol{v}$〔V〕を表す簡略式は，次のとおりです。

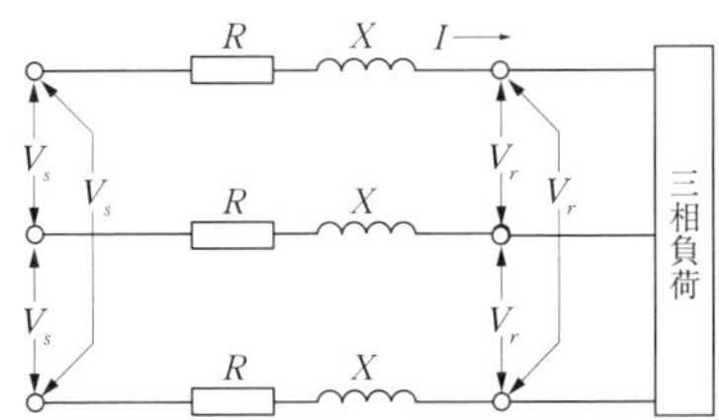

$$v=\sqrt{3}\,I\,(R\cos\theta+X\sin\theta)\ 〔V〕$$

$\boldsymbol{I}$：線電流〔A〕　　$\boldsymbol{R}$：1線当たりの抵抗〔Ω〕

$\boldsymbol{X}$：1線当たりのリアクタンス〔Ω〕

$\cos\theta$：負荷の力率　　$\sin\theta$：負荷の無効率

7 電力損失

配電線路の電力損失[※20] $\boldsymbol{P}$〔W〕は次のとおりです。

①単相2線式

$$P=2I^2r$$

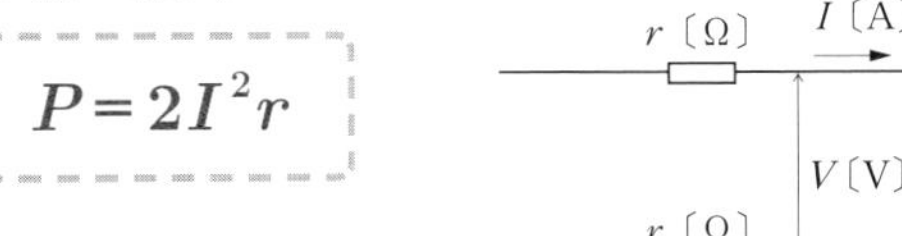

※18
対地電圧
地面に対する電圧です。電線1本ごとに対地電圧を求め，最も大きい数値をいいます。単相3線式の対地電圧は100Vです。

※19
リアクタンス
コイルとコンデンサによるものです。

※20
電力損失
配電線路は長く，電線の抵抗によって1本当たり I^2R のジュール熱が放散されます。

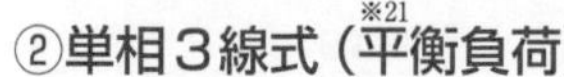

②単相3線式（平衡負荷[※21]）

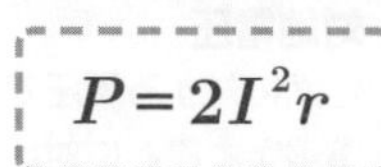

$$P=2I^2r$$

③三相3線式

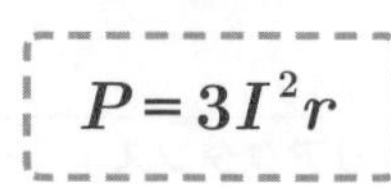

$$P=3I^2r$$

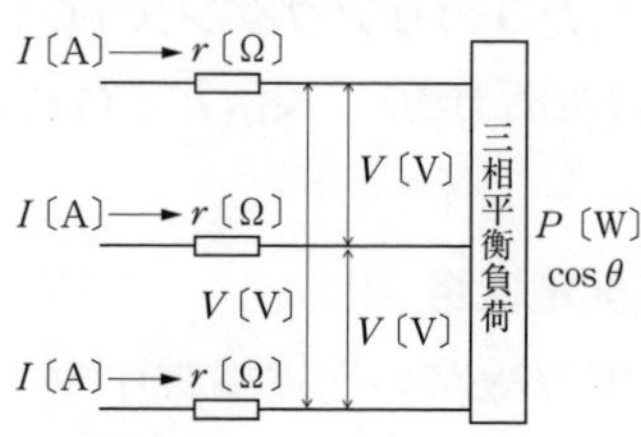

8 需要率・負荷率・不等率

①需要率：需要率は次の式で表します。

（最大需要電力〔kW〕÷設備容量〔kW〕）×100〔%〕

②負荷率：負荷率は次の式で表します。

（期間中の負荷の平均需要電力〔kW〕÷期間中の負荷の最大需要電力[※22]〔kW〕）×100〔%〕

③不等率：不等率は次の式で表します。

（各需要家の最大需要電力の総和〔kW〕÷その系統の合成最大需要電力〔kW〕）×100〔%〕

例題 図に示す日負荷曲線の需要率と日負荷率を求めなさい。

ただし，設備容量は1,200kWとする。

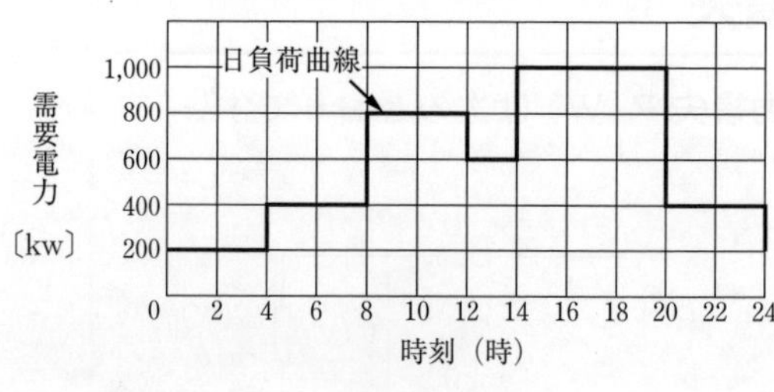

解説

需要率＝最大需要電力〔kW〕÷設備容量〔kW〕×100〔%〕

＝1,000÷1,200×100≒83〔%〕

負荷率＝期間中の負荷の平均需要電力〔kW〕

÷期間中の負荷の最大需要電力〔kW〕

＝（200×4＋400×4＋800×4＋600×2＋1,000×6＋400×4）÷24÷1,000×100＝60〔%〕

※21
平衡負荷
単相3線式で，上下2つの負荷（電気製品）の消費電力が同じです。この場合，中性線（真ん中の電線）に電流は流れません。したがって，単相2線式と単相3線式の電力損失は同じになります。

※22
期間中の負荷の最大需要電力
1日単位，1か月単位，1年単位です。この例題では，1日（24時間）です。

チャレンジ問題！

問1　難　**中**　易

配電線路に用いられる電線の種類と主な用途の組合わせとして，不適当なものはどれか。

電線の種類	主な用途
(1) 引込用ポリエチレン絶縁電線（DE）	高圧架空引込用
(2) 屋外用架橋ポリエチレン絶縁電線（OC）	高圧架空配電用
(3) 引込用ビニル絶縁電線（DV）	低圧架空引込用
(4) 屋外用ビニル絶縁電線（OW）	低圧架空配電用

解説

引込用ポリエチレン絶縁電線（DE）は，低圧架空引込用電線です。

解答（1）

第2章 電気設備

CASE 3 構内電気設備

まとめ & 丸暗記　この節の学習内容とまとめ

□ 主遮断設備

タイプ	受電設備容量	備考
CB形	4,000kV·A 以下	—
PF・S形	300kV·A 以下	PF：短絡保護　LBS：過負荷保護

□ 分岐線の長さと許容電流

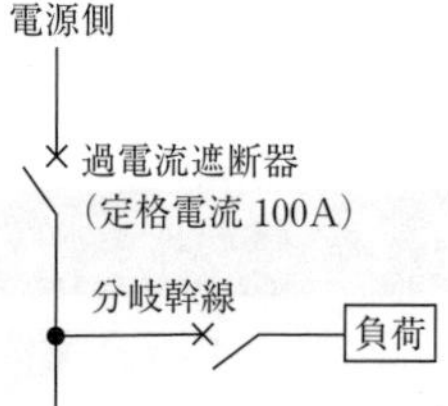

分岐幹線の長さ		分岐幹線の許容電流
①	3m以下	規定なし
②	3～8m以下	定格電流×35%以上
③	8m～	定格電流×55%以上

□ 接地工事

接地工事の種類	接地抵抗値	接地線の種類
A種接地工事	10Ω以下	直径2.6mm以上の軟銅線
B種接地工事	150/IΩ以下	直径4mm以上の軟銅線
C種接地工事	10Ω以下	直径1.6mm以上の軟銅線
D種接地工事	100Ω以下	直径1.6mm以上の軟銅線

受電設備

1 用語

高圧受電設備規程[※1]における用語の定義は次のとおりです。

- 保安上の責任分界点[※2]とは，自家用電気工作物設置者と一般送配電事業者の保安上の責任範囲を設定する箇所をいいます。
- **区分開閉器**とは，保守点検の際に電路を区分するための開閉装置をいいます。
- **地絡遮断装置**とは，電路に地絡を生じたとき自動的に電路を遮断する装置（地絡継電装置付高圧気中負荷開閉器を含む。）をいいます。
- **主遮断装置**とは，受電設備の受電用遮断装置として用いられるもので，電路に過負荷，短絡事故などが生じたときに，自動的に電路を遮断する能力を有するものをいいます。
- **CB形**とは，主遮断装置として，高圧交流遮断器（CB）を用いる形式をいいます。
- **PF・S形**とは，主遮断装置として，高圧限流ヒューズ（PF）と高圧交流負荷開閉器（LBS）とを組み合わせて用いる形式をいいます。
- **高圧受電設備**とは，高圧の電路で一般送配電事業者の電気設備と直接接続されている設備であって，区分開閉器，遮断器，負荷開閉器，保護装置，変圧器，避雷器，進相コンデンサ等により構成される電気設備をいい，高調波抑制設備および発電機連系設備を含みます。

※1
高圧受電設備規程
JEAC（日本電気協会）が定めた規程です。

※2
責任分界点
自家用電気工作物設置者の一般送配電事業者との責任分界点は，一般に，高圧気中負荷開閉器（PAS）一次側の耐張がいしのところです。

- **非常電源専用受電設備**とは，高圧受電設備の一部または全部を消防用設備等の非常電源として用いるもので，消防法令に適合するものをいいます。
- **受電設備容量**とは，受電電圧で使用する変圧器，電動機などの機器容量（kVA）の合計をいいます。ただし，高圧進相コンデンサは，受電設備容量には含めません。
- **受電室**[※3]とは，高圧受電設備を施設する屋内の場所をいいます。
- **電気使用場所**とは，電気を使用するための電気設備を施設した，1の建物または1の単位をなす場所をいいます。
- **需要場所**とは，電気使用場所を含む1の構内またはこれに準ずる区域のものをいいます。
- **電線路**とは，発電所，変電所，開閉所およびこれらに類する場所並びに電気使用場所相互間の電線（電車線，小勢力回路および出退表示灯回路の電線を除く。）並びにこれを支持し，または**保蔵**[※4]**する工作物**をいいます。
- **架空引込線**とは，架空電線路の支持物からほかの支持物を経ないで需要場所の引込線取付点に至る架空電線をいいます。
- **地中引込線**とは，地中電線路の配電塔，架空電線路の支持物などから直接需要場所に至る地中電線路（地上の立ち上がり部分を含む。）をいいます。
- **引込線**とは，架空引込線，地中引込線をいいます。
- **短絡電流**とは，電路の線間がインピーダンスの少ない状態で接触を生じたことにより，その部分を通じて流れる電流をいいます。
- **地絡電流**とは，地絡によって電路の外部へ流出し，電線もしくは電気機械器具の損傷，感電または火災のおそれのある電流をいいます。

2 単線結線図

高圧受電設備の単線結線図[※5]は次のとおりです。

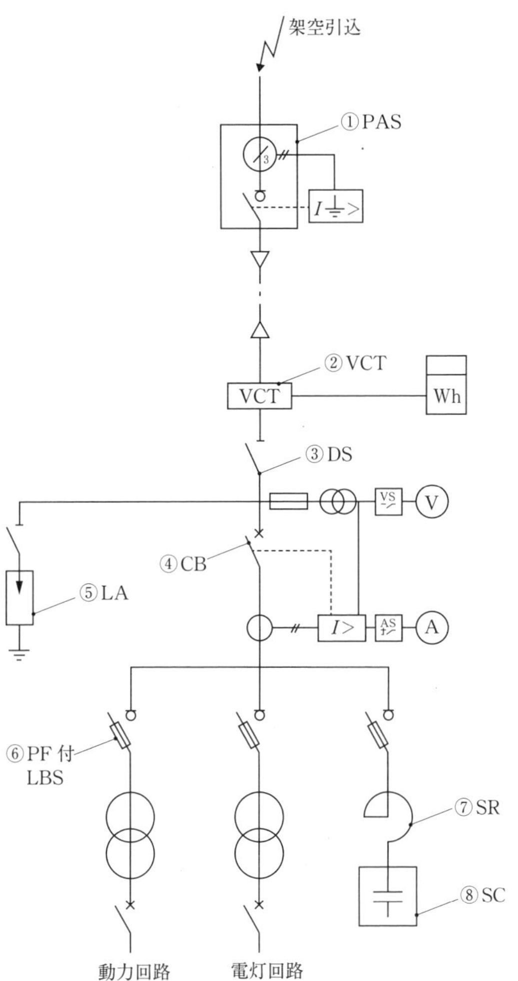

※3
受電室
受電室は，電気室または変電室と呼称されることもあります。
受電室は，倉庫，更衣室など本来の目的以外に使用できません。

※4
保蔵する工作物
地中電線路におけるケーブルを収める暗きょ，接続箱などをいいます。

※5
単線結線図
三相を単線で表した図です。詳細は省略しています。

3 主要機器

図中番号	名称	写真	機能
①	高圧気中負荷開閉器(PAS)		1号柱に取り付け，地絡電流の遮断，波及事故の防止を行います。
②	電力需給用計器用変成器(VCT)[※6]		使用電力量を計測します。
③	断路器(DS)		保守点検用に回路を入り切りします。負荷電流が流れている電路を開閉する機能はありません。
④	高圧交流遮断器(CB)		短絡電流を遮断します。
⑤	避雷器(LA)		雷の異常電圧から高圧機器を保護します。雷および開閉サージによる，異常電圧による電流を大地へ分流します。
⑥	限流ヒューズ付き高圧交流負荷開閉器(PF付きLBS)[※7]		PFで短絡電流を遮断し，LBSで負荷電流等を遮断します。
⑦	直列リアクトル(SR)		進相コンデンサへの突入電流の制限，波形改善をします。

⑧	高圧進相コンデンサ (SC)		需要設備の力率を改善します。

※(　)内の英記号は機器の略称

※6
電力需給用計器用変成器
電力需給用計器用変成器は，電力量計とともに一般送配電事業者が設置します。

※7
限流ヒューズ付き高圧交流負荷開閉器
限流ヒューズ付高圧交流負荷開閉器は，高圧限流ヒューズと組み合わせて，電路の短絡電流を遮断する機能を有します。

※8
太さを選定
地絡電流は微小電流であり，検討不要です。

4 引込ケーブル

高圧の電路に使用する高圧ケーブルの太さ※8を選定する際の検討項目は，主遮断装置の種類，負荷容量，短絡電流，ケーブルの許容電流です。

ストレスコーンは，高圧ケーブル端末部の電界の集中緩和のために用いられます。

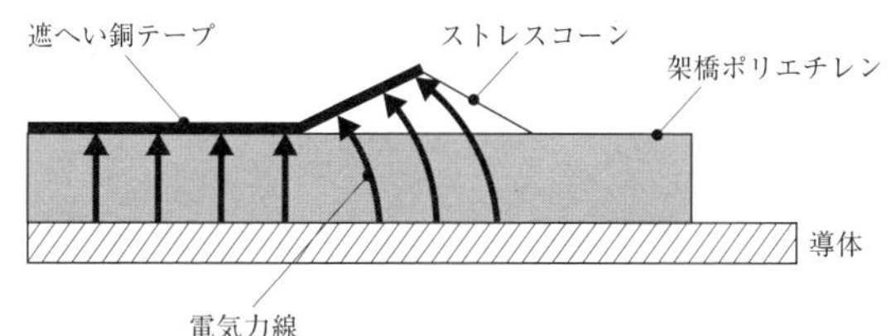

5 主遮断設備

①CB形とPF・S形

主遮断装置は，短絡電流を遮断できる，受変電設備の心臓部です。

構成機器の違いにより，次の2つのパターンがあります。

タイプ	受電設備容量	備考
CB形	4,000kV·A 以下	—
PF・S形 (PF＋LBS)	300kV·A以下	限流ヒューズは，短絡保護用，LBSは過負荷保護用。

PF･S形は，高圧交流負荷開閉器と限流ヒューズとを組み合わせたもの，または一体としたものです。

LBSは，一般に※9ストライカ引外し式で，機械的に引き外します。

限流ヒューズは各相に1本ずつ設置しますが，一相が遮断した場合に溶断に伴い，内蔵バネによって表示棒を突出させ開路ストライカが動作します。三相一括で遮断できるので，欠相運転が防止できます。

また，ヒューズが最小遮断電流近辺で溶断した場合，負荷開閉器の動作によりヒューズの破裂を防止できます。

ヒューズの相間および側面に※10絶縁バリヤを取り付けます。

②高圧限流ヒューズの特徴

継電器と組み合わせた高圧交流遮断器と比較した高圧限流ヒューズの特徴は，次のとおりです。

- 短絡電流を高速遮断できる
- 小型軽量で設置が容易である
- 小型で遮断電流が大きなものができる
- 限流効果が大きい
- 保守が簡単である

しかし，溶断したら再投入ができず新しいものに交換する必要があり，予備品は常に確保しておきます。

③高圧限流ヒューズの種類

日本産業規格（JIS）に定められている，高圧限流ヒューズの種類は次のとおりです。

記　号	用　途
G（General）	一般用
T（Trans）	変圧器用
C（Condenser）	コンデンサ用
LC（Reactor Condenser）	リアクトル付きコンデンサ用
M（Motor）	電動機用

6 断路器

断路器[※11]は次の要領で設置します。

- 操作が容易で，危険のおそれがない箇所を選んで取り付ける
- 垂直面に取り付ける場合は，横向きに取り付けない
- 縦に取り付ける場合は，切替断路器を除き，接触子（刃受）を上部とする
- ブレード（断路刃）は，開路したときに充電しないよう負荷側とする

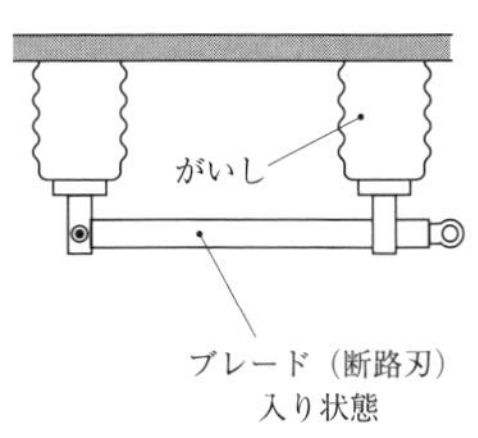

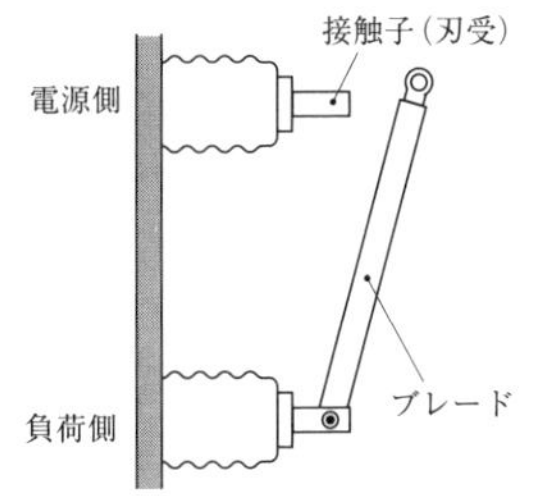

7 高圧カットアウト

開閉装置として容量の小さいものについては安価な高圧カットアウト[※12]（PC）が使用されます。PCを使用することができるのは，次の表のとおりです。

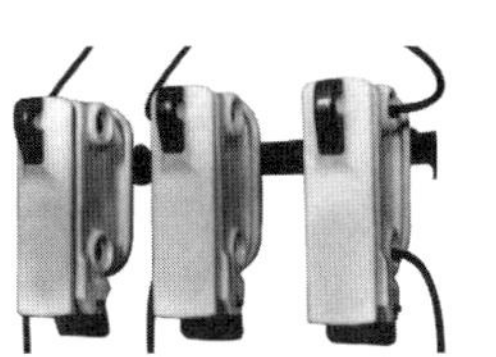

機器	開閉装置をPCとできる
変圧器	300kV·A以下
コンデンサ	50kvar以下

設備容量がこれを超えた場合，一次側開閉装置は，LBS，CBなどにします。

※9
ストライカ引外し式
ストライカ引外し式は，事故相だけでなく三相すべての相を開路できるようにしたものです。

※10
絶縁バリヤ
ヘビやトカゲなどの小動物が高圧充電部へ接触しない目的で設けます。絶縁物でできているので，絶縁バリヤといいます。

※11
断路器
主遮断装置の電源側に設けます。

※12
高圧カットアウト
開閉装置として使用する場合，内部にヒューズを入れます。

8 その他機器

高圧受電設備に使用する主な機器は次のとおりです。

①変流器（CT）

大きな電流を小さな電流に変換します。計器や保護継電器を動作させるために用います。

変流器の定格二次電流は，**5A**[※13]または1Aです。

一次側に電流が流れている状態で**二次側を開放**すると，高電圧により絶縁破壊の危険があります。

②計器用変圧器（VT）

大きな電圧（6,600V）を小さな電圧に変換します。計器用変圧器の定格二次電圧は，**110V**です。**二次側を短絡**すると，高電流により巻線が焼損する危険があります。

③零相変流器（ZCT）

三相分の電線を一括して変流器に貫通させます。**零相電流を計測**します。

④高圧交流電磁接触器

負荷電流の**多頻度の開閉**をする機能を有する機器です。

9 キュービクル式高圧受電設備

①特徴

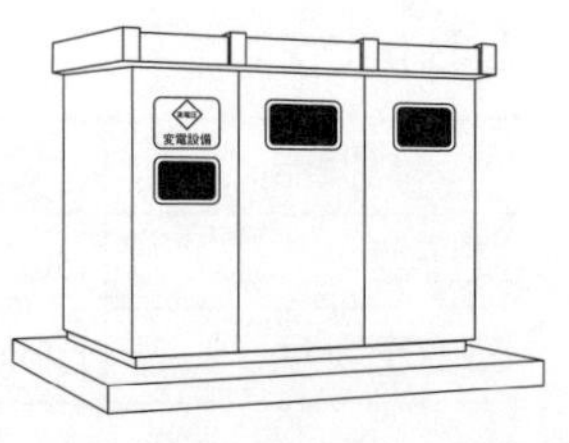

キュービクル式高圧受電設備は，図のように高圧受変電設備がコンパクトな箱体（鉄箱）に収納されたものをいいます。

一方，開放形高圧受電設備は，電気室内にフレームパイプを組み立てて受変電設備を構築するものです。

比較表は次のとおりです。

比較項目	キュービクル式 高圧受電設備	開放形高圧受電設備
設置面積	小さい	大きい
据付や配線の作業量	少ない	多い
感電の危険性	少ない	多い(内部を歩行できるため)
機器の増設更新	困難	容易

キュービクル式高圧受電設備は，金属箱内に充電部や機器などが収納されているので感電の危険性は少ないですが，通電時に扉を開けて中をのぞき込むようなことは絶対にしてはいけません。

②自主検査

高圧受電設備の設置後，受電前に行う自主検査項目として，一般的に行うものは次のとおりです。

- 接地抵抗測定
- 絶縁抵抗試験
- 保護継電器試験
- 絶縁耐力試験
- インターロック試験　など

インターロックとは，操作手順を間違えないようにする安全機構です。たとえば，遮断器が遮断されていないのに断路器を開放しようとしたとき，機械的に操作できない仕組みのことです。

なお，温度上昇試験，インピーダンス試験，短絡試験は一般に自主検査項目にありません。

※13
5A
よく使用されています。たとえば，50/5の変流器では，一次側に50Aの電流が流れたとき，二次側に5A流れます。

チャレンジ問題！

問1

難　中　易

次の図に示す高圧受電設備の受電設備容量として，「高圧受電設備規程」上，適当なものはどれか。

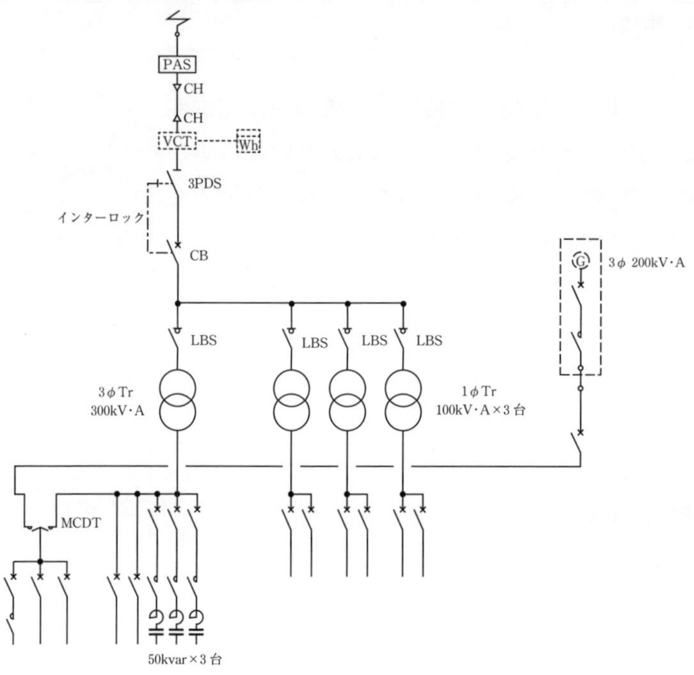

(1) 450kV・A

(2) 600kV・A

(3) 800kV・A

(4) 950kV・A

解説

変圧器の容量は，300kV・A×1台，100kV・A×3台で，合計600kV・Aです。高圧進相コンデンサ発電機は算入しません。

解答（2）

発電設備・蓄電池設備

1 ガスタービンとディーゼル

ガスタービン機関とディーゼル機関は，いずれも発電機の原動機です。

ガスタービンは，燃焼ガスの熱エネルギーを直接タービンに作用させて回転運動を得ます。一方，ディーゼルは，燃焼ガスの熱エネルギーをピストンの往復運動に変換し，クランク軸[※14]にて回転運動に変換します。

比較表は次のとおりです。

	ガスタービン機関	ディーゼル機関
据付面積	小さい	大きい
重量	軽い	重い
吸排気装置	大型	小型
冷却水	不要	必要
燃焼用空気	多い	少ない
NOx	少ない	多い
振動	小さい	大きい

※同一出力で比較

ガスタービンは，ディーゼルに比べ，液体または気体の燃料が使用できることや，排出ガス中のNOx[※15]濃度が低い点も長所といえます。

2 コージェネレーションシステム(CGS)

①コージェネレーション

コージェネレーション[※16]とは，燃料である重油やガスを燃焼させて発電するとともに，その際に発生する熱を，冷暖房や給湯，蒸気などに利用することをいいます。

※14
クランク軸
ピストンの往復運動を回転運動に変える機能をもつ軸です。

※15
NOx
窒素酸化物です。

※16
コージェネレーション
co（一緒に）+generation（発生）。電気と熱の2つが同時発生する仕組みです。

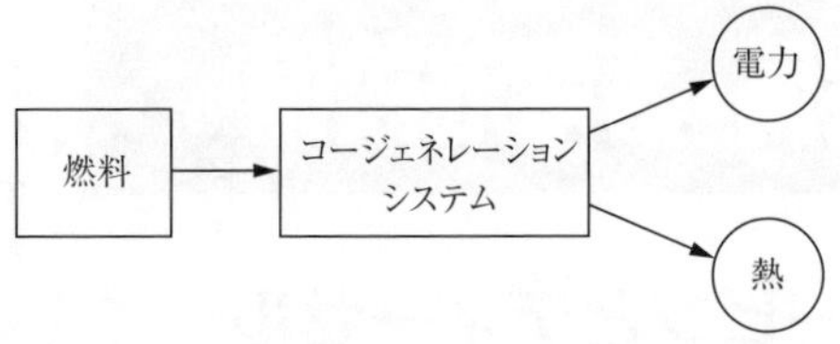

3 蓄電池設備

①鉛蓄電池

正極に**二酸化鉛**，負極に**鉛**を用い，両極間に隔離板を入れ，**電解液**として**希硫酸**を満たした蓄電池です。

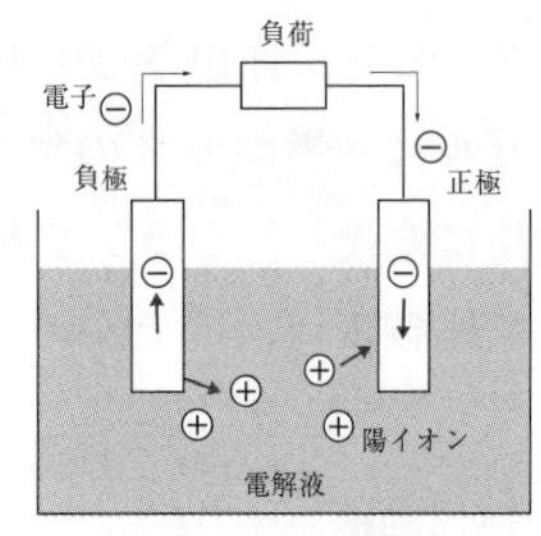

放電時は図のようになります。単電池の公称電圧は2Vです。

ベント形蓄電池は，従来から使用されている鉛蓄電池の構造です。自然蒸発で水分が失われるため，**補水作業が必要**[※17]ですが，**触媒栓**[※18]を取り付ければ，**補水作業**を減らすことができます。

極板の種類には，主として**ペースト式**と**クラッド式**があります。

蓄電池の容量を表すものとして，次のものがあります。

● **定格容量**

規定の条件下で**放電終止電圧**まで放電した時に取り出せる電気量です。

蓄電池の容量の単位は，〔A・h〕で表します。

● **放電容量**

蓄電池から取り出せる電気量です。放電電流が大きいほど小さくなり，温度が高いほど，自己放電は大きくなります。放電すると，電解液の比重は下がります。

②アルカリ蓄電池

アルカリ蓄電池は，電解液にアルカリ溶液を用いている蓄電池の総称です。電解液には主に水酸化カリウムが使われ，極板に使われる素材によって，蓄電池の名前が異なります。

アルカリ蓄電池の中で一番多く使用されているのが，**ニッケル-カドミ**

ウム蓄電池で，正極に水酸化ニッケル，負極に水酸化カドミウムを使用しています。

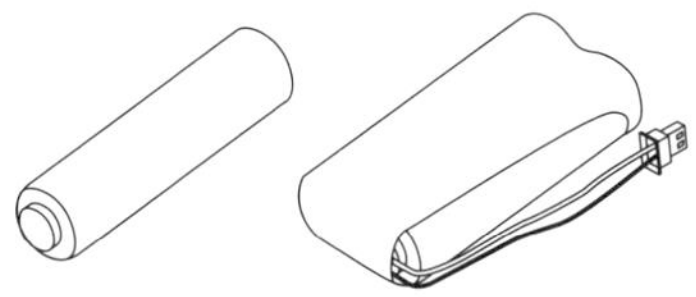

次の表は，鉛蓄電池とアルカリ蓄電池の比較です。

項目	鉛蓄電池	アルカリ蓄電池(ニッカド)
電圧	2.0V	1.2V
構造	正極は二酸化鉛，負極は鉛，電解液は希硫酸	正極はニッケル，負極はカドミウム，電解液は水酸化カリウム
電解液	放電により濃度，電圧低下	比重変化なし

③燃料電池

水の電気分解とは逆で，水素と酸素を反応させて電気を取り出すのが燃料電池です。

燃料電池という言葉から，乾電池や蓄電池のような「電池」をイメージしますが，燃料電池は化学エネルギーを電気エネルギーに変換する「発電設備」といえます。排熱は給湯や冷暖房に利用できます。

主な種類に，電解質にりん酸溶液を用いる，**りん酸形燃料電池**とイオン交換膜を用いる固体高分子形燃料電池があります。りん酸形燃料電池に比べて作動温度が低いです。

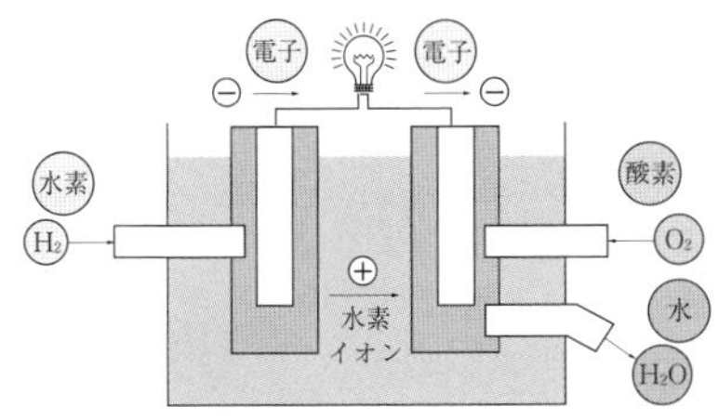

※17

補水作業

制御弁式据置鉛蓄電池（MSE形）は，通常の条件下では密閉状態であり，補液は不要です。

※18

触媒栓

電池を充電したときに発生する酸素ガスと水素ガスを，触媒反応によって水に戻す機能があります。

4 無停電電源装置（UPS）

UPSは，停電や瞬時電圧低下など，商用電源における電源障害が発生した場合にも，蓄電池などからコンピュータ設備などの重要設備に電源を無瞬断で供給する設備です。

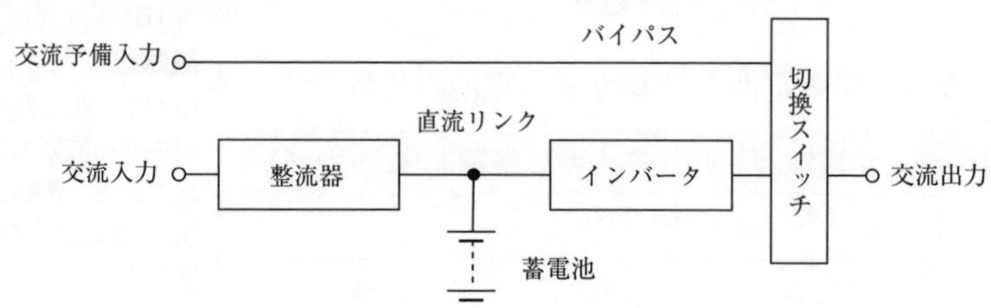

チャレンジ問題！

問1　難　中　易

鉛蓄電池に関する記述として，不適当なものはどれか。

(1) 放電により，水素ガスが発生する
(2) 電解液には，希硫酸を用いる
(3) 単電池の公称電圧は，2Vである
(4) 蓄電池の容量の単位は，A・hである

解説

鉛蓄電池では，充電により水素ガスが発生します。

解答（1）

保護装置

1 地絡遮断装置

地絡遮断装置は，60V を超える機械器具に設置しますが，次の場合は設置義務が免除されます。

- 対地電圧150V以下で水気のある場所以外
- 二重絶縁構造
- 接地抵抗値が3Ω以下
- 発電所，変電所内

2 保護協調

電動機の配線用遮断器は，電動機回路の短絡電流に見合う定格遮断容量を有するものを選定します。

電動機回路の保護協調曲線において，機器などの特性曲線は図のとおりです。

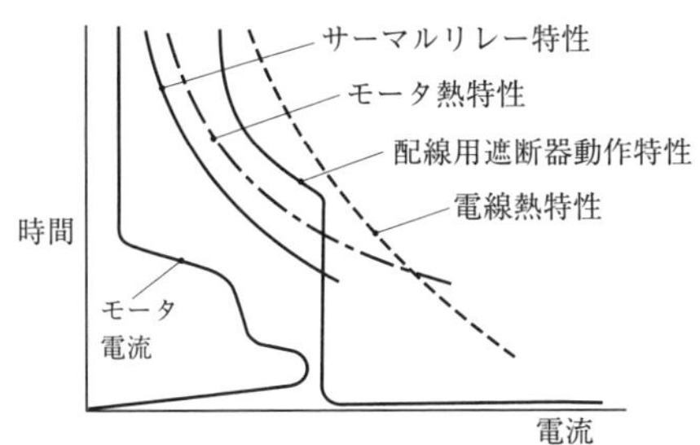

電動機は，過負荷保護（サーマルリレー[※19]と電磁接触器）と短絡保護（配線用遮断器）の両方でカバーします。また，電動機の保護継電器は次の表のとおりです。

※19

サーマルリレー

熱動継電器のことで，電動機が過負荷になると熱を帯びるため，設定温度以上になると遮断動作します。

継電器の種類	過負荷保護	欠相保護	反相保護※20
2Eリレー	○	○	×
3Eリレー	○	○	○

○：できる　×：できない

3 分岐線の長さと許容電流

図に示す電動機を接続しない分岐幹線において，分岐幹線保護のできる分岐幹線の長さと分岐幹線の許容電流※21の組合わせは，「電気設備の技術基準とその解釈」（経済産業省）の定めによれば，次の表のとおりです。

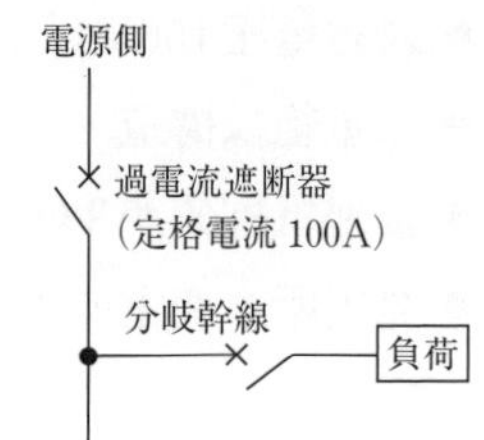

分岐幹線の長さ		分岐幹線の許容電流
①	3m以下	規定なし
②	3～8m以下	定格電流×35%以上
③	8m～	定格電流×55%以上

①分岐幹線の長さが3m以下の場合

分岐幹線に使用する電線の許容電流に制限はありません。

②分岐幹線の長さが3～8m以下の場合

100×0.35＝35〔A〕以上の許容電流の電線を使用します。

③分岐幹線の長さが8mを超える場合

100×0.55＝55〔A〕以上の許容電流の電線を使用します。

例題

図に示す定格電流200Aの過電流遮断器で保護された低圧屋内幹線との分岐点から，分岐幹線の長さが6mの箇所に過電流遮断器を設ける場合，分岐幹線の許容電流の最小値を求めなさい。

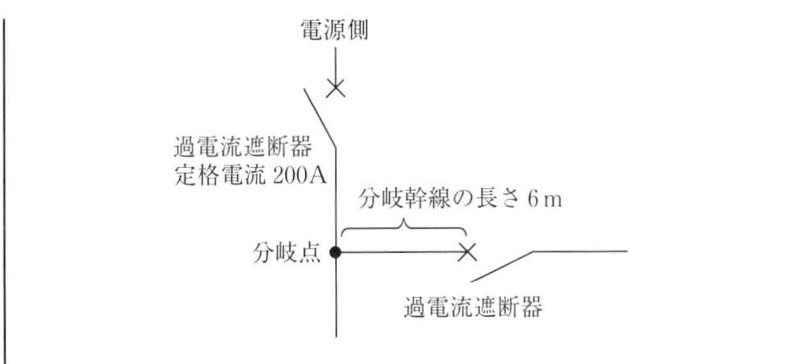

解説

3～8m以下に該当するので，定格電流×35%以上＝200×0.35＝70〔A〕。

4 幹線の許容電流

低圧屋内配線は，幹線と分岐線があり，幹線には，負荷電流の総計以上の許容電流値の電線を用います。これは，分岐線を流れる電流の合計となるためです。また，負荷に電動機を接続しない場合はこれでよいのですが，電動機[※22]が接続されている場合は，次の計算方法により，幹線の許容電流値（I_W）を求めます。Ⓜは電動機，Ⓗは電動機以外の負荷とします。

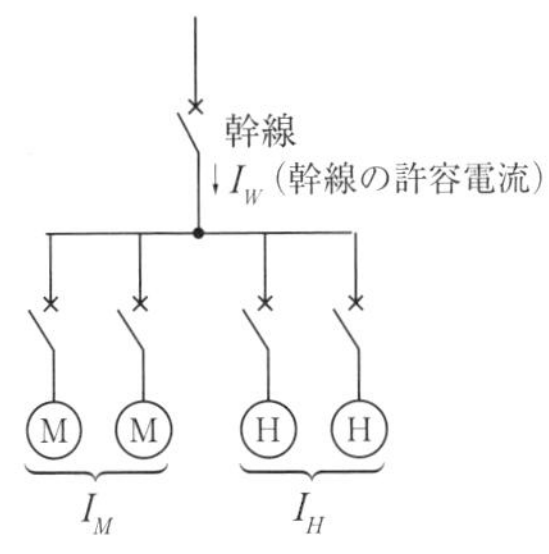

I_W：幹線の許容電流値

I_M：電動機に流れる電流値の合計

I_H：電動機以外の負荷に流れる電流値の合計

※20
反相保護
逆相保護ともいいます。

※21
許容電流
電線に，最大限流すことのできる安全電流です。

※22
電動機
始動時に定格電流を上回る電流が流れます。電流計も最大使用電流の約200%の定格目盛の電流計を使用します。
なお，許容電流（I_W）を求める計算は，$I_M>I_H$が前提です。もし，$I_M \leq I_H$なら，$I_W=I_M+I_H$という単純な計算になります。

I_Mの値		I_Wの値
①	50A以下	$1.25I_M+I_H$ 以上
②	50Aを超える	$1.1I_M+I_H$ 以上

例題

次の負荷ア，イを接続する低圧屋内幹線に必要な許容電流の最小値を求めなさい。

ア　電動機の定格電流の合計：200A

イ　ヒータの定格電流の合計：　80A

解説

電動機が50Aを越えているので，表の②を適用します。

$1.1I_M+I_H=1.1\times200+80=300$〔A〕

5 コンセント

①配線用遮断器とコンセント

配線用遮断器Ⓑの定格によって，接続できるコンセントの定格や電線太さは表のように決まっています。

分岐回路	コンセント	太さ
Ⓑ 20A	20Aと15A	1.6mm以上
Ⓑ 30A	30Aと20A	2.6mm以上(約5.5mm^{2}以上)
Ⓑ 40A	40Aと30A	8mm^{2}以上

②コンセントの極配置

日本産業規格（JIS）に定められている単相用コンセントの極配置[※23]は次の図のとおりです。

それぞれの図の右側は接地極付です。

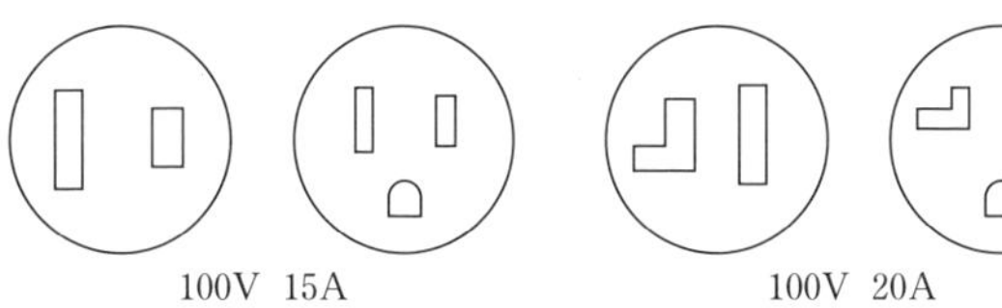

100V　15A　　　100V　20A

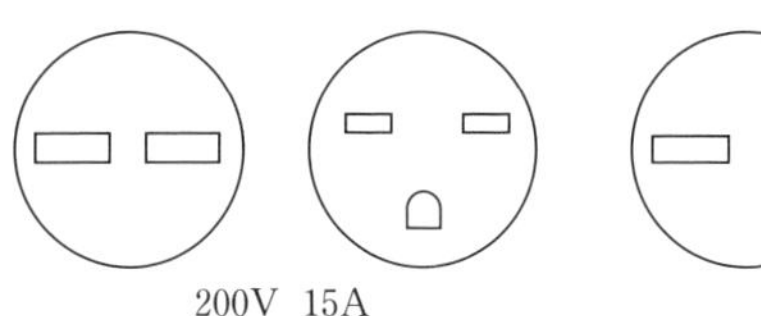

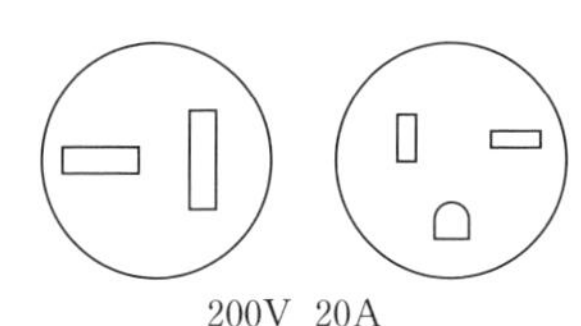

200V　15A　　　200V　20A

※23
極配置
単相200Vの20Aでは，接地極の無しと有りで縦と横の位置が逆になっています。

チャレンジ問題！

問1

難　中　易

　単相200V回路に使用する定格電流20Aの接地極付コンセントの極配置として，「日本産業規格（JIS）」上，適当なものはどれか。

(1)

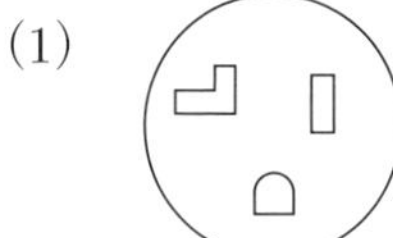

(2)

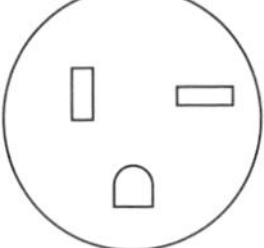

(3)

(4)

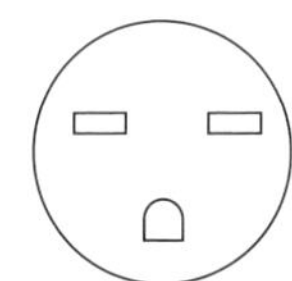

解説

　いずれも接地極付コンセントです。(1) は100Vで20A，(3) は100Vで15A，(4) は200Vで15Aです。

解答（2）

接地工事

1 接地工事の種類

接地工事は，A種～D種まで4つの種類があります。

接地工事の種類	接地抵抗値	接地線の種類	接地箇所
A種接地工事	10Ω以下	直径2.6mm以上の軟銅線	高圧用または特別高圧用の機器の外箱または鉄台
B種接地工事	150/IΩ以下	直径4mm以上の軟銅線	高圧用または特別高圧と低圧を結合する変圧器低圧側の中性点（または1端子）
C種接地工事	10Ω以下	直径1.6mm以上の軟銅線	300Vを超える低圧用機器の外箱または鉄台
D種接地工事	100Ω以下	直径1.6mm以上の軟銅線	300V以下の低圧用機器の外箱または鉄台

（注）1. Iは電路の一線地絡電流〔A〕を示す。

2. B種の接地抵抗値は，当該電路に設置される地路遮断器の遮断時間によって緩和することができる（1秒以内に遮断される場合は600/IΩ以下，2秒以内に遮断される場合は300/IΩ以下）。

3. C種およびD種の接地抵抗値は，当該電路に地絡が生じたとき，0.5秒以内に遮断する装置を施設する場合は，500Ωまで緩和することができる。

2 接地箇所の例

次の図は，接地箇所の例です。

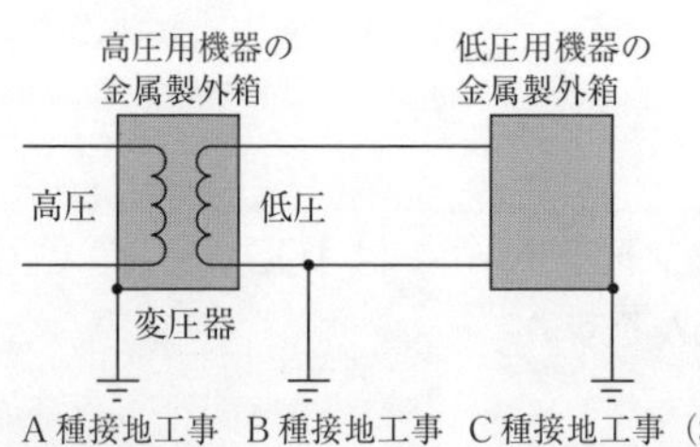

A種接地工事は，人が触れるおそれがある高圧電路に施設する機械器具の金属製の外箱です。B種接地工事は，変圧器の高圧と低圧との混触による危険を防止するために低圧側電路の中性点または1端子に施します。

D種接地工事は，使用電圧300V以下の機器の金属製外箱に施しています。なお，C種接地工事は，使用電圧が300Vを超える場合の機器に施設します。

3 A種接地工事

人が触れるおそれがある場所に施設する**接地極**[※24]は，地下75cm以上の深さに埋設します。この施工方法は，B種接地工事においても同じです。

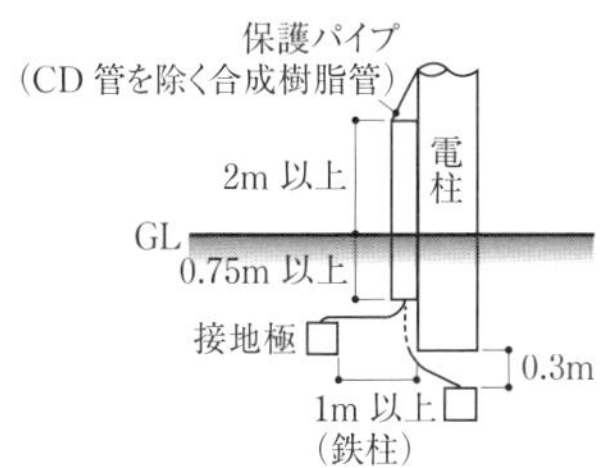

接地線の地表立ち上げ部分は，**合成樹脂製の配管**[※25]で保護します。

大地との間の抵抗値が2Ω以下である建物の鉄骨その他の金属体は，機械器具等に施すA種およびB種接地工事の接地極として使用できます。

一部が地中に埋設された建物の鉄骨を，A種，B種，C種およびD種接地工事の共用の接地極として使用する場合には，**等電位ボンディング**[※26]を施す必要があります。

A種接地工事を施す箇所例として，次のものがあります。

※24
接地極
銅板，銅棒などをいいます。電気を通しやすいものです。
接地工事に関連したものは，「電気設備技術基準とその解釈」に定められています。

※25
合成樹脂製の配管
堅ろうだからといって，金属管で保護することはできません。なお，合成樹脂製配管でも，CD管での保護はできません。

※26
等電位ボンディング
電気機器，鉄骨，鉄筋などの金属体を接地線でつなぎ，電位を等しくし電位差をなくすことです。JIS（日本産業規格）によれば，「内部雷保護システムのうち，雷電流によって離れた導電性部分間に発生する電位差を低減させるため，その部分間を直接導体によって又はサージ保護装置によって行う接続。」とあります。

● 人が触れるおそれがある高圧電路に施設する機械器具の金属製の外箱
● 屋内の接触防護措置を施していない高圧ケーブルを収める金属製の電線接続箱
● 避雷器について，A種接地工事では接地抵抗値を10Ω以下にする

4 B種接地工事

B種接地工事は，変圧器の高圧と低圧との混触による危険を防止するために低圧側電路の中性点または1端子に施します。

5 C種・D種接地工事

基本的には，使用電圧が300Vを超えたらC種接地工事で，超えなければD種接地工事です。

原則の接地抵抗値は，C種10Ω以下，D種100Ω以下ですが，地絡を生じたとき，回路を0.5秒以内[※27]に遮断する装置を設置した場合は，C種，D種とも接地抵抗値は500Ω以下に緩和されます。

電気機器に完全地絡が生じたとき，その金属製外箱に生じる対地電圧〔V〕の計算をしてみます。

例題

図に示す回路において，電気機器に完全地絡が生じたとき，その金属製外箱に生じる対地電圧〔V〕を求めなさい。

ただし，電線の抵抗など，表示なき抵抗は無視するものとする。

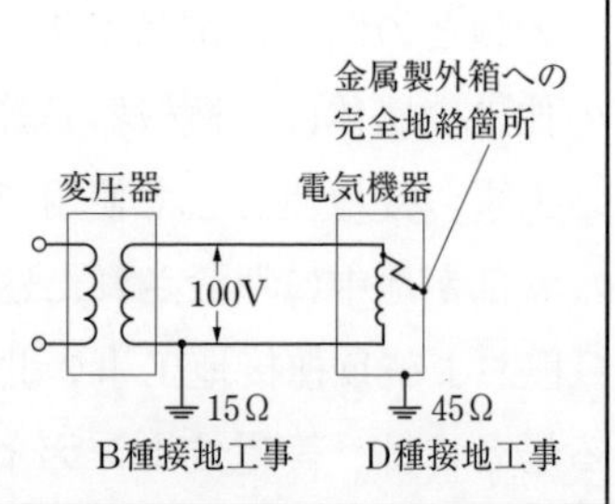

解説

電気機器に完全地絡が生じると，その金属製外箱と大地はD種接地工事

を施した45Ωの抵抗でつながることになります。中性線に施したB種接地工事の15Ωの抵抗と合わせて60Ωの抵抗に100Vの電圧がかかるので，その回路に流れる電流I_gは，$I_g = V/R = 100/60 = 5/3$〔A〕です。

金属製外箱に生じる対地電圧V_Dは，$V_D = I_g R = 5/3 \times 45 = 75$〔V〕です。

接地工事の種類にかかわらず，接地極の埋設は土壌の抵抗率の低い場所を選定し，接地極の埋設位置がわかるように，建物の外壁等に接地極埋設標を設けます。また，保守管理上，接地端子箱[※28]は，測定しやすい場所に設けます。

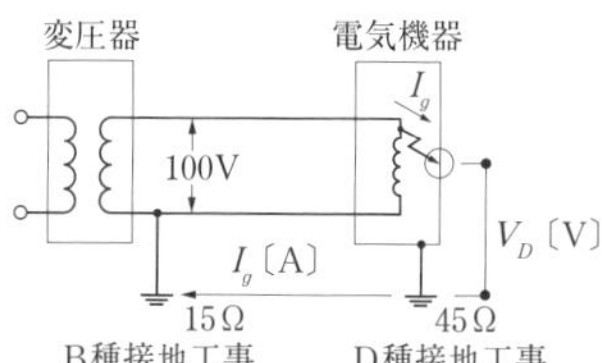

※27
0.5秒以内に遮断する装置
漏電遮断器です。一般の漏電遮断器は，0.1秒以内に遮断するので，緩和規定が適用されます。

※28
接地端子箱
たとえば，屋上にある避雷針（A種接地工事）からの電線と，接地極との接続点をこの箱内でバー接続することにより，接地抵抗の測定が容易になります。

チャレンジ問題！

問1　難　中　易

D種接地工事を施す箇所として，「電気設備の技術基準とその解釈」上，不適当なものはどれか。

(1) 高圧電路と低圧電路とを結合する変圧器の低圧側の中性点
(2) 使用電圧が200Vの電路に接続されている，人が触れるおそれがある場所に施設する電動機の金属製外箱
(3) 高圧キュービクル内にある高圧計器用変成器の二次側電路
(4) 屋内の金属管工事において，使用電圧100Vの長さ10mの金属管

解説

高圧電路と低圧電路とを結合する変圧器の低圧側の中性点には，B種接地工事を施します。

解答（1）

低圧配線工事

1 施設場所と電気工事の種類

電気工事を施設する場所により，次のように分類されます。

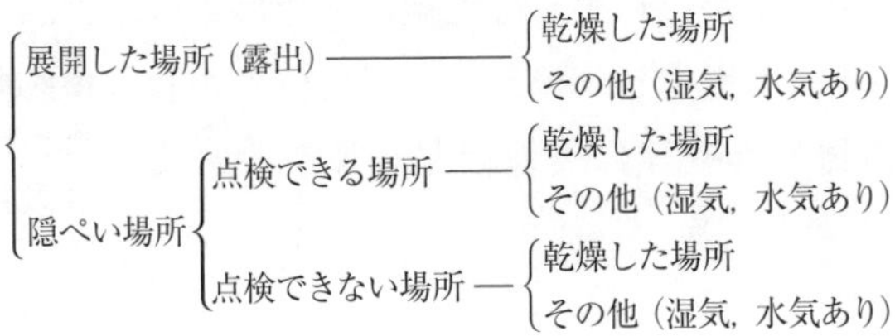

低圧電気工事の施設場所区分として，次の記号を用いることとします。
展…展開した場所　点…点検できる隠ぺい場所　点×…点検できない隠ぺい場所　乾…乾燥した場所　湿…湿気の多い場所，水気の多い場所

低圧屋内配線の施設場所による工事の種類

工事の種類 ＼ 施設場所の区分		展		点		点×	
		乾	湿	乾	湿	乾	湿
金属管工事		◎	◎	◎	◎	◎	◎
ケーブル工事（キャブタイヤケーブルを除く）		◎	◎	◎	◎	◎	◎
合成樹脂管工事	・硬質塩化ビニル電線管 ・合成樹脂製可とう電線管（PF管）	◎	◎	◎	◎	◎	◎
	CD管	□	□	□	□	□	□
金属可とう電線管工事	1種金属製	△		△			
	2種金属製	◎	◎	◎	◎	◎	◎
金属線ぴ工事		○		○			
金属ダクト工事		◎		◎			
バスダクト工事		◎	○	◎			

（注）◎：使用電圧に制限なし（600V以下）
○：使用電圧300V以下に限る
□：直接コンクリートに埋め込んで施設する場合を除き，専用の不燃性または自消性のある管などに収める
△：300Vを超える場合は，電動機に接続する短小な部分で，可とう性を必要とする部分の配線に限る

特殊場所[※29]を除いて，どこでもできる工事は，ケーブル工事，合成樹脂管工事，金属管工事，第二種可とう性金属管工事です。

2 絶縁抵抗値

電路の絶縁抵抗値[※30]は，「電気設備の技術基準とその解釈」に次のように定められています。

使用電圧		絶縁抵抗値
300V以下	対地電圧150V以下	0.1MΩ以上
	その他	0.2MΩ以上
300Vを超える		0.4MΩ以上

電気使用場所において，絶縁抵抗値は，たとえば次のようになります。

- 単相誘導電動機が接続されている使用電圧200Vの電路と大地との間　→　0.1MΩ以上
- 三相誘導電動機が接続されている使用電圧200Vの電路と大地との間　→　0.2MΩ以上
- 三相誘導電動機が接続されている使用電圧400Vの電路と大地との間　→　0.4MΩ以上

単相誘導電動機で使用電圧200Vの場合，単相三線式回路のため，対地電圧は100Vです。したがって，絶縁抵抗値は0.1MΩ以上です。

※29
特殊場所
爆発性粉じんを扱う場所や可燃性ガスの充満するおそれのある場所などです。
低圧配線工事の施設場所等については，「電気設備技術基準とその解釈」に定められています。

※30
絶縁抵抗値
電線導体と大地との絶縁を測定した値です。
絶縁が悪いと漏電し危険なので，接地工事を行うほか漏電遮断器を設置します。浄化槽，冷却塔ファン，空調機，揚水ポンプなどには漏電遮断器を設置します。
ただし，消火栓ポンプに設けると，万が一漏電した場合，非常時（火災時）に運転できないため，漏電警報を出すようにします。

3 水位制御

排水槽において，満水警報付液面制御を行う排水ポンプに設置する電極棒[※31]の，それぞれの役割は次のとおりです。

- E_1　満水警報
- E_2　運転開始
- E_3　運転停止
- E_4　共通・空転防止

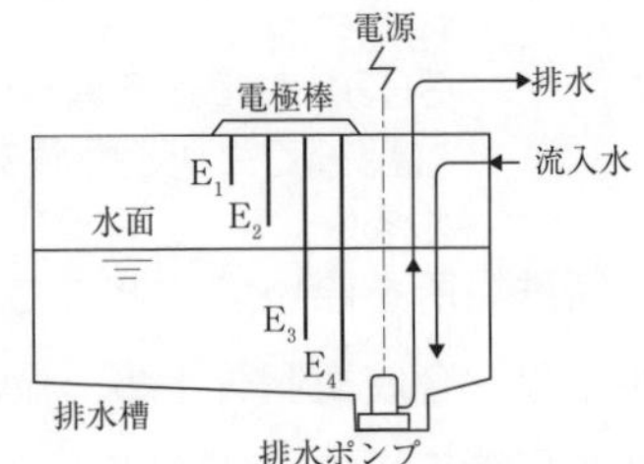

排水ポンプが運転されるのは，排水槽の水位がE_2とE_3の間です。水位が上がり，水面がE_2に接触すると，制御盤内の水位リレーが動作して排水ポンプが起動します。もし，ポンプ故障等で起動しない場合，水位は上昇して溢れるおそれがあるので，E_1まで上昇した時点で満水警報[※32]が発せられます。一方，水位が下がり，E_3から離れると，運転は停止します。

チャレンジ問題！

問1　難　中　易

湿気の多い場所に低圧屋内配線を施設する工事として，「電気設備の技術基準とその解釈」上，誤っているものはどれか。

ただし，必要に応じて防湿装置を施すものとする。

(1) 合成樹脂管工事　　(3) 金属線ぴ工事
(2) 金属管工事　　(4) ケーブル工事

解説

金属線ぴ工事が該当します。合成樹脂管工事，金属管工事，ケーブル工事は原則としてどこでも施工できます。

解答 (3)

地中電線路

1 埋設方式

電路の地中埋設にはケーブルが使用され，絶縁電線[※33]は使用できません。埋設方式には次の3つがあります。

埋設方法	特　徴
直接埋設式[※34]	外傷を受けやすいため，衝撃から防護するための措置を施す
管路式	外傷を受けにくい。ケーブルの引替えが容易。放熱性が悪く，許容電流は小さい
暗きょ式	多条数を敷設する大規模な工事に用いられることが多い

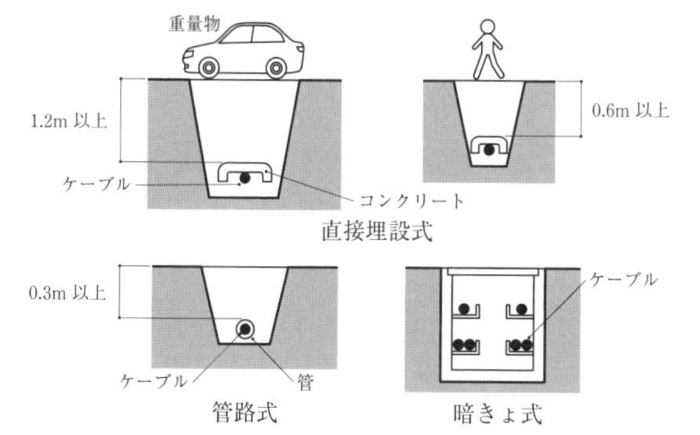

2 埋設工事

需要場所に施設する地中電線路は，次の事項に留意して施工します。

①埋設深さ

直接埋設式で，車両その他の重量物の圧力を受けるおそれのある場所は，1.2m以上で，重量物でない場合は，0.6m以上に埋設します。

※31
電極棒
フロートレススイッチです。

※32
満水警報
警報は，排水槽の設置してある制御盤内のブザー等のほか，常時人がいる管理室等にも上がるようにしています。

※33
絶縁電線
導体を絶縁体で被覆した電線です。600Vビニル絶縁電線（IV）などの電線です。

※34
直接埋設式
ケーブルの引替えや保守点検が困難です。

②離隔

高圧地中電線と地中弱電流電線との離隔距離は**30cm以上確保**，高圧地中電線と低圧地中電線との離隔距離は**15cm以上確保**します。

③表示

管路式で施設した高圧の地中電線路には，**電圧の表示**[※35]をします。

④接地

暗きょ内のケーブルを支持する**金物類**[※36]には，**D種接地工事を省略**できます。また，管路式の金属製の管には，接地工事を省略できます。

⑤防火措置

暗きょ式で施設する場合は，地中電線に**耐燃措置**を施すか，または暗きょ内に**自動消火設備**[※37]を施設するかのいずれかにより，防火措置を施します。

チャレンジ問題！

問1　難　中　易

需要場所に施設する地中電線路に関する記述として，「電気設備の技術基準とその解釈」上，不適当なものはどれか。

ただし，地中電線路の長さは15mを超えるものとする。

(1) 地中箱は，車両その他の重量物の圧力に耐える構造であること。

(2) 高圧地中電線と地中弱電流電線との離隔距離は，30cm以上確保する。

(3) 暗きょ内のケーブルを支持する金物類には，D種接地工事を省略できる。

(4) 管路式で施設した高圧の地中電線路には，電圧の表示を省略できる。

解説

地中電線路の長さが15mを超える場合は，電圧の表示を省略できません。

解答（4）

雷保護設備

1 屋外変電所の雷害対策

建物やその周囲に落雷すると，電源線や通信線から雷サージ[※38]が侵入し，機器や設備の破壊をすることがあります。防止策は次のとおりです。

- 屋外鉄構の上部に架空地線を設ける
- 避雷器を架空電線の電路の引込口および引出口に設ける
- 避雷器の接地はA種接地工事とする
- 変電所の接地に，メッシュ方式を採用する

2 建物の雷保護

雷保護[※39]システムに関する用語として，「日本産業規格（JIS）」に定められているものです。

用　語	意　味
保護レベル	建物の用途，重要度により高い順に，レベルⅠ～Ⅳまで
回転球体法	雷撃距離を半径とした球体を考えて雷から保護する方法
突針	避雷針の先端部
保護角[※40]	避雷針で保護できる角度
水平導体	水平に張る導体
メッシュ導体	網目状の導体
接地棒	アース棒

※35
電圧の表示
地中電線路の長さが15m以下なら省略することができます。

※36
金物類
ハンドホール内のケーブルを支持する金物類も該当します。

※37
自動消火設備
自動消火設備を施設した暗きょ内では，地中電線の耐燃措置を省略することができます。

※38
雷サージ
雷による過電流，過電圧です。

※39
雷保護システムに関する用語
アークホーン，開閉サージ，放電クランプという用語はありません。

※40
保護角
一般に60度ですが，危険物を貯蔵する建物等は45度です。

①保護角法

避雷針の保護角度内の範囲を保護します。

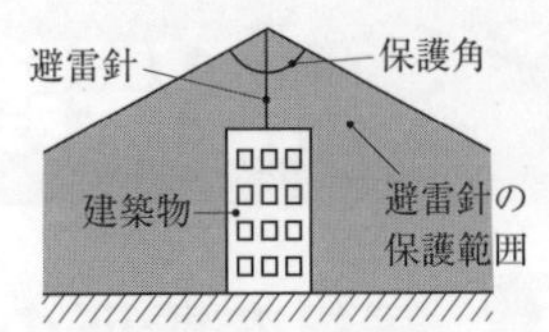

②回転球体法

回転球体と地面，突針などで囲まれた範囲を保護します。レベルⅠは球体の半径は最も小さく，レベルⅣは最も大きくなります。

③メッシュ法

建物をメッシュ[※41]（網）状に張りめぐらします。

3 サージ防護デバイス

サージ防護デバイス[※42]は電源線，通信線が通信機器などと接続された状態で機器を守るために設置します。いわゆる避雷器です。

チャレンジ問題！

問1

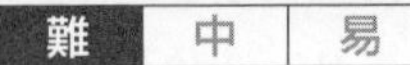

建築物等の雷保護システムに関する用語として，「日本産業規格(JIS)」上，最も関係のないものはどれか。

(1) 開閉サージ
(2) 等電位ボンディング
(3) 水平導体
(4) 保護レベル

解説

開閉サージは，高圧機器を開閉したときであり，雷保護システムの用語にはありません。

解答（1）

消防用設備等

1 消防用設備等

消防用設備等は次のように分類されます。

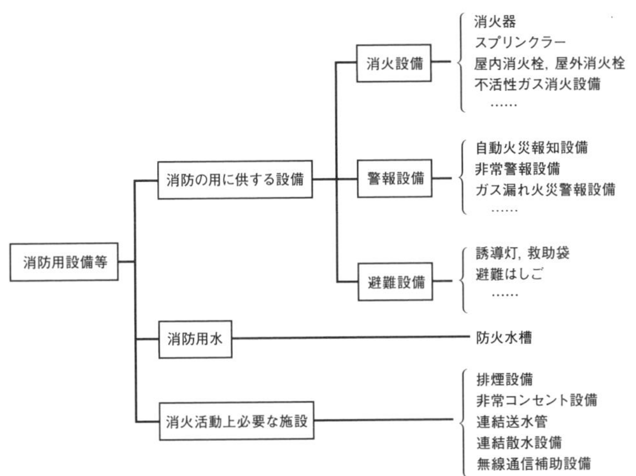

2 自動火災報知設備系統図

自動火災報知設備は，防火対象物に設置される消防法に基づく設備です。

防火対象物とは，防火をする必要のある建物等をいいます。防火対象物のなかでも，特に火災防止上重要なものとして，**特定防火対象物**があります。不特定多数の人が集まる建物や老幼弱者が利用する建物など，その用途により定められています。これに該当すると，消防用設備等の設置基準が厳しくなります。

一般的な自動火災報知設備の系統図は，次のとおりです。

※41
メッシュ
メッシュ幅は建物の高さではなく，保護レベルによって決まります。

※42
サージ防護デバイス
SPD：Surge Protective Deviceです。

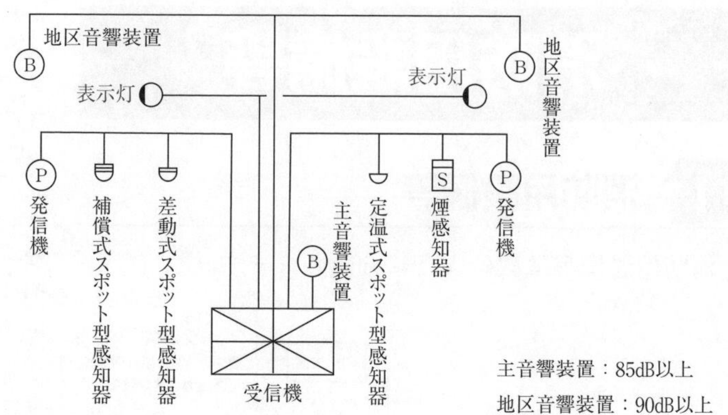

3 受信機

感知器または発信機からの信号を受信して，火災発生を報知します。

受信機には，**P型**，**R型**，**GP型**，**GR型**などがあります。Gが付くとガス漏れ火災用の受信機を意味し，自動火災報知設備用の受信機と一体となっていることを示します。

受信機 ─┬─ P型（1級・2級・3級）
　　　　└─ R型

P型受信機は火災信号を**共通の信号**として受信し，R型受信機は**固有の信号**として受信します。

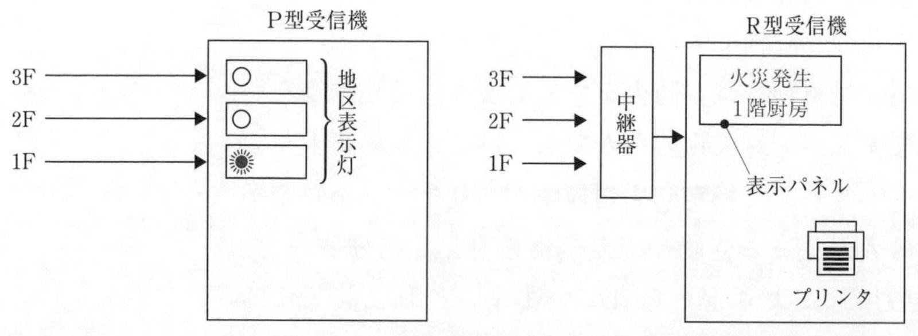

P型受信機は，1級から3級まであり，次の表のような違いがあります。

	1級		2級		3級
	多回線	1回線	多回線	1回線	
回線数	無制限	1	5回線まで	1	1
火災表示試験機能	○	○	○	○	○
予備電源[※43]	○	○	○	×	×
火災灯	○	×	×	×	×
発信機との通話機能[※44]	○	×	×	×	×
回路導通試験機能	○	×	×	×	×

○：必要　×：不要

回線とは警戒区域[※45]の数です。

図は，P型1級受信機の前面パネルの概要図です。

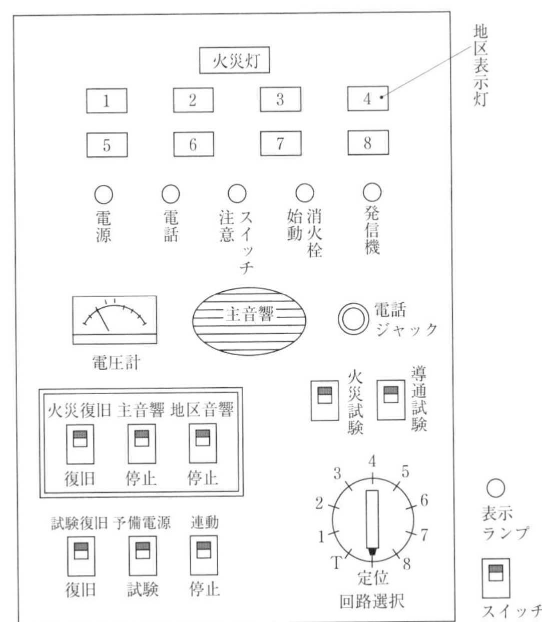

受信機は，操作スイッチが床面から0.8m以上1.5m以下の高さになるように取り付けます。

※43
予備電源
建築基準法では，消防法の非常電源と同様の意味で，このように表現しています。密閉型蓄電池とします。
自動火災報知設備を有効に10分間作動させることができる容量以上であることが必要です。

※44
通話機能
発信機との間で電話連絡をすることができる機能です。2級では装置を有しなくてよいことになっています。

※45
警戒区域
火災発生の区域とそうでない区域を識別するための最小単位です。

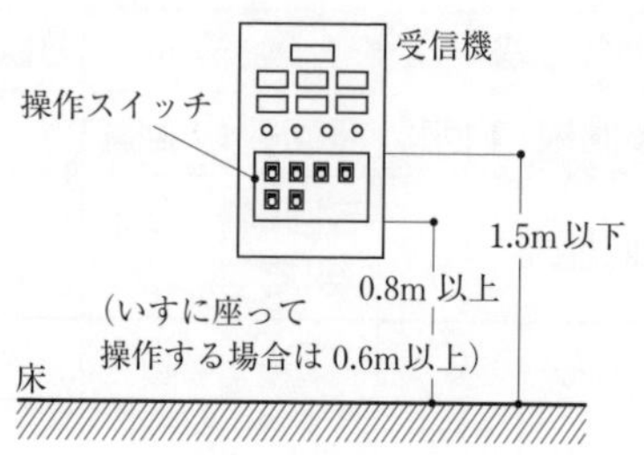

4 発信機

発信機は，押しボタン[※46]を押して火災発生信号を受信機に送ります。

発信機は各階ごとに，その階の各部分から一の発信機までの**歩行距離**[※47]**が50m以下となるように設けます。**

発信機には，P型1級とP型2級があります。**P型1級発信機**は，受信機との間で相互に**電話連絡**できる装置を有しますが，P型2級発信機にはありません。

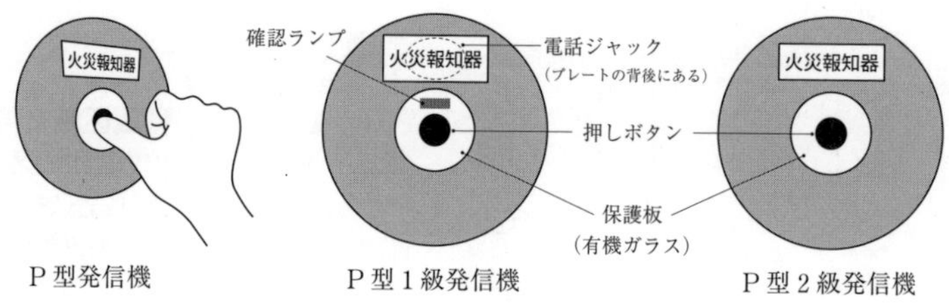

P型発信機　P型1級発信機　P型2級発信機

5 表示灯

発信機の直近の箇所に赤色の**表示灯**[※48]を設けます。表示灯は，床面からの**高さが0.8m以上1.5m以下**の箇所に設けます。

取付け面と**15度以上の角度となる方向に沿って10m離れた**ところから点灯していることが容易に識別できるように設置します。

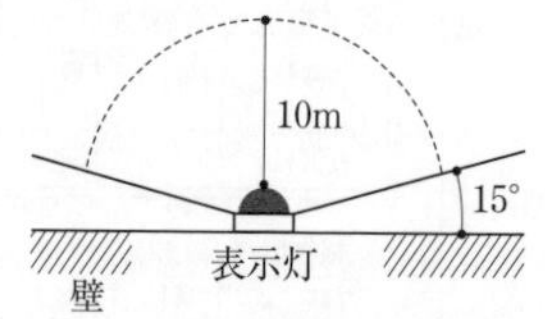

6 地区音響装置

地区音響装置[※49]は各階ごとに，その階の各部分から一の地区音響装置までの水平距離[※50]が25m以下となるように設けます。

地区音響装置の音圧は，音響装置の中心から1m離れた位置で90dB以上とし，音声の場合は92dB以上です。

主要部の外箱の材料は，不燃性または難燃性のものとし，受信機から地区音響装置までの配線は，600V二種ビニル絶縁電線[※51]（HIV）を使用します。

7 感知器

①種類

感知器とは，火災により生ずる熱，煙，炎を利用して自動的に火災の発生を感知し，火災信号を受信機に発信するものです。おおまかに次の種類があります。

感知するもの	感知器の名称	動　作
熱	差動式スポット型感知器	周囲の温度の上昇率が一定の率以上になったときに発報する
	定温式スポット型感知器	一局所の周囲の温度が一定の温度以上になったときに発報する
煙	光電式スポット型感知器	感知器内の煙の量が一定以上になったときに発報する
炎	赤外線式スポット型感知器	炎に含まれる赤外線量を感知する
	紫外線式スポット型感知器	炎に含まれる紫外線量を感知する

天井取付け高さが4m未満であれば，どのタイプの感知器でも取り付け可能ですが，炎感知器については，高さ制限はありません。

一般に，居室については差動式スポット型感知器，厨房，湯沸かし室は定温式スポット型感知器，廊下，

※46
押しボタン
取付け高さは，床面から0.8～1.5mの範囲です。

※47
歩行距離
廊下等を通常歩いていく距離です。廊下の中央を歩くとして計算します。

※48
表示灯
発信機の位置を知らせるものです。

※49
地区音響装置
各階に設けられるベルなどです。

※50
水平距離
2地点間を廊下に対して水平に結んだ直線距離のことです。非常ベルや自動式サイレンの音響装置においても，各階ごとに，その階の各部分から一の音響装置までの水平距離が25m以下となるように設けます。

※51
600V二種ビニル絶縁電線
HIV電線のことです。耐熱温度は75℃あります。

階段は煙式の感知器を使用します。

差動式スポット型感知器は，熱を感知すると空気室（感熱室）内の空気が温められ，ダイヤフラムという薄膜が膨らみ，接点を閉じてその信号を受信機に知らせます。**非火災報**[※52]を防止するため，リーク孔が付いています。

定温式スポット型感知器のバイメタル方式は，火災の熱をバイメタルによる反転で接点を閉じます。

煙式のうち，光電式スポット型感知器は，暗箱内の煙に含まれる微粒子により光が乱反射し，受光量が変化します。

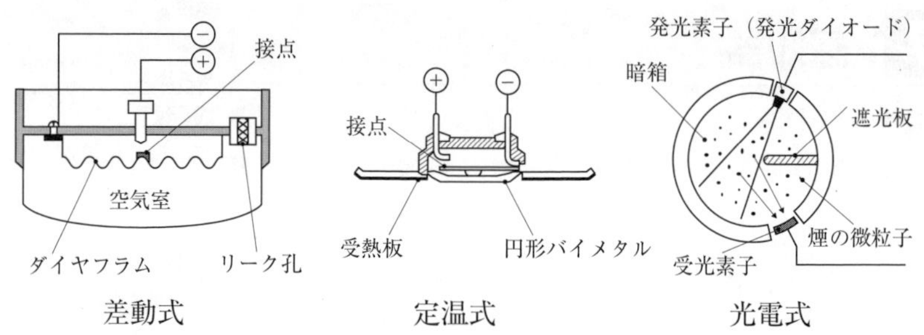

②**取付け**

●**熱感知器（差動式スポット型感知器）**

・感知器は，**45度以内**の傾斜角度で設置する

・感知器の下端は，取付け面の**下方0.3m以内**の位置に設ける

・換気口等の空気吹出口から1.5m以上離れた位置に設ける

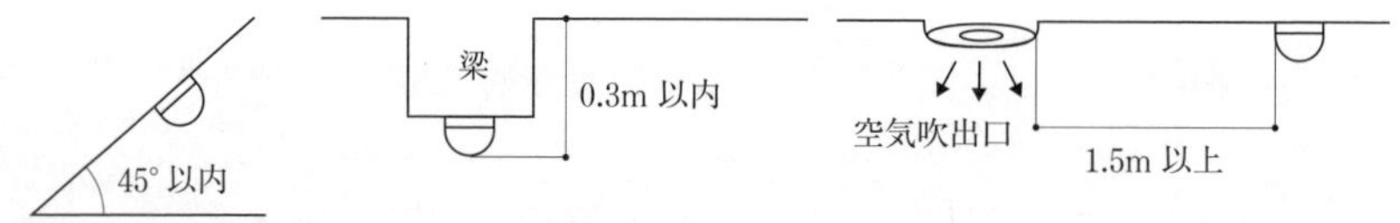

●**煙感知器**

・壁や梁から**0.6m以上**離れた位置に設ける

・下端は，取付け面**下方0.6m以内**の位置に設ける

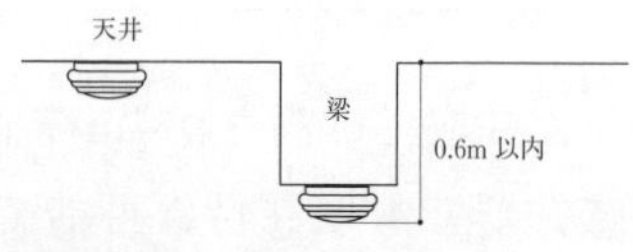

・天井付近に吸気口のある居室にあっては当該**吸気口付近**に設ける

・換気口等の空気吹出口から**1.5m以上**離れた位置に設ける

・天井が**低い**[※53]居室または狭い居室にあっては**入口付近**に設ける

8 非常警報設備

非常警報設備には，非常ベル，自動式サイレン，放送設備の3つがあります。自動火災報知設備を設けた防火対象物には，原則，非常警報設備が免除されます。

非常ベルは，各階，水平距離25ｍ以下に設置します。防火対象物の区分や収容人員などにより決められます。非常ベルは起動装置※54，表示灯，音響装置などから構成され，非常電源を附置します。

赤色の表示灯は，非常ベルの起動装置の直近の箇所に設けます。

9 誘導灯

誘導灯は，火事や災害時に建物内の人々を安全に建物の外に誘導するための照明器具です。誘導灯は，内部に非常電源として蓄電池（バッテリー）を持ち，停電時に20分以上（建物用途等によっては60分以上）点灯できるようになっています。

誘導灯の設置位置や大きさは，消防法によって定められています。表示面の縦寸法の大きい順にA級，B級，C級に区分けしています。表示面の縦寸法が大きければ使用されるランプのワット数も大きくなり，表示面も明るくなります。

誘導灯の種類には，避難口誘導灯，通路誘導灯，客席誘導灯，階段通路誘導灯があります。右の図は，避難口誘導灯と通路誘導灯の例です。

避難口誘導灯

通路誘導灯

※52
非火災報
火災でないのに火災信号を発報することです。

※53
低い居室・狭い居室
一般に，低いとは，天井高2.3m以下，狭いとは，40m²以下です。居室とは執務，娯楽等で継続的に使用する室をいいます。

※54
起動装置
手動操作により音響装置を鳴動させる装置です。

①避難口誘導灯

屋内から直接地上へ通ずる出入口，**直通階段**※55の出入口に設けます。

②通路誘導灯

廊下または通路の曲り角に設けます。壁面や床面に設けることもできます。階段，踊場，傾斜路に設ける通路誘導灯は，踏面または表面および踊場の中心線の照度が**1 lx以上**となるようにします。音声誘導機能や点滅機能を設けることはできません。

③客席誘導灯

客席内の通路の床面における水平面の照度が**0.2 lx以上**になるように設けます。

10 非常用照明

非常用の照明装置は，消防法に定められた消防用設備等ではなく，**建築基準法に定められた設備**です。たとえば，非常用の照明装置を設けなければならない宿泊を伴う**居室**としては，旅館，ホテルの宿泊室ですが，特別な場合を除き，住宅（戸建て，共同住宅），病院の病室，下宿の宿泊室，寄宿舎の寝室等については非常用照明が不要です。

非常用の照明装置には，次の基準があります。

- 照明器具（照明カバーその他照明器具に付属するものを含む。）のうち主要な部分は，**難燃材料**で造り，または覆う
- 常用の電源および予備電源の**開閉器**には，非常用の照明装置用である旨の表示をする（照明器具内に予備電源を設ける場合を除く）
- **予備電源**は，充電を行うことなく**30分間**継続して非常用の照明装置を点灯させることができる
- 非常用の照明装置の電源は，常用の電源が断たれた場合に**自動的に予備電源に切り替えられて接続され**，かつ，常用の電源が復旧した場合に自動的に切り替えられて復帰するものとする
- 予備電源と照明器具との電気配線に用いる電線は，**600V二種ビニル絶縁電線**（HIV）その他これと同等以上の耐熱性を有すること

- 白熱灯を用いる場合は，常温下で床面において水平面照度で1 lx 以上を確保する
- 蛍光灯，LEDランプを用いる場合は，常温下で床面において水平面照度で2 lx 以上を確保する
- 地下街の各構えの接する地下道の床面において10 lx 以上の照度を確保する

※55
直通階段
建築物のある階からその階段を通じて避難階（直接地上へ通ずる出入口のある階）に容易に到達できる階段をいいます。

チャレンジ問題！

問1 難 中 易

非常用の照明装置に関する記述として，「建築基準法」上，不適当なものはどれか。

ただし，地下街の各構えの接する地下道に設けるものを除く。

(1) 照明器具（照明カバーその他照明器具に付属するものを含む。）のうち主要な部分は，難燃材料で造り，または覆わなければならない。

(2) LEDランプを用いる場合は，常温下で床面において水平面照度1 lx を確保することができるものとする。

(3) 予備電源は，充電を行うことなく30分間継続して点灯させることができるものとする。

(4) 非常用の照明装置の電源は，常用の電源が断たれた場合に自動的に予備電源に切り替えられて接続され，かつ，常用の電源が復旧した場合に自動的に切り替えられて復帰するものとする。

解説

白熱電球の場合は，高温時においても光束の減少はみられないので，1 lx 以上あればよいですが，蛍光ランプやLEDランプを用いる場合は，減少することなどを加味し，常温下で床面において水平面照度2 lx 以上を確保することができるものとします。

解答（2）

通信設備等

1 構内情報通信網（LAN）

①接続

LAN[※56]とは構内情報通信網のことで，1つの企業内や事務所内で構築する通信ネットワークのことをいいます。

構成するネットワークトポロジー[※57]の形状には，スター形，バス形，リング形，ツリー形などがあります。

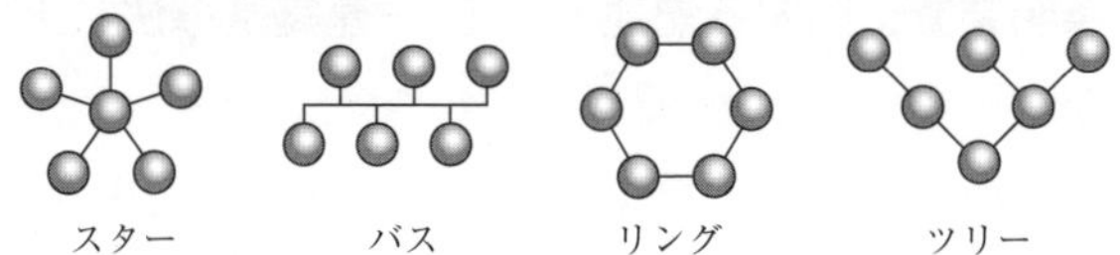

②構成機器

LANを構成する主な機器と機能は表のとおりです。

機　器	機　能
メディアコンバータ	UTPケーブルと光ファイバケーブル間での信号の変換を主たる機能とする装置
ルータ	ネットワーク上を流れるデータを，IPアドレスによって他のネットワークに中継する装置
スイッチングハブ	ハブ[※58]とは，ケーブルを分岐・中継する集線装置のことです。スイッチングハブは，宛先の端末のみに信号を中継する装置
リピータハブ	ハブの種類の1つで，すべての信号をすべての端末に送る機器
ブリッジ	2つのネットワークの中継（橋渡し）をする装置

③有線LAN

有線通信は，送信端と受信端をケーブルで接続し，電気信号や光信号を伝送して行う通信です。

電気信号の伝送には**銅線ケーブル**が使用され，光信号の伝送には**光ファ**

イバケーブルが使用されます。

④銅線ケーブル

● ツイストペアケーブル

被覆銅線2本1組でより合わせた構造で，次の2種があります。

種類	シールド	特徴
UTP(アンシールデッドツイストペア)	無し	曲げに強く集線接続が容易
[※59]STP(シールデッドツイストペア)	有り	電磁波やノイズに強い

● 同軸ケーブル

同軸ケーブルの構造は，まず中心部の銅線周りをポリエチレンなどの絶縁体で覆い，そこを網目状の外部導体でさらに覆い，そしてポリエチレンなどで保護したものです。電気信号の漏洩やノイズの侵入が少なく，高周波の電気信号の長距離伝送が可能です。

⑤光ファイバケーブル

光ファイバケーブルは図のような構造で，光信号がコアを伝搬します。高周波の信号の長距離伝送が可能であり，LANはもとより，ネットワーク用の海底ケーブルなどにも使用されています。

2 テレビ共同受信設備

①系統図

テレビ共同受信設備（CATV[※60]）の系統図を解説します。

● アンテナ

同じ素子数の場合，受信帯域が広くなるほど利得[※61]は

※56
LAN
Local Area Network の略。

※57
ネットワークトポロジー
コンピュータにおけるネットワーク配線で，端末や各種機器が接続されている形状を表す用語です。

※58
ハブ
ハブの本来の意味は車輪の中心部品のことです。複数のケーブルを接続して相互通信するための集線装置や中継装置のことをいいます。

※59
STP
芯線をアルミでシールドしてあります。

※60
CATV
Community Antenna Television または Cable Television の略。

※61
利得
アンテナが受信した電波の強さに対する，出力の割合です。単位は dB で，数値が大きいほど，アンテナの性能は優れます。

小さくなります。

● **混合器**

複数のアンテナで受信した信号を１本の伝送線にまとめる機器です。なお，**分波器**は混合器と逆の機器です。

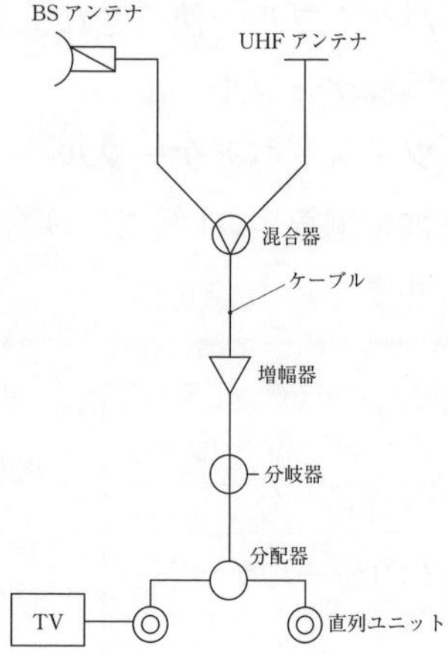

● **同軸ケーブル**

50 Ω形と75 Ω形があり，一般に**75 Ω形**が使われます。周波数が高くなると減衰量は大きくなります。

● **増幅器（ブースタ）**

信号の強さを一定のレベルまで増幅する機器です。

● **分岐器**

幹線から信号を分けるとともに，入出間通過損失を小さく保つ機器です。

● **分配器**

テレビ信号を均等に分配します。2分配器，4分配器などがあります。分配数が多くなると損失も大きくなります。

● **直列ユニット**

テレビ受信機に接続する端子を持つ分岐器です。

②損失計算

損失計算について，次の例題を用いて解説します。

例題

図に示すテレビ共同受信設備において，増幅器出口からテレビ端子Aの出力端子までの総合損失を求めなさい。

ただし，当問題においては，分岐器の結合損失と分配器の**端子間結合損失**[※62]は無視し，以下の条件のとおりとします。

【条件】

増幅器出口からテレビ端子Aまでの同軸ケーブルの長さ：10m

同軸ケーブルの損失：0.5dB/m

2分岐器の挿入損失：5.0dB

2分岐器の結合損失：10.0dB

4分配器の分配損失：10.0dB

4分配器の端子間結合損失：15.0dB

テレビ端子の挿入損失：1.0dB

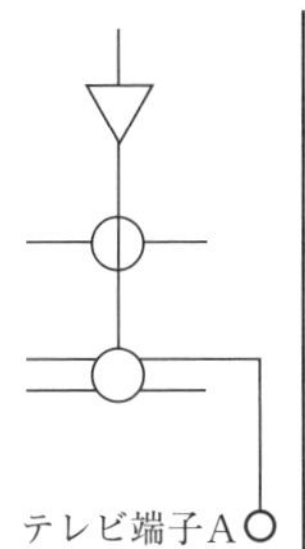

※62

端子間結合損失

出力から出力の間の損失のことをいいます。逆流してくる電波がどのくらい減らせるかの数値です。大きいほどよい数値です。

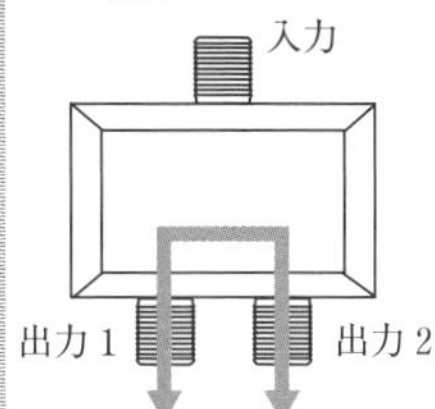

解説

機器の損失＝5＋10＋1＝16〔dB〕……①

ケーブルの損失＝0.5×10＝5〔dB〕……②

①＋②＝21〔dB〕

チャレンジ問題！

問1　難　**中**　易

次の記述に該当するテレビ共同受信設備を構成する機器の名称として，適当なものはどれか。

「各出力端子に信号を均等に分ける機器」

(1) 分配器

(2) 分岐器

(3) 混合器

(4) 分波器

解　説

各出力端子に信号を均等に分けるとともに，インピーダンスの整合も行う機器は，分配器です。

解答（1）

第2章  電気設備

CASE 4

電車線・道路照明

まとめ & 丸暗記　この節の学習内容とまとめ

□ 電車線路標準構造図

□ ちょう架方式

架空電車線の主なちょう架方式は表のとおりです。

方式	概要	速度用途
剛体 ちょう架式	アルミ架台	低速用
シンプル カテナリ式	支持点　ちょう架線　支持点 トロリ線　ハンガ	中速用
コンパウンド カテナリ式	ちょう架線　補助ちょう架線　ドロッパ トロリ線　ハンガ	高速用

□ 道路の照明方式

①ポール照明
②構造物取付照明
③高欄照明
④ハイマスト照明
⑤カテナリ照明

□ 道路の配光

①プロビーム方式

灯具
車両の進行方向 →
路面

②カウンタービーム方式

灯具
車両の進行方向 →
路面

電気鉄道

1 電車線路標準構造図

交流電化区間の電車線路標準構造図です。

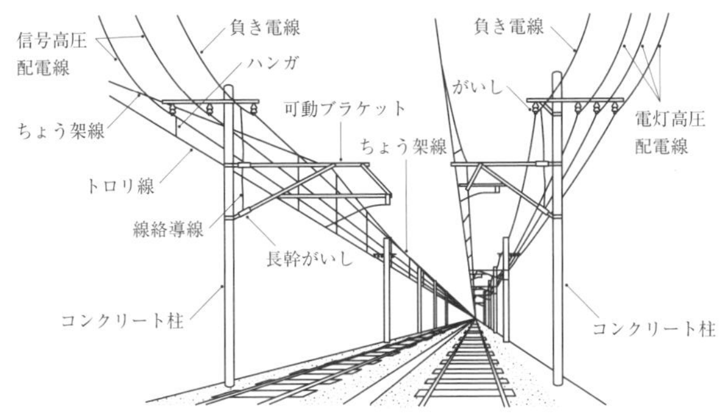

図ではコンクリート柱を使用していますが，鋼管柱や鉄柱の方が，同じ強度のコンクリート柱に比べて，軽量で耐震性が高いです。

2 電気鉄道の用語

①トロリ線[※1]

トロリ線とは，鉄道車両等の移動体へパンタグラフ[※2]を通して給電する**接触電線**です。**円形溝付の断面形状**[※3]のものが広く用いられています。

トロリ線の接続点や，き電分岐点の金具は，局部的な硬点となりパンタグラフが跳躍して離線を生じることがあります。勾配変化点，接触面が変形している箇所，張力不適正な箇所で摩耗が生じます。したがって，通電特性，機械強度特性，摩耗特性などの条件を満たす必要があります。

※1
トロリ線
トロリ線に要求される性能は次のとおりです。
①抵抗率が低い。
②耐熱性に優れる。
③耐摩耗性に優れる。
④引張り強度が大きい。

※2
パンタグラフ
電車の屋根上に設置された，電気を受け入れる装置です。従来ひし形でしたが，くの字形も見られます。

※3
円形溝付の断面形状
一般的に図のような形状です。底部がすり減ると平らになります。

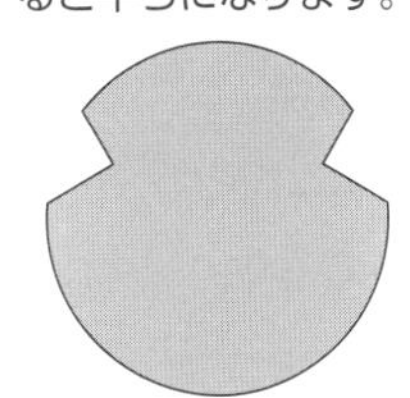

軽減策として，トロリ線に耐摩耗性のものを使用したり，金具の軽量化，張力を常に一定にする等があります。

②ちょう架線[※4]

鉄道などの架線で，トロリ線の上方に設けた鋼索です。

③ハンガ

トロリ線をちょう架線から吊るためのものです。

④き電線

電気鉄道の架線に電力を供給するための電力線です。

変電所から電車までの線を**正き電線**，レールから変電所までの帰線を**負き電線**と呼びます。

⑤区分装置

事故や保守作業のときに電気的に系統区分ができるようにした絶縁装置であり，変電所やき電区分所の前，駅の上下線のわたりなどに設けられます。

⑥路盤

軌道を支えるための構造物です。

⑦道床

砕石あるいは砂利で構成され，荷重を路盤に分散させ衝撃を吸収し，枕木を保持し，レール座屈を防止します。**道床厚さ**は，レール直下の枕木下面から表層路盤の上面までの距離です。

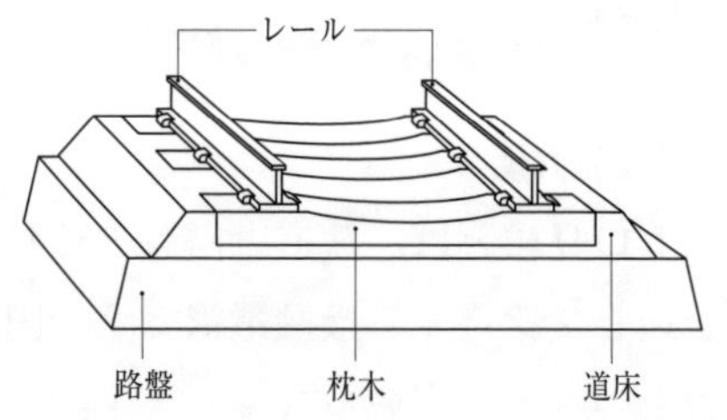

枕木は，車両の荷重を道床に伝え，レールの位置と角度を保つ機能があります。

⑧軌間

軌道中心線が直線である区間におけるレール面上から下方の所定距離以内での左右レール頭部間の最短距離です。標準軌より狭い軌間を狭軌，広い軌間を**広軌**[※5]といいます。

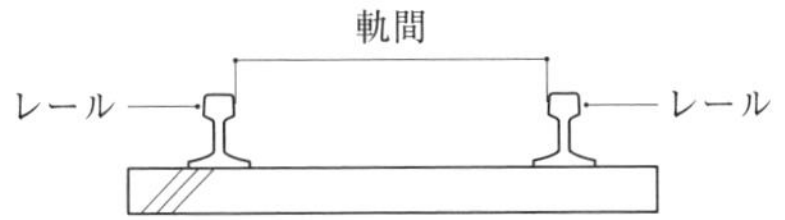

3 トロリ線の偏位(へんい)

偏位とは，レール中心に対するトロリ線の左右の偏りのことをいいます。レールの曲線区間では，トロリ線には必然的に偏位が発生します。レールの直線区間では，パンタグラフの摩耗を平均的にするため，トロリ線にはジグザグに偏位をつけています。

風圧が一定の場合，トロリ線の張力を大きくすると，偏位は小さくなります。

偏位量[※6]は，風による振れや走行状態での車両の動揺などを考慮して決めます。

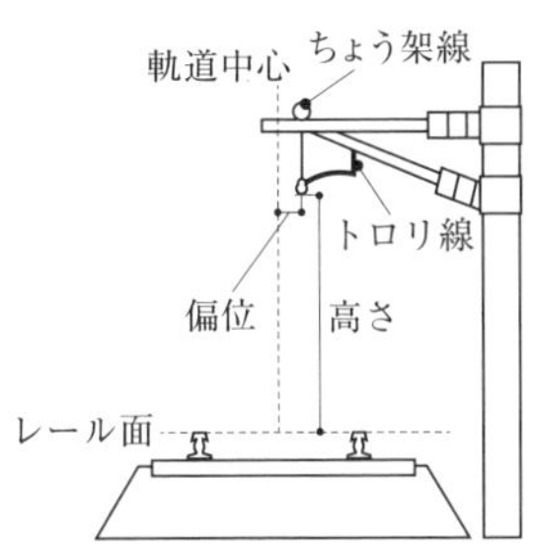

4 ちょう架方式

架空電車線の主なちょう架方式は表のとおりです。

方式	概要	速度用途
剛体ちょう架式	アルミ架台	低速用
シンプルカテナリ式	支持点　ちょう架線　支持点　トロリ線　ハンガ	中速用
コンパウンドカテナリ式	ちょう架線　補助ちょう架線　ドロッパ　トロリ線　ハンガ	高速用

※4
ちょう架線
ちょう架線は，吊架線とも書きます。一般的に亜鉛めっき鋼より線が用いられています。

※5
広軌
新幹線のレール間は広軌です。軌間は，1,435mmです。

※6
偏位量
新幹線鉄道の最大偏位量は，普通鉄道よりも大きくします。

①剛体ちょう架式

がいしにより剛体の導体を支持する方式で，トンネルなどの天井に施設されます。

②シンプルカテナリ式

ちょう架線からトロリ線を吊るした構造の基本的な方式です。

③コンパウンドカテナリ式

ちょう架線とトロリ線の間に補助ちょう架線を入れた方式です。集電容量が大きく，高速，大容量の運転区間などに用いられます。

5 き電方式

①直流き電方式

三相交流を受電し，変圧器により降圧してから，整流器で**直流に変換**して電車線路にき電します。

②交流き電方式

単相交流電力を電車線路にき電します。交流き電方式には，次の方式があります。

● **ATき電方式**

き電線と電車線の間に**単巻変圧器**※7を並列に挿入し，中性点はレールおよびAT保護線に接続される方式です。

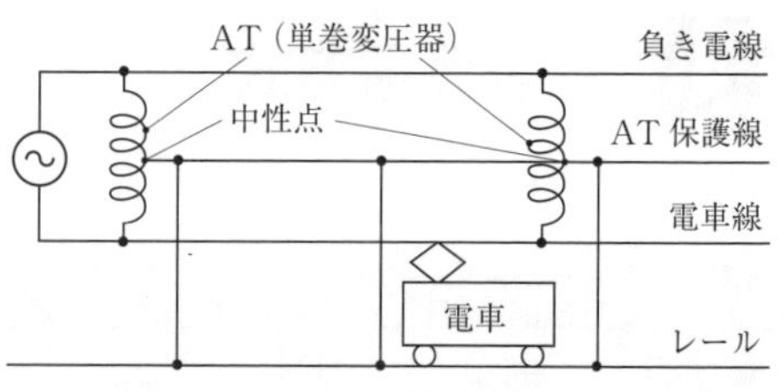

● **BTき電方式**

吸上変圧器※8を用いた方式で，電車線に電流区分装置（セクション）が必要となります。

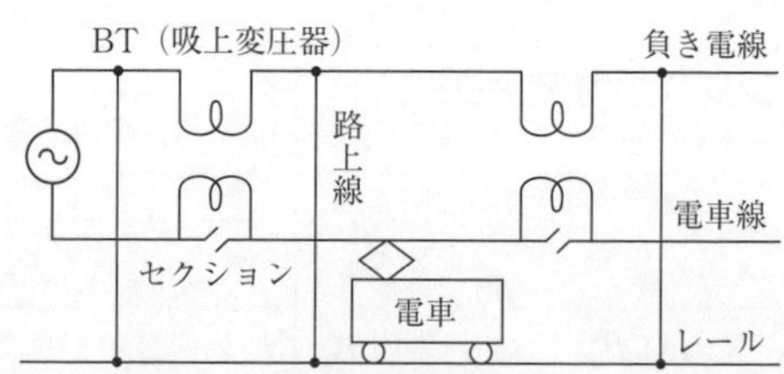

6 列車制御装置

列車制御装置には，次のものがあります。

①自動列車停止装置（ATS）

列車が停止信号に接近すると，列車を自動的に停止させる装置です。

②自動列車制御装置（ATC）

列車の速度を自動的に制限速度以下に制御する装置です。

③自動列車運転装置（ATO）

列車の速度制御，停止などの運転操作を自動的に制御する装置です。

※7
単巻変圧器
一次巻線と二次巻線の一部を共有している変圧器です。オートトランスとも呼ばれています。

※8
吸上変圧器
列車からレールに流れて変電所に向かっていた電流が，レールと負き電線の接続点でほとんど吸い上げられて負き電線側に流れます。

チャレンジ問題！

問1 難 **中** 易

電車線路におけるトロリ線の偏位に関する記述として，不適当なものはどれか。

(1) 偏位とは，レール中心に対するトロリ線の左右の偏りのことをいう。
(2) レールの曲線区間では，トロリ線には必然的に偏位が発生する。
(3) レールの直線区間では，パンタグラフの摩耗を平均的にするため，トロリ線にはジグザグに偏位をつけている。
(4) 風圧が一定の場合，トロリ線の張力を大きくすると，偏位は大きくなる。

解説

トロリ線の張力を大きくすると，偏位は小さくなります。

解答（4）

道路照明

1 用語

道路照明の用語は次のとおりです。

①平均路面輝度

運転者の視点から見た路面の**平均輝度**です。路面の舗装種類や乾湿の程度によって変化します。

②輝度均斉度

輝度分布の**均一の程度**をいい，路面上の対象物の見え方を左右する総合均斉度と，前方路面の明暗による不快の程度を左右する車線軸均斉度があります。

③誘導性

照明の効果により，運転者に道路の**線形を明示**するものです。灯具を適切な高さや間隔で配置することにより効果が得られます。

④グレア

グレアとは，見え方の低下や不快感や疲労を生じる原因となる光のまぶしさをいいます。次の3つに分類されます。

● 不快グレア

心理的に不快感を覚えるまぶしさのことです。

● 減能グレア

光源の光が直接目に入るとき，対象物の見え方に悪影響を与える光のまぶしさのことです。

● 視機能低下グレア

視野内に高輝度の光源が存在することによって，対象物の見え方を低下させるものをいいます。

2 照明の設計

道路照明における，連続照明の設計要件は次のとおりです。

- 道路条件に応じ十分な路面輝度を確保する
- 路面輝度分布ができるだけ均一であるようにする
- 照明からのグレアを小さくする
- 道路線形の変化に対する誘導性を有する

3 道路の照明方式

道路の照明方式には次のものがあります。

①ポール照明

道路の線形の変化に応じた灯具の配置が可能なので，誘導性が得やすくなります。

②構造物取付照明

構造物に灯具を取り付けるので，照明器具の選定や取付け位置が制限されます。

③高欄照明

高欄とは，橋などの両側などに設けた欄干のことで，灯具の取付け高さが低いので，グレアに十分な注意が必要です。

④ハイマスト照明

光源が高所にあるので，路面上の輝度均斉度がよくなります。

⑤カテナリ照明

道路上にカテナリ線[※9]を張り，照明器具を吊り下げるので，風の影響を受けやすくなります。

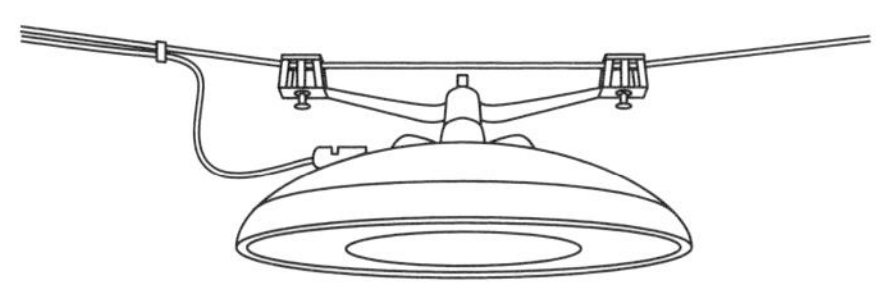

4 灯具の配列

連続照明[※10]は，原則として一定の間隔で灯具を配置し

※9
カテナリ線
電線の両端を固定して吊り下げたときに描く曲線をカテナリ曲線といいます。

※10
連続照明
連続照明の照明方式には，ポール照明方式が最も広く用いられています。

て連続的に照明します。曲線部に片側配列する場合は，曲線の外縁に設置するようにすると視認性が高まります。

一方，**局部照明**は，交差点やインターチェンジなど必要な箇所を局部的に照明することをいいます。

道路における灯具の配列は，図のように，片側配列，**千鳥配列**，向合せ配列があります。

灯具の千鳥配列は，道路の曲線部における適切な誘導効果を確保するのに適していません。

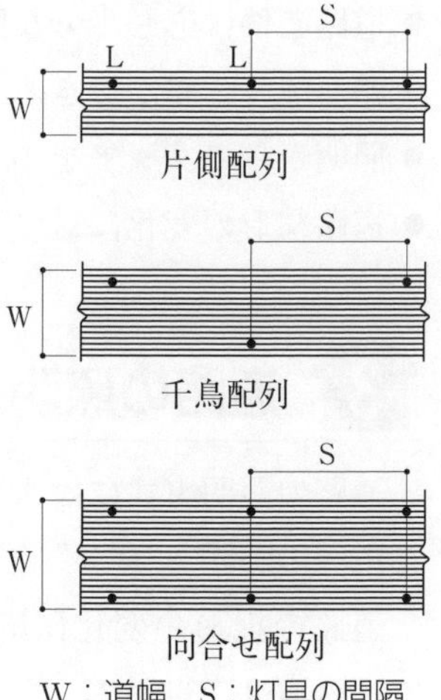

W：道幅　S：灯具の間隔
L：灯具位置

5 平均路面輝度

連続する道路照明の**平均路面輝度**[※11] Lを光束法により求める式は次のとおりです。

$$L=\frac{FNUM}{SWK}\ [\mathrm{cd/m^2}]$$

N：灯具の配列による係数　　M：保守率

K：平均照度換算係数〔lx /（$\mathrm{cd/m^2}$）〕

F：灯具1灯当たりの光束〔lm〕　　U：照明率

W：車道の幅員〔m〕　　S：灯具の間隔〔m〕

6 トンネル照明

①基本照明

基本照明は，トンネルを走行する運転者が，前方の障害物を安全な距離から視認するために必要な明るさを確保するための照明です。トンネル全長にわたり，灯具を原則として**一定間隔に配置**します。

平均路面輝度は，設計速度が速いほど高い値とし，交通量が少ない場合には，低減することができます。

②入口・出口照明

トンネルの**入口部照明**は，昼間，運転者の眼の順応現象に対して視認性を確保するための照明です。**路面輝度**は，境界を最も高くし，移行部，緩和部の順に低くしますが，野外輝度が低い場合には，それに応じて低減することができます。

入口部照明の区間の長さは，設計速度が速いほど長くし，平均路面輝度は，設計速度が速いほど高くします。また，野外輝度の変化に応じて調光することができるようにするとよいでしょう。

出口部照明は，昼間，出口付近の野外輝度が著しく高い場合に，出口の手前付近にある障害物や先行車の見え方を改善するための照明です。

トンネル内の路面輝度は図のようになります。

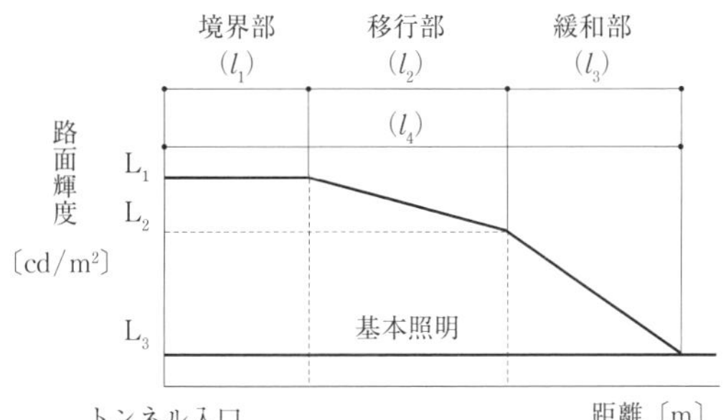

7 トンネル内の照明方式

トンネル照明方式は，**対称照明方式**と**非対称照明方式**に分類され，非対称照明方式は，カウンタービーム照明方式とプロビーム照明方式に分類されます。

①対称照明方式

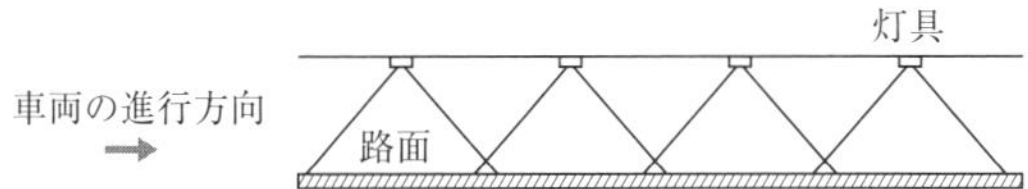

※11
平均路面輝度
室内照明における光束法の式と類似しているので，関連付けて覚えるとよいでしょう。

②非対称照明方式

● プロビーム方式

プロビーム照明方式は，車両の進行方向に配光を持ち，**入口・出口照明**に採用されます。

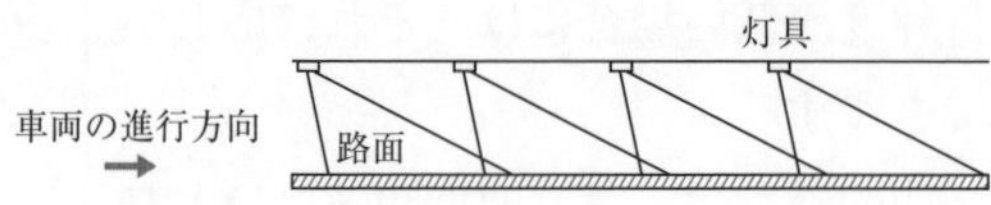

● カウンタービーム方式

カウンタービーム照明方式は，車両の進行方向に対向した配光を持ち，**入口照明**に採用されます。

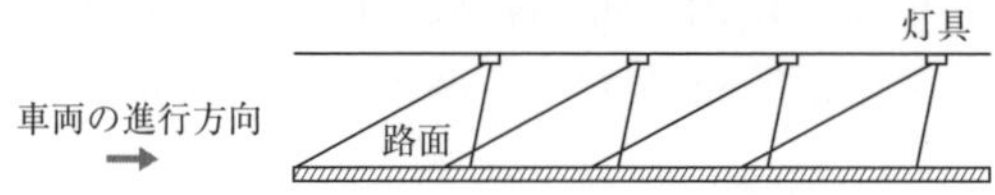

チャレンジ問題！

問1　難　**中**　易

道路トンネル照明の照明方式に関する記述として，最も不適当なものはどれか。

(1) カウンタービーム照明方式は，対称照明方式である。
(2) カウンタービーム照明方式は，入口照明に採用される。
(3) プロビーム照明方式は，非対称照明方式である。
(4) プロビーム照明方式は，主に入口・出口照明に採用される。

解　説

カウンタービーム照明方式は，非対称照明方式に類別されます。

解答（1）

第一次検定

第3章

関連分野

この節の学習内容とまとめ

□ 空気調和設備

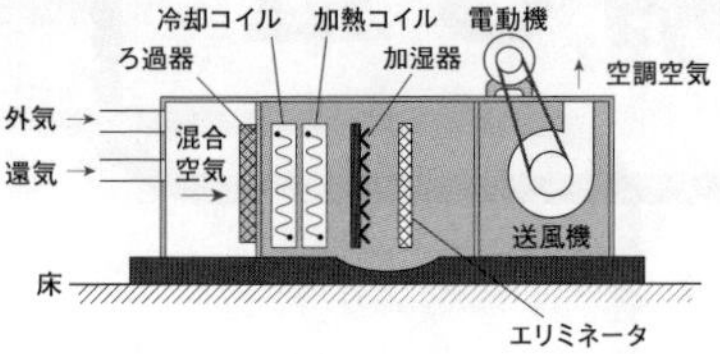

冷却コイル　加熱コイル　電動機
ろ過器　加湿器
空調空気
外気
還気
混合空気
送風機
床
エリミネータ

□ 換気方式

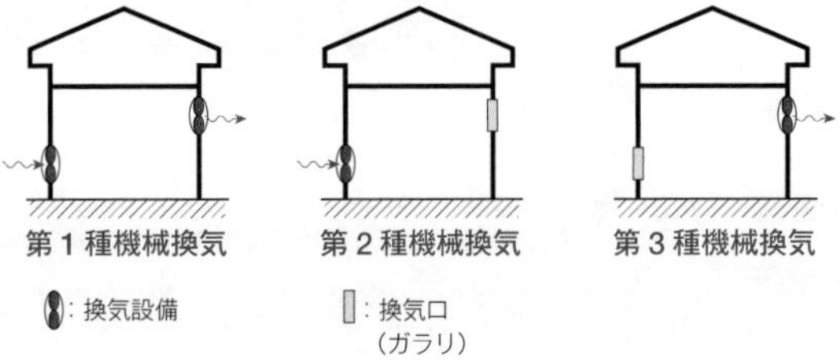

第1種機械換気　第2種機械換気　第3種機械換気

：換気設備　：換気口（ガラリ）

□ 給水方式

- 給水方式
  - 直結
    - 直圧式
    - 増圧式
  - 受水槽
    - ポンプ直送式
    - 高置水槽式
    - 圧力水槽式

□ 直結直圧式

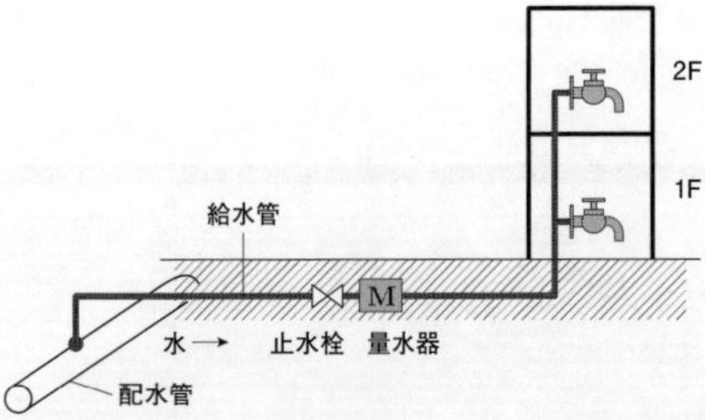

2F
1F
給水管
水 →　止水栓　量水器
M
配水管

空気調和設備・換気設備

1 空調設備の構成

空気調和（空調）とは，快適な住空間を演出するために温度，湿度，気流，清浄度を調整した空気のことです。その空調空気をつくりだす装置が，空気調和設備です。

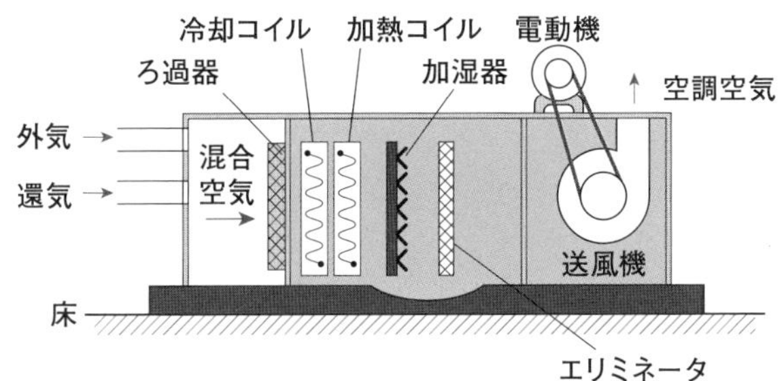

外気と還気を混合した空気が，ろ過装置，冷却コイル[※1]（夏季）または加熱コイル（冬季）を通過します。その後，加湿装置[※2]を通り，空調された空気が送風機でダクトを通って各室の吹出口から送風されます。

2 空気調和の方式

①単一ダクト方式

機械室の空調機から出た，1本の主ダクトと分岐したダクトにより，温風または冷風を室内に送ります。常に一定風量で各室の空調を行います。方式には，定風量単一ダクト方式（CAV[※3]）と，各室ごとに送風量を適切に制御できる変風量単一ダクト方式（VAV[※4]）があります。

※1
コイル
コイル状に巻いた水管です。冷却コイルは冷凍機でつくった冷水を通します。

※2
加湿装置
日本の冬は乾燥しているため，相対湿度を40～70％の範囲となるように空気を加湿する必要があります。加湿しすぎて水滴が垂れないように，エリミネータで除去します。

※3
CAV
Constant Air Volumeの略。

※4
VAV
Variable Air Volumeの略。

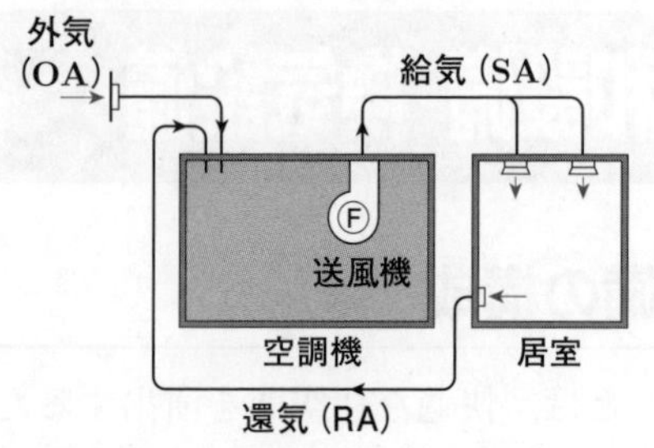

②ダクト併用ファンコイルユニット方式

ダクトとファンコイルユニットを併用して空調を行います。

熱源機器（冷凍機，ボイラなど）からの冷水，温水をファンコイルユニットに送り，ユニット内の送風機で冷風，温風を吹き出します。

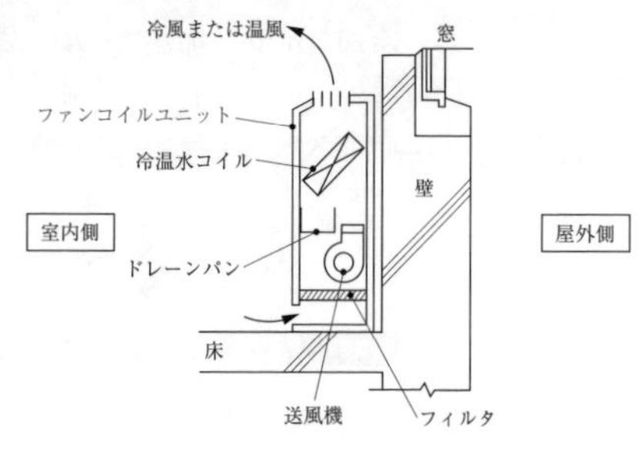

一般に，ファンコイルユニットでペリメータ負荷[※5]を処理し，ダクトでインテリア負荷[※6]を処理します。

③ヒートポンプ方式

ヒートポンプ[※7]は，空気中の熱（ヒート）を集め，汲み上げて（ポンプ）移動させることで，室内の暖房や冷房ができます。

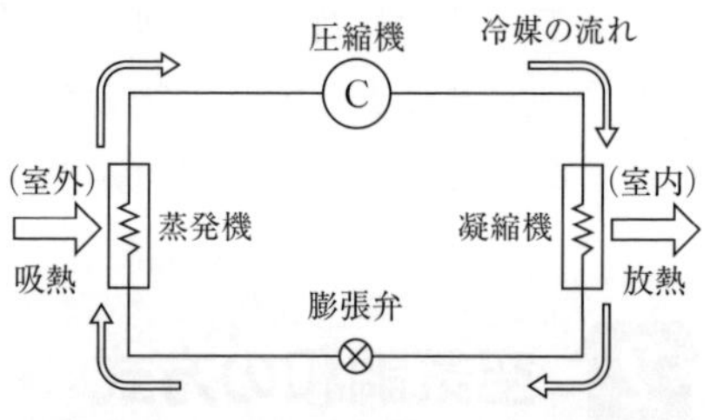

気体は，圧縮すると温度が上昇し，膨張させると温度が下がります。その性質を利用して，冷媒[※8]を圧縮または膨張させて温度を上げたり下げたりすることができます。つまり，ヒートポンプエアコンは，冷房も暖房もできるエアコンです。エアコンは室内機と室外機が配管で接続されています。

④暖房時

冷媒が室外機から冷たい空気を取り込み，冷媒を圧縮機（コンプレッサー）で圧縮して高温の気体にします。その熱を室内に放出すれば暖房を行うことができます。

熱を放出した冷媒は温度が低下するので，次にはその冷媒を膨張させて急激に圧力を下げます。さらに温度が下がり，室外機へ送られた冷媒は再び外気の熱を吸収して温度が上昇します。その繰り返しで暖房が継続されます。

⑤冷房時

暖房とは反対の順路で，室内の熱を取り込み，室外機から放熱することで冷やします。

ヒートポンプは，採熱方法の違いにより，空気熱源式や水熱源式などに区分されますが，一般的に使用される空気熱源ヒートポンプパッケージ方式は，冷媒配管が長く高低差が大きいほど能力は低下します。また，外気温度が低いと暖房能力は下がります。

3 換気設備（自然換気）

自然換気[※9]とは，機械設備を使わない換気方式で，通風や室内外の温度差によって空気が移動し，換気が行われます。

通風による換気では，風の速度や圧力によって室内の空気が外に押し出されます。温度差による換気では，室内の温度が外気温より高い場合に起こります。室内の暖かい空気は，膨張して密度が小さくなるために浮力が発生し，その空間に外気が導入されて換気が促進されます。

自然換気設備での給気口は，居室[※10]の天井高さの1/2以下に設けます。自然換気では，冬期は室内温度と外気温度の差が大きいので，夏期より換気量が増加します。

※5
ペリメータ負荷
ペリメータとは外皮という意味で，一般に窓側に近いエリアを指します。その負荷は，たとえば太陽熱です。

※6
インテリア
ペリメータ以外です。

※7
ヒートポンプ
ヒートポンプは，低温部の熱エネルギーを高温部へ汲み上げる熱交換の働きをします。

※8
冷媒
熱の移動を媒介する物質を冷媒といいます。具体的には，オゾン層を破壊することのないフロンガスなどです。

※9
自然換気
自然換気方式は，外部の風や温度差に基づく空気の密度差を利用した換気方式です。

※10
居室
執務，娯楽などで使用する部屋のことです。事務室，会議室，百貨店の売り場，住宅のリビングなどは居室です。

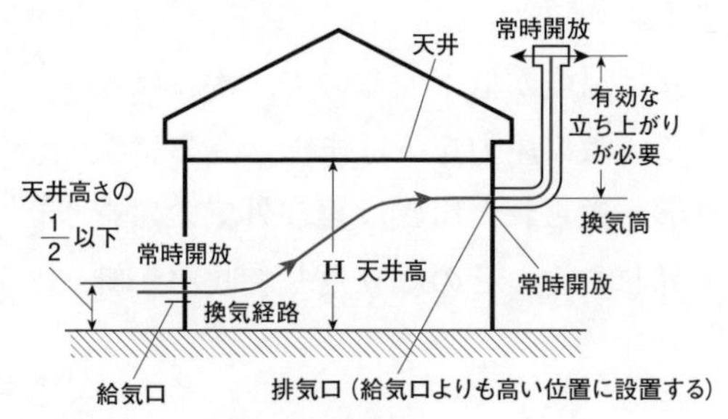

4 換気設備（機械換気）

換気扇などの機械設備により換気を行うものを換気設備といいます。機[※11]械換気では，給気口を天井高さの1/2以下の位置に限定しなくてもよく，自動車の排気ガスなどが進入する場所では，できるだけ地上から高い位置に設けるのが望ましいといえます。

機械換気は，給気と排気のやり方によって次の3種類に分けられます。

①第１種機械換気

給気，排気とも機械設備による方式です。室内を正[※12]圧にも負圧にもできます。

厨房はやや負圧にして，中の空気が他に漏れないようにします。燃焼空気が必要なので，正圧にすると，空気が他所に漏れてしまいます。

また，ボイラ室など燃焼用空気およびエアバランスが必要な場所に用いられます。

無[※13]窓の居室も，第1種換気とします。

※第1種機械換気を，単に第1種換気と表現することもあります。2種，3種についても同様です。

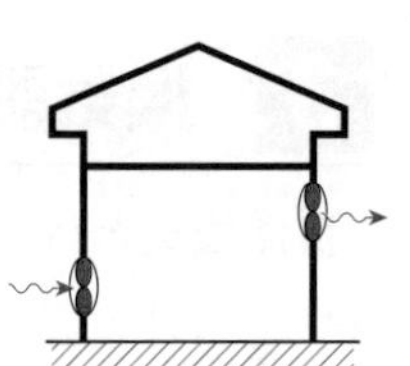
第１種機械換気

：換気設備

②第２種機械換気

給気は機械設備，排気は自然排気による方式です。室内は正圧に保たれるので，外部からほこりなどは進入しません。

ボイラ室，発電機室などの燃焼機器を設置する室の

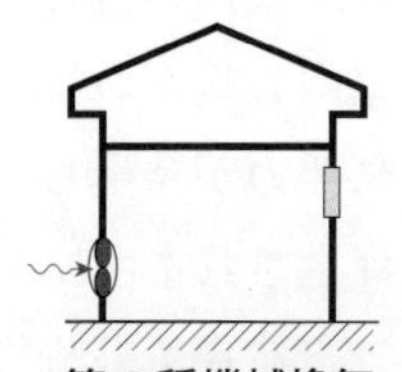
第２種機械換気

：換気口
（ガラリ）

換気には，燃焼用空気や室内冷却のために給気を十分にとる必要があるので，第3種機械換気より第2種機械換気が適しています。

③第３種機械換気

給気を自然給気，排気を機械設備によって行う方式です。

室内は負圧となります。便所，喫煙所などは臭いを室外に出さないため負圧にした開口部で雨水が浸入しない構造にします。室内の汚れた空気や水蒸気などを他室に流入させたくない場所はこの方式が適しています。

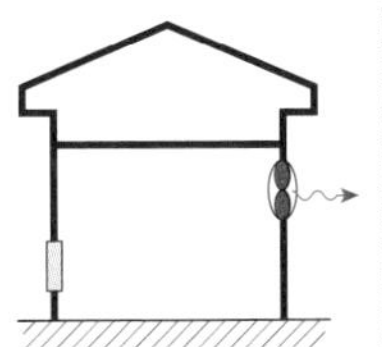
第３種機械換気

※11
機械換気
電気室の換気量は，機器の放熱量と許容温度により算定します。居室の24時間換気システムは，シックハウス対策に有効です。

※12
正圧と負圧
大気圧より高い圧力が正圧で，大気圧より低い圧力が負圧です。

※13
無窓の居室
窓がないか，ほとんどない居室をいいます。

チャレンジ問題！

問1　難　中　易

換気設備に関する記述として，最も不適当なものはどれか。

(1) 無窓の居室は，第1種換気とする。
(2) 電気室の換気量は，機器の放熱量と許容温度により算定する。
(3) 厨房は，燃焼空気を確保するために正圧を保つ。
(4) トイレは，第3種換気とする。

解説

厨房を正圧にすると料理臭が他室に漏れてしまいます。

解答（3）

給水・排水設備

1 給水方式

①給水方式の種類

給水方式は，大別して直結式と受水槽式があります。直結式とは，末端の給水用具[※14]までが水道事業者[※15]の配水管（水道管）に直結している給水設備で，受水槽式は受水槽にいったん水を貯めて，そこから給水用具まで飲料水を送る方式です。

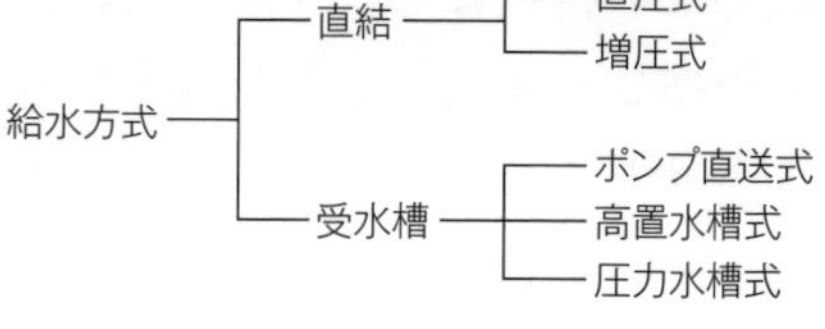

受水槽式は，直結式に比べて水質汚染の可能性が高くなります。

②水道直結直圧式

水道事業者の配水管（水道本管）からの飲料水を，そのまま給水します。

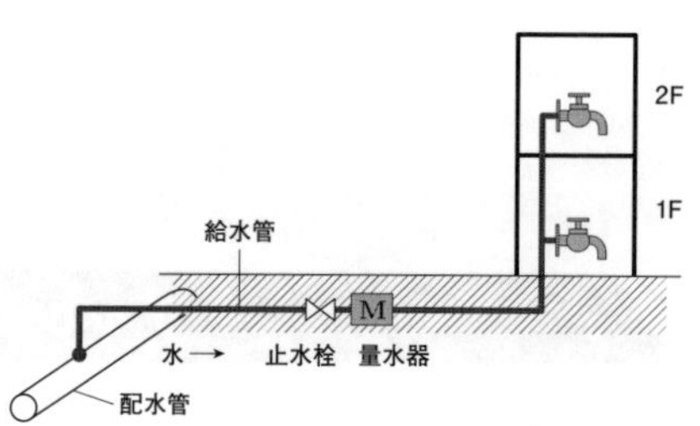

● 長所

・受水槽[※16]が不要である
・加圧給水ポンプが不要である
・工事費は安く衛生的である
・建物の停電時でも給水が可能である

● 短所

・高所に給水することができない
・水道本管の断水時には給水が不可能である

③水道直結増圧式

水道直結直圧方式の図において，量水器の二次側に増圧給水設備を設けたものです。

● 長所

・水道本管の水圧変動があっても給水圧力が変化しない
・直結給水なので，水質汚染の可能性が低い

● 短所

・水道本管の断水時には給水が不可能である

・増圧ポンプ，逆流防止等からなる増圧給水設備が必要である

④ポンプ直送式

受水槽の水を給水ポンプにより，建物内の必要な箇所へ直送する方式です。

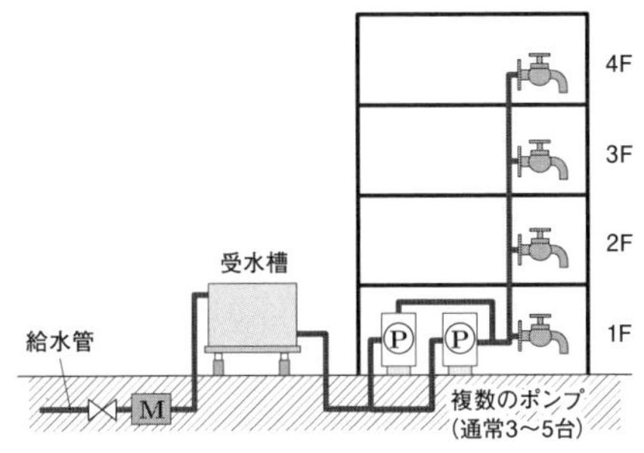

● 長所

・給水ポンプをインバータ制御することにより，給水圧力がほぼ一定に保たれる[※17]

・本管断水時でも，受水槽貯水分のみ給水が可能である

・高置水槽方式ではないので，屋上に高置タンクは不要である

● 短所

・停電により給水ポンプが停止すると，給水が不可能となる

・設備費[※18]が多大である

⑤高置水槽式

受水槽に貯めた水を，ポンプで屋上などに設置した高置水槽に揚水し，落差（高さによる重力）で給水する方式です。

※14
給水用具
給水栓（蛇口）などをいいます。

※15
水道事業者
水道事業者（市町村の水道局のような組織）が飲料水を届けます。

※16
受水槽
六面点検ができるように床，壁から60㎝以上，天井からは1m以上離します。

※17
圧力がほぼ一定
水道本管の圧力変化が生じても，給水圧力を一定に保つことができます。

※18
設備費が多大
インバータモータの使用や，ポンプ台数が多くなる等や，制御盤設置費などがかかります。

● 長所

・同じ場所の給水栓における給水圧[※19]力の変動はない
・水道本管が断水しても受水槽と高置水槽にある水は給水可能である
・建物が停電となり，揚水ポンプが運転されなくなっても高置水槽に残っている水は給水可能である

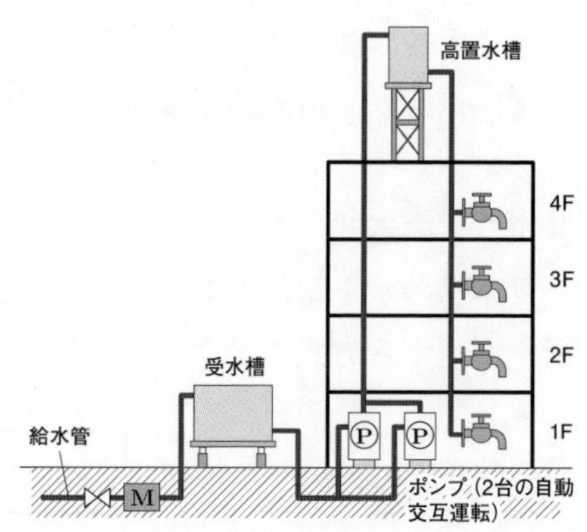

● 短所

・受水槽と高置水槽の2つのタンクを設けるため衛生上難がある
・高置水槽は最上階の給水栓より，屋上等に約10m近く立ち上げる必要があり，日照問題等が生じる

2 排水設備

①排水口空間

冷水器や給水タンクのオーバーフロー管は，排水管と直接連結させず，間接排水にして**排水口空間**を設けます。

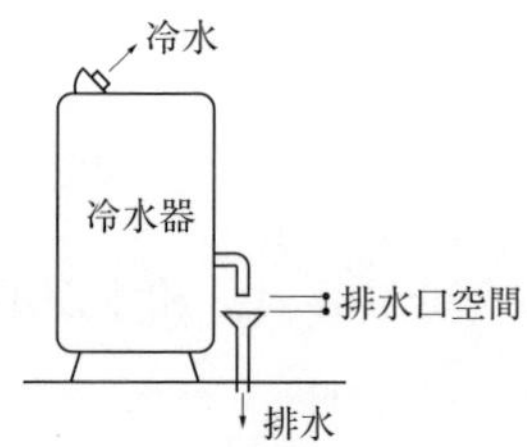

②トラップ[※20]

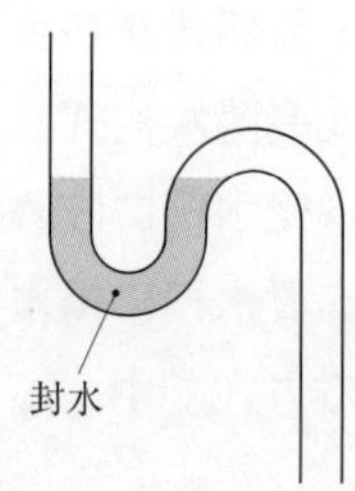

トラップは，排水管の途中や衛生器具の内部に設けたもので，封水とよばれる一定の水が溜まる構造になっています。臭気やねずみ，害虫が侵入するのを防ぎます。

一つの排水管にトラップを二か所設置すると流れが阻

害されるので，二重に設置することは禁止されています。

また，雨水排水管の立て管は，汚水排水管に連結できません。

③**通気管**

排水管に接続する通気管は，次の目的で設置します。

- 排水管内の圧力変動を緩和させ，排水の流れを円滑にする
- 排水管内の臭いを換気し，清潔にする
- トラップの封水を保つ

なお，通気管は雨水排水の立て管と兼用できません。

※19
給水圧力
建物の最上階と最下階では，落差のある最下階の給水栓の圧力は高いです。

※20
トラップ
一定の水を溜めておく構造です。

チャレンジ問題！

問1 難 **中** 易

建物の給水設備における受水槽を設置したポンプ直送方式に関する記述として，最も不適当なものはどれか。

(1) 水道本管の圧力変化に応じて給水圧力が変化する。
(2) 建物内の必要な箇所へ，給水ポンプで送る方式である。
(3) 水道本管断水時は，受水槽貯水分のみ給水が可能である。
(4) 停電により給水ポンプが停止すると，給水が不可能となる。

解説

受水槽を設置したポンプ直送方式は，水道本管の圧力変化に応じて給水圧力が変化することはほとんどありません。

解答（1）

第3章 関連分野

CASE 2 土木・鉄道

まとめ & 丸暗記 この節の学習内容とまとめ

□ 掘削工事

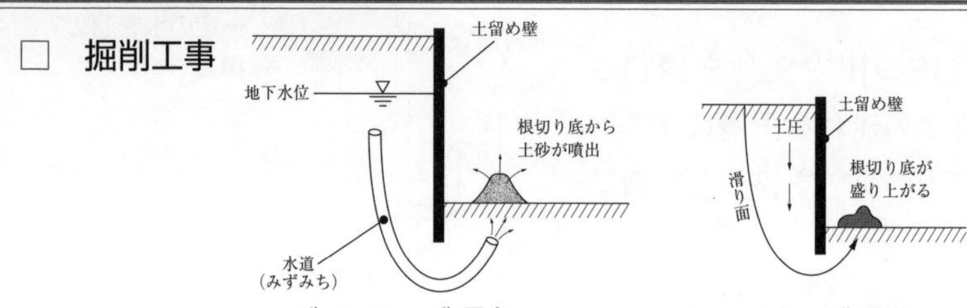

ボイリング現象　　ヒービング現象

□ 土留め

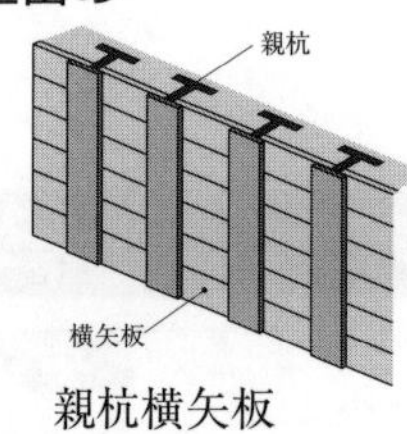

親杭横矢板

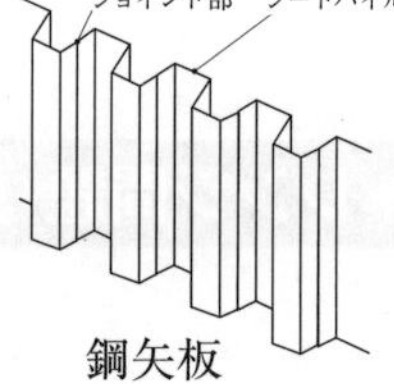

鋼矢板

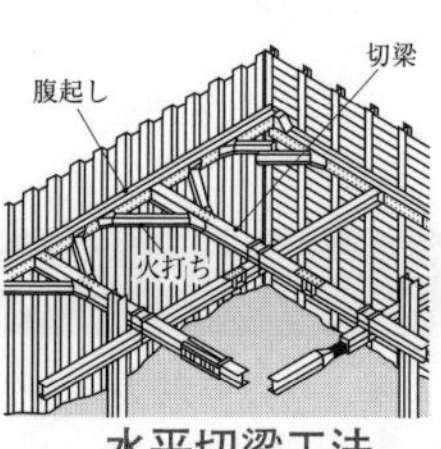

水平切梁工法

□ 鉄塔基礎

基礎の種類	地盤の状況
逆Ｔ字型基礎	支持層の浅い良質な地盤
ロックアンカー基礎	良質な岩盤が分布している地盤
深礎基礎	勾配の急な山岳地の岩塊等を含む地盤
杭基礎	比較的軟弱で支持層が深い地盤
井筒基礎	支持層が深い軟弱地盤

□ 測量

①平板測量　　三脚，アリダード，巻尺などを用います。
②水準測量　　標尺，レベルなどを用います。

土工事

1 舗装

コンクリート舗装[※1]とアスファルト舗装[※2]を比較した表は次のとおりです。

	コンクリート舗装	アスファルト舗装
荷重によるたわみ	小さい	大きい
耐久性	大きい	小さい
養生期間	長い	短い
部分的な補修	困難	容易
ひび割れ	あり（目地を設ける）	なし

2 掘削工事

①現象

● ボイリング現象

地下水位が高い砂質地盤において，矢板などの土留め壁を設置した後に，土留め壁の下を地下水が迂回して，根切り面の表面に水と砂が沸き出すように吹き上げられる現象です。

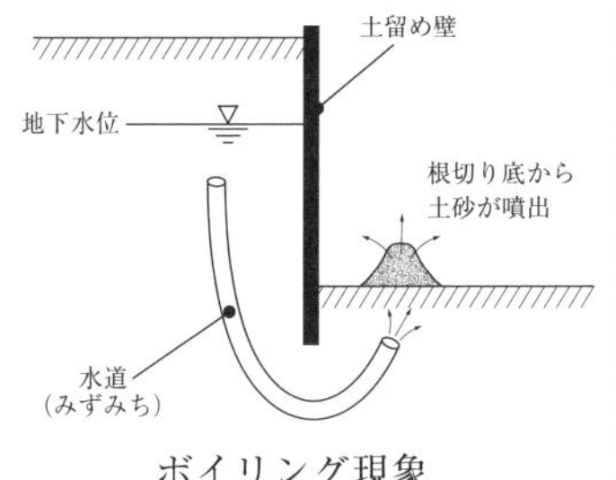

ボイリング現象

ボイリングの発生を防止する方法は次のとおりです。

・土留め壁の根入れを深くする
・土留め壁背面の地下水位を低下させる
・薬液注入などで，掘削底面の止水をする

※1
コンクリート舗装
砂や砂利をセメントで結合させたもので舗装します。

※2
アスファルト舗装
アスファルトは，原油に含まれる炭化水素類で最も粘度が高く，重質なものを指します。アスファルトで砂や砂利，砕石を結合させて舗装します。

● ヒービング現象

軟弱な粘土質地盤で掘削を行うとき，矢板背面の鉛直土圧によって掘削底面が盛り上がる現象です。

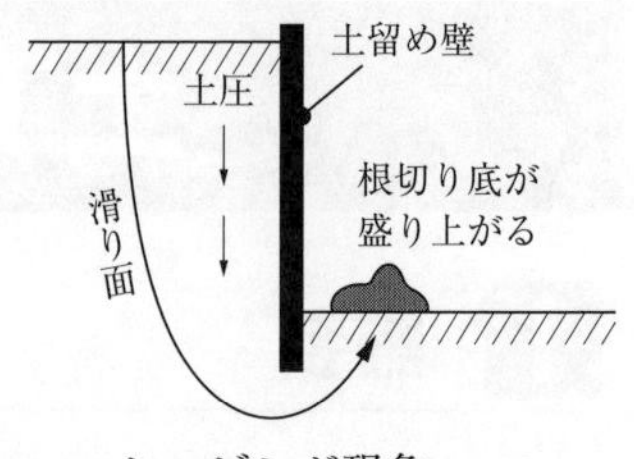

ヒービング現象

● クイックサンド現象

地下水などの上向きに浸透する水の圧力により，砂地盤が湧き上がり液体に似た状態となる現象です。

● パイピング現象

砂質地盤内で脆弱な部分に浸透水が集中し，パイプ状の水の通り道ができると，土中の浸透性が高まり，水とともに流動化した土砂が地盤外へ一気に移動し，地盤や構造物を破壊する現象です。

②土留め壁[※3]

掘削側面の崩落を防止する土留めは，主に次の4つです。

● 親杭横矢板

良質地盤に広く用いられていますが，遮水性がよくないこと，掘削底面以下の根入れ部分の連続性が保たれないことなどのため，地下水位の高い地盤や軟弱な地盤などには適しません。

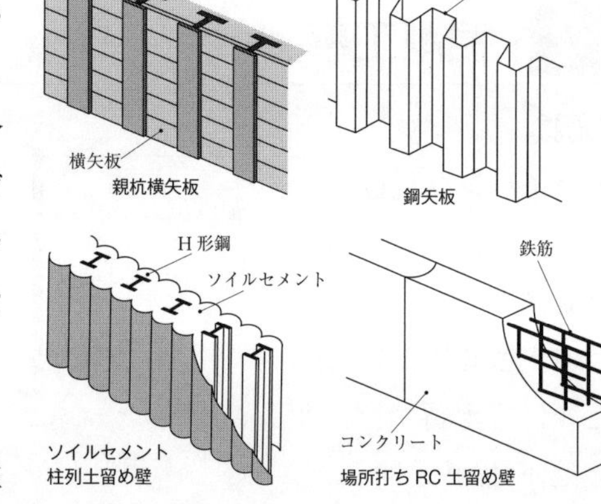

● 鋼矢板[※4]

親杭横矢板に比べると遮水性が高く，地下水位の高い軟弱地盤にも適しています。

● ソイルセメント柱列土留め壁

H形鋼などを柱列杭として使用し，セメントと原地盤の土砂を混ぜて固めたもので，遮水性のよい土留め壁です。

● 場所打ちRC土留め壁

鉄筋コンクリートで連続地中壁をつくったもので，剛性，遮水性とも極めて高い土留め壁です。

③土留め工法

● 水平切梁工法

土留め工法として一般的なのが，水平切梁工法です。土留め壁を，腹起し，水平切梁で支えます。

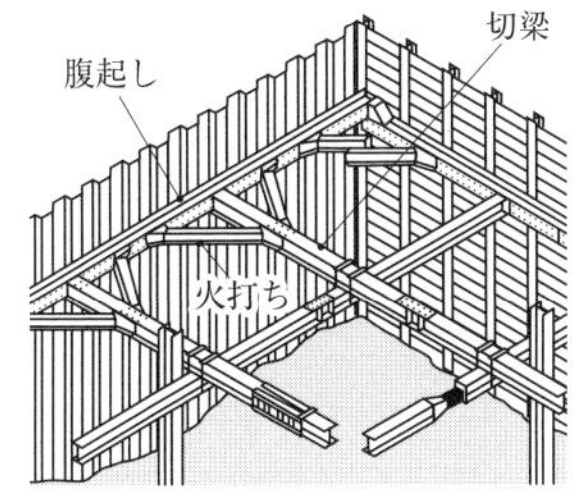

● 地盤アンカー工法

土留め壁にかかる側圧を，切梁ではなく地盤アンカーで支えながら掘削する工法で，切梁の掛けられない傾斜地や変形地などに採用されます。

切梁の代わりに地盤アンカーを用いるため，広い作業スペースを確保することや，地盤アンカーが敷地外に出る場合は，隣地の地主の了解が必要になるなど，敷地条件によっては施工が制限されます。

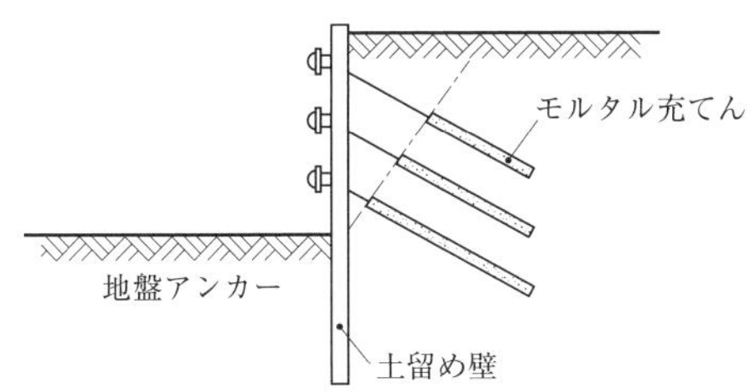

3 盛土

盛土工事における締固めの目的は次のとおりです。

● 圧縮性を小さくする
● 透水性を低くする
● 締固め度を大きくする

※3

土留め

掘削した部分が崩れないようにする工事です。山留め，山止め，土止めと表記することもあります。

※4

鋼矢板

シートパイルともいいます。

● せん断強度[※5]を大きくする

4 締固め機械

①ロードローラ

平滑車輪により締固めを行うもので，路床の仕上げ転圧[※6]に適します。

②タイヤローラ

空気入りタイヤの特性を利用して締固めを行うもので，土やアスファルト混合物などの締固めに適しています。

③タンピングローラ

ローラの表面に突起をつけたもので，土塊や岩塊などの締固めに適しています。

④振動ローラ

ローラに起振機を組み合わせ，振動によって締固めを行うもので，砂質土の締固めに適しています。

⑤振動コンパクタ

起振機を平板の上に直接装備したもので，ローラが走行できないのり面やみぞ内の締固めに適しています。

5 鉄塔の基礎

鉄塔の基礎には，次のものがあります。

①逆T字型基礎

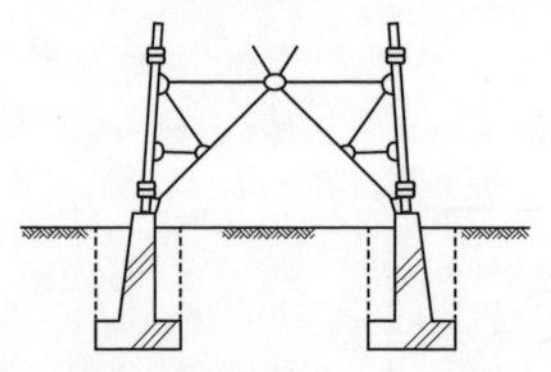

支持層の浅い良質な地盤

②ロックアンカー基礎

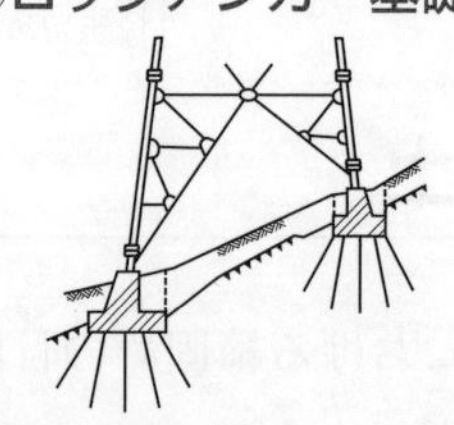

良質な岩盤が分布している地盤

③深礎基礎

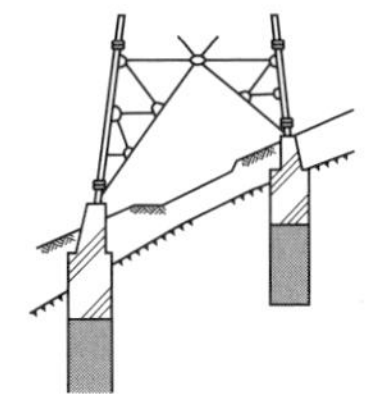

勾配の急な山岳地の岩塊等を含む地盤

④杭基礎

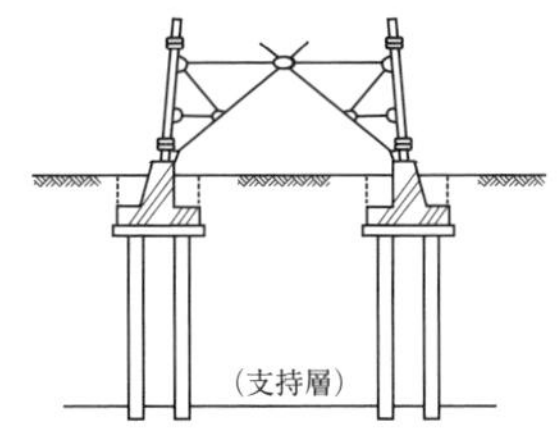

比較的軟弱で支持層が深い地盤

⑤井筒基礎

（支持層）

支持層が深い軟弱地盤

⑥べた基礎

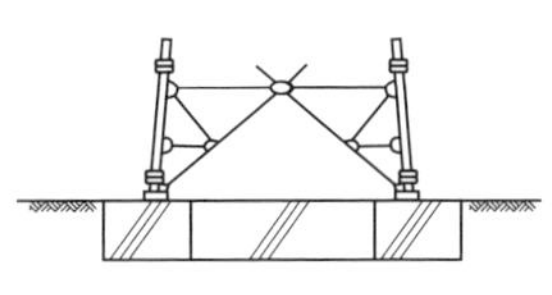

広く浅い基礎

※5

せん断強度

盛土のある断面に正反対の方向から平行な力を加えたとき，その作用面ですべり破壊に耐える強度です。

※6

転圧

土砂，アスファルト等に力を加えて空気を押出し，粒子同士の接触を密にして密度を高めることです。

チャレンジ問題！

問1　難　中　易

山留め（土留め）壁工事において，遮水性が求められる壁体の種類として，最も不適当なものはどれか。

(1) 鋼矢板
(2) 親杭横矢板
(3) 柱列杭
(4) 連続地中壁

解 説

親杭横矢板は，掘削底面以下の根入れ部分の連続性が保たれないことなどのため，遮水性が求められるところには採用できません。

解答（2）

測量

1 平板測量・水準測量

①平板測量

三脚の台に平板をのせ，アリダード[※7]や巻尺などを用いて，測量結果をその場で作図していく測量方法です。

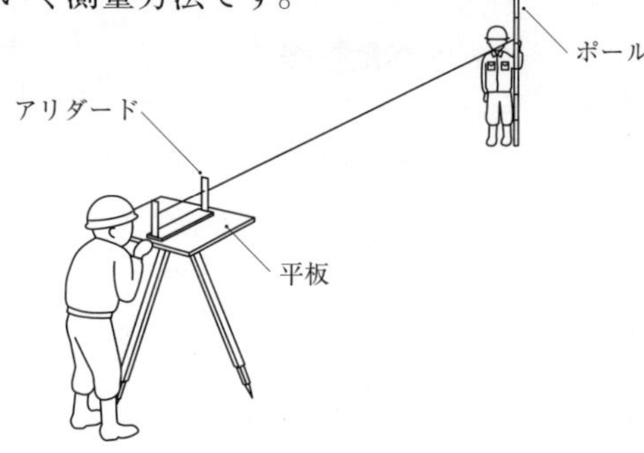

②水準測量

任意の2地点に標尺を垂直に立て，その中間にレベルを置いて目盛りを読み，その差から高さを求める測量です。

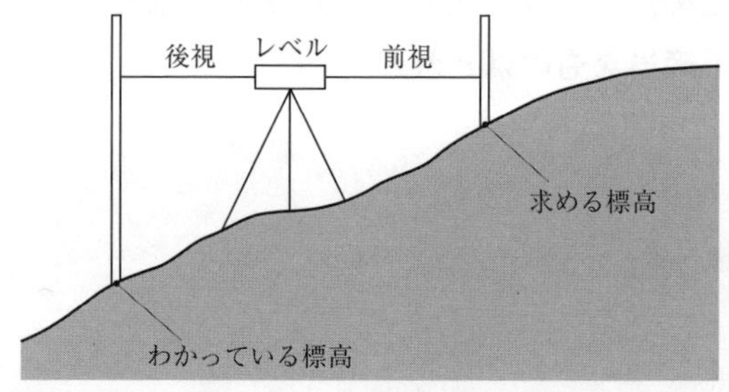

③トラバース測量

トランシットと巻尺を用い，既知点から次の測量箇所の方向角と距離を測定するもので，多角測量ともいいます。セオドライト[※8]やトランシットは水平角や鉛直角を求めることができます。

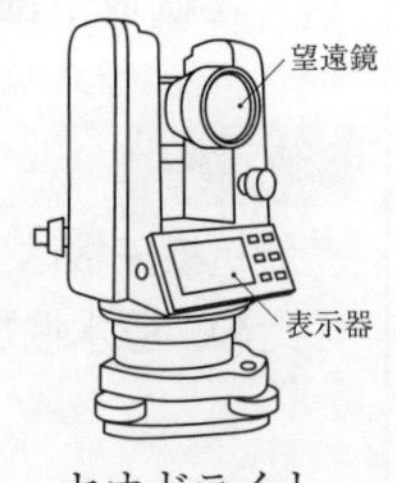

セオドライト

2 用語

水準測量の用語は次のとおりです。

①水準点（ベンチマーク）

水準測量の基準となる点です。

②後視

標高が既知である点に立てた標尺の読みをいいます。

③前視

未知の点の読みをいいます。

標尺が前後に傾いていると，標尺の読みは正しい値より大きくなります。また，レベルの視準線誤差は，後視と前視の視準距離を等しくすれば消去できます。

※7

アリダード

定規の両端に金属製の視準板を取り付け，中央に気泡管式の水準器をはめ込んだ器具です。この器械で図解的に水平角，間接的に2点間の高低差や距離を求めることができます。
測斜儀ともいいます。

※8

セオドライト

トランシットに，デジタル表示や計算機能を持たせたものです。

チャレンジ問題！

問1　難　中　易

測量における水平角と鉛直角を測定する測角器械として，適当なものはどれか。

(1) 標尺（スタッフ）
(2) レベル
(3) アリダード
(4) セオドライト（トランシット）

解　説

水平角と鉛直角を測定する測角器械は，セオドライト（トランシット）です。

解答（4）

鉄道

1 レール

①種類

● ガードレール

線路の急カーブや踏切などで，車両の脱線を防ぐため，走行レールの内側に設置されるレールです。

● トングレール

分岐器（レールを分岐する）の先端部の先の尖った可動のレールです。ポイント部で使用されます。

● サードレール

2本のレールのわきに設置された第三軌条のことです。パンタグラフ[※9]がない地下鉄電車の場合，サードレールから電気を取り入れます。

● ロングレール

一般に定尺25mのレールを，工場溶接して**200m以上**としたレールですが，レール交換の作業性のため，レールの長さは制限されます。

ロングレールの施設にあたっては，工場生産したコンクリート製の**PC枕木**の使用が適しており，このレールは，特に高速列車の運転区間に用いられます。

②レールの摩耗

レールの摩耗は，通過トン数，列車速度など運行条件に大きく影響を受けます。一般に，平たん区間より勾配区間，曲線部では，外側レールの頭部側面で摩耗が進みます。レール摩耗低減には，高温で加熱した鉄鋼を急速に冷やして製造した**焼入れレール**の使用が効果的です。

2 速度の向上

鉄道線路の軌道における速度向上策は次のとおりです。

- バラスト道床[※10]の厚みを大きくする
- 曲線半径を大きくする
- 枕木の間隔を小さくする
- レールの単位重量を大きくする

※9

パンタグラフ

電車の屋根に取り付けた給電装置です。架空線方式では，架線から電気を取り入れ走っています。

※10

バラスト道床

バラストとは，5cm前後の砕石，砂利などをいいます。枕木の周りに敷き詰め，列車の走行荷重を分散させ，乗り心地をよくします。

3 カント

カントとは，左右レールの高低差をいいます。レールの曲線部分では，遠心力が作用しますが，外側のレールを高くしてカントをつけることにより，曲線を通過する車両の外方向への転倒を防止します。運行速度が同じであれば，曲線半径が小さいほどカントは大きくなります。

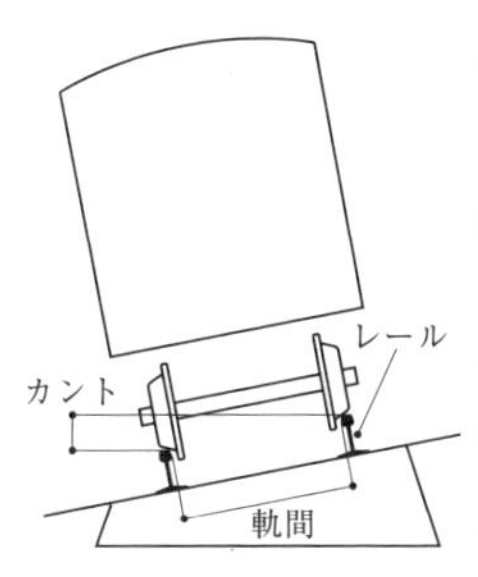

チャレンジ問題！

問1　難　中　易

鉄道線路の軌道に関する記述として，最も不適当なものはどれか。

(1) ガードレールは，脱線事故の防止に用いられる。
(2) トングレールは，分岐器のポイント部に用いられる。
(3) サードレールは，車両からの帰線に用いられる。
(4) ロングレールは，特に高速列車の運転区間に用いられる。

解説

サードレールは，2本のレールのわきに設置された第三軌条のことです。パンタグラフがない車両への給電目的で設置されます。

解答（3）

CASE 3 建築

まとめ & 丸暗記 この節の学習内容とまとめ

□ モルタル・コンクリートの組成

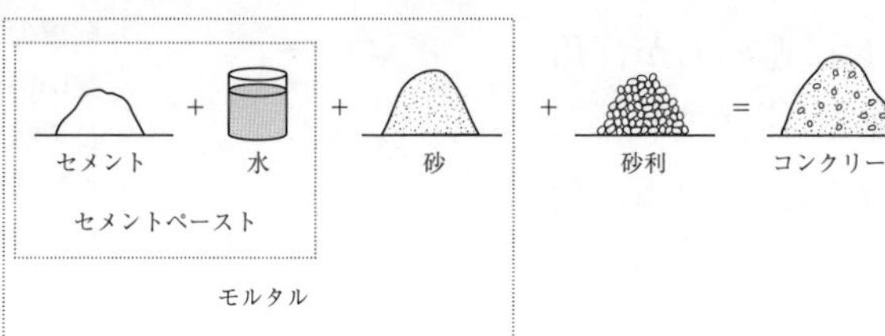

□ 鉄筋とコンクリート

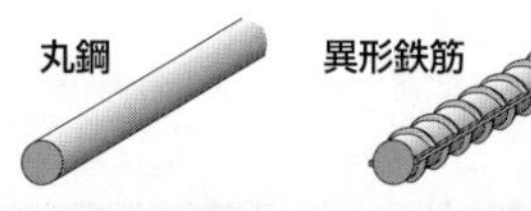

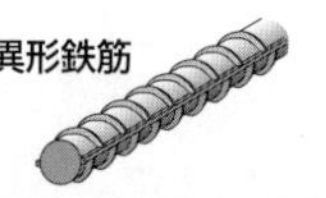

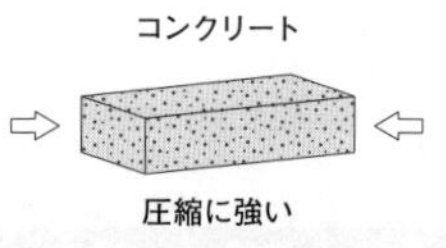

□ 水セメント比

水セメント比＝水の重さ÷セメントの重さ×100〔%〕
水セメント比が大きいと，コンクリートの強度は小さくなる。

□ スランプ値

生コンクリートの軟らかさを表す数値で，大きいほど軟らかい。

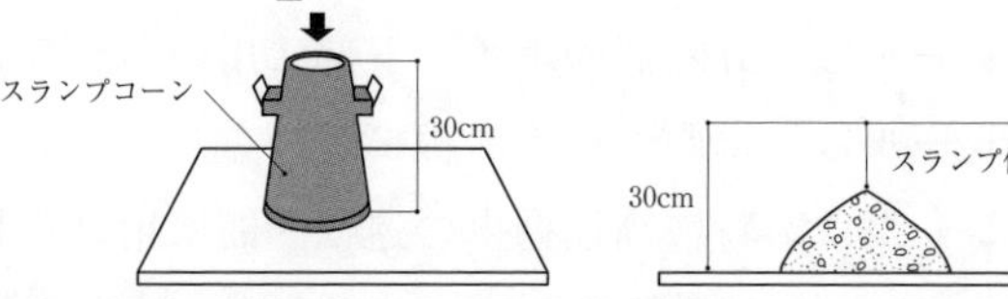

□ かぶり厚さ

鉄筋のかぶり厚さとは，一番外側にある鉄筋の表面からコンクリート外面までの距離。
かぶり厚さが大きいと，耐久性あり。

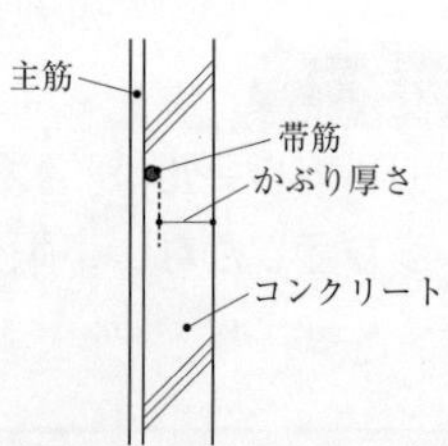

鉄筋コンクリート造

1 応力

物体に外部から力を加えると，物体内部には外力に応じた力が生じます。これを**応力**といいます。

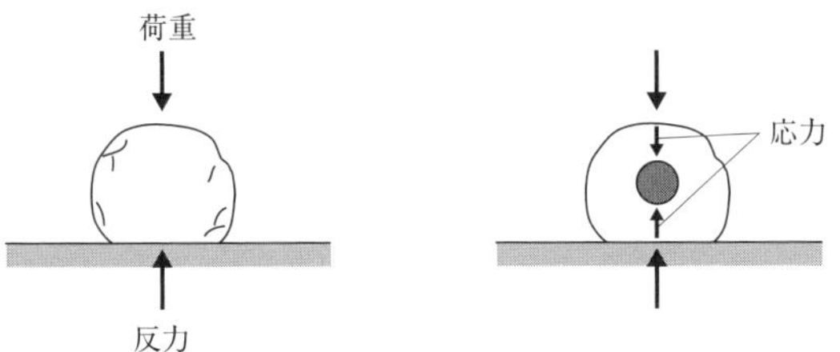

応力には，次の3種類があります。

①軸方向力

引張力[※1]と**圧縮力**[※2]です。

②せん断力

せん断力[※3]は，物体に同じ大きさで反対方向の力が同時に作用したときに生じます。

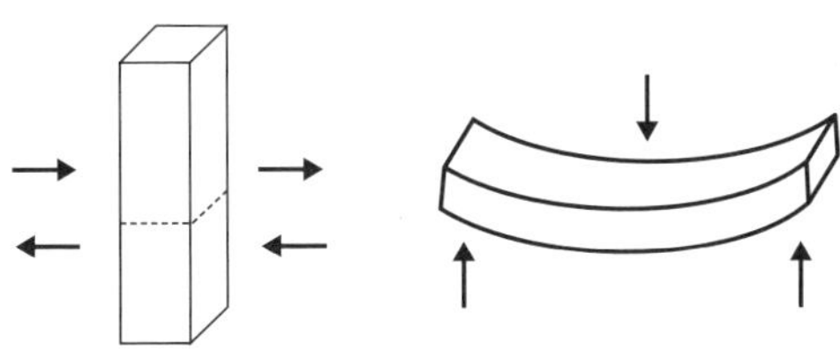

③曲げモーメント

曲げようとする力のことです。

※1
引張力
建築部材の長軸（長手）方向に引っ張る力です。

※2
圧縮力
建築部材の長軸（長手）方向に圧縮する力です。

※3
せん断力
鉄筋をカッターで切ろうとする力です。

2 コンクリート

セメントに水を加えるとセメントペーストになり，細骨材（砂）を混ぜるとモルタルになります。モルタルに粗骨材（砂利）を混ぜたものがコンクリート[※4]です。

コンクリートは，**不燃材料**であり耐久性があります。

使用骨材によって普通[※5]コンクリートと軽量コンクリート等に分かれます。

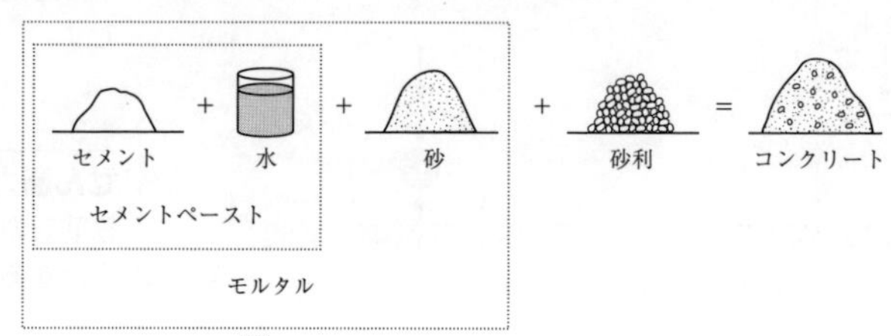

コンクリートに用いる骨材[※6]の粒形は，丸みのある球形に近いものがよいとされています。

固まったコンクリートは**圧縮に対して強い**ですが，**引張りに対しては非常に弱い**です（約1/10）。

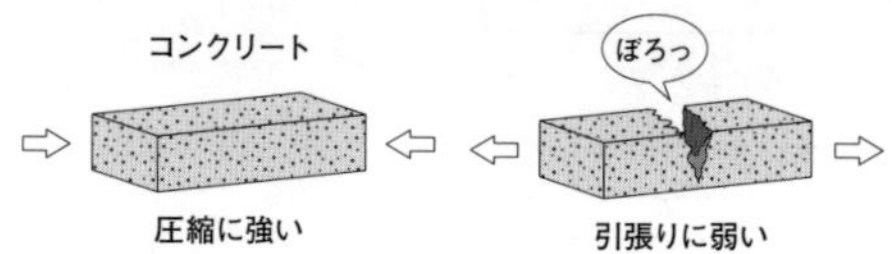

※コンクリートの強度は，圧縮強度を基準として表します。

3 鉄筋

鉄筋は，その形状により次のものがあります。

①丸鋼

断面が円形で，表面がつるりとしています。丸鋼の記号は**SR**[※7]で示します。

②異形鉄筋

異形鉄筋とは，丸鋼の表面にリブや節などの突起を付けた鉄筋で，コンクリートとの付着強度が高く，定着性がよいので多く用いられています。

異形鉄筋の記号は**SD**[※8]で示します。

鉄筋とコンクリートの付着強度は，丸鋼より異形鉄筋のほうが大きくなります。

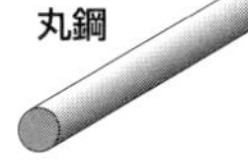

4 柱と梁

①帯筋

柱の主筋の周囲を水平に巻いた鉄筋です。せん断力に耐え，柱を補強します。

②あばら筋

梁の主筋の周囲を垂直方向に巻いた鉄筋です。帯筋と同様に，せん断力に耐え，梁を補強します。

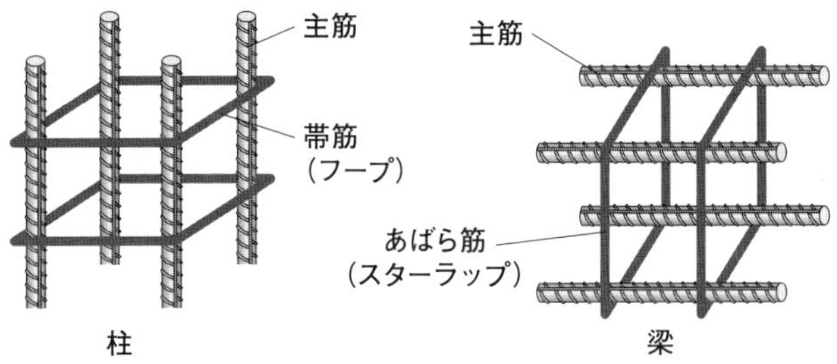

5 鉄筋コンクリート

圧縮力に強いコンクリートと引張力に強い鉄筋の特性を組み合わせた強固な構造です。RC[※9]ともいいます。

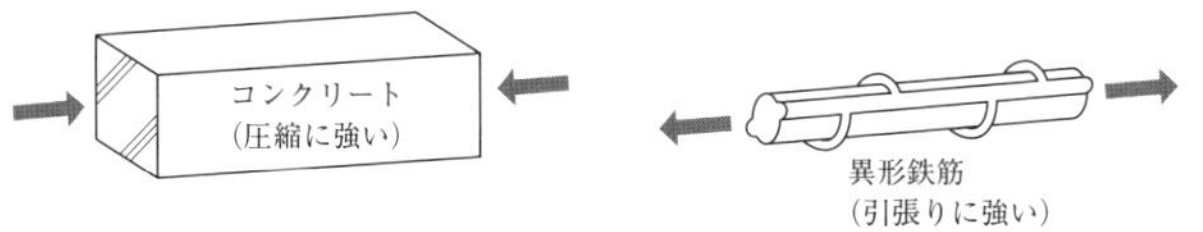

コンクリートと鉄筋の線膨張率（熱膨張率）はほぼ等しく，クラックができにくい構造です。さらに，コンクリートは強アルカリ性で，内部にある鉄筋の防錆作

※4

コンクリート

コンクリートは，セメントと水の化学反応により凝結・硬化します。流動性をよくする目的等で混和剤を混ぜて固めることもあります。コンクリートは不燃材料ですが，火熱により耐久性は劣化します。

※5

普通コンクリート

砂利を混ぜて作る一般のコンクリートで，重量はおよそ2.3t/m^3です。軽量コンクリートは軽量骨材を使用したもので，2t/m^3未満です。

※6

骨材

粗骨材と細骨材です。

※7

SR

Steel Roundの略。

※8

SD

Steel Deformedの略。

※9

RC

Reinforced Concreteの略。

用があります。しかし，空気中の**二酸化炭素**[※10]などにより，コンクリート表面から次第に**中性化**します。コンクリートの中性化が鉄筋の位置まで達すると，鉄筋は錆びやすくなります。

6 打設と養生

コンクリートを**打設**[※11]する際，打継ぎ部は部材のせん断力の小さい位置に設け，その後締め固めます。**振動締固め**は，突固めより空隙の少ない緻密なコンクリートを作ることができます。

コンクリートの硬化初期における**養生**[※12]は，温度を10～25℃に保ち，セメントの水和反応に必要な湿潤状態を保ちます。コンクリートの露出面は，風雨や直射日光から保護し，振動および荷重を加えないようにします。

7 施工の不具合

コンクリート工事における施工の不具合として，次のものがあります。

- コールドジョイント
- 空洞
- じゃんか（豆板）
- 砂すじ

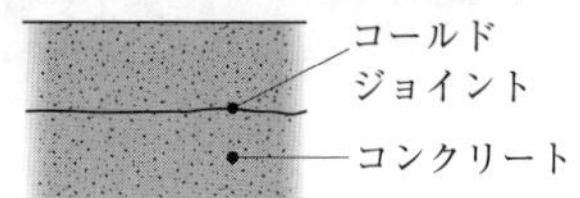

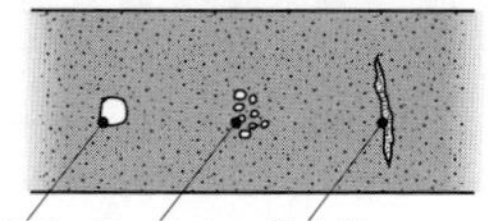

コールドジョイントは1回目の打設と2回目の打設の間隔が空き過ぎた場合に発生する打継目です。劣化の原因となります。

空洞，じゃんか，砂すじは，セメントと骨材との混合や，打設時の流動性などが要因です。

8 用語

①水セメント比

水セメント比＝水の重さ÷セメントの重さ×100〔%〕です。**水セメント比が大きくなるほど，コンクリートの圧縮強度は小さくなります**。

②スランプ値

生コンクリートの軟らかさを表す数値で，大きいほど軟らかく流動性は大きいです。これをワーカビリティ[※13]がよいと表現します。しかし，スランプが大きいほど，粗骨材の分離やブリーディング（打設時の水が浮き上る）が生じやすいので，限度があります。

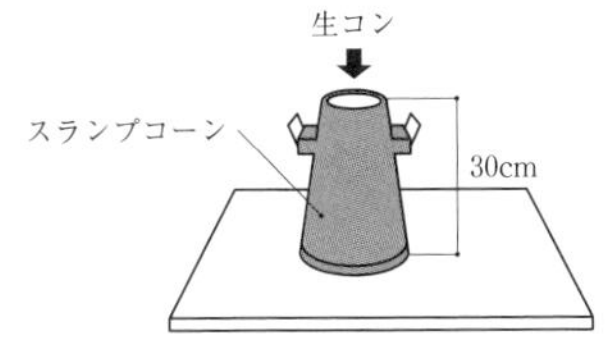

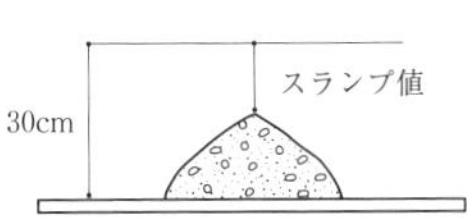

③かぶり厚さ

鉄筋のかぶり厚さとは，一番外側にある鉄筋の表面からコンクリート外面までの距離をいいます。

かぶり厚さが大きいと，耐久性および耐火性が増します。

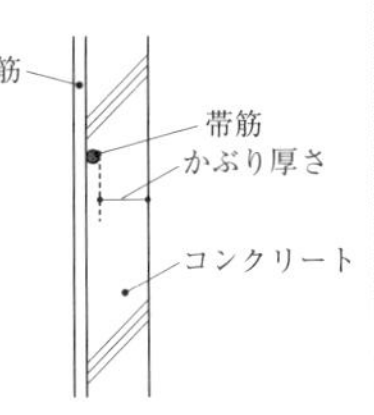

※10
二酸化炭素
雨に濡れると酸性を呈します。

※11
打設
コンクリートを型枠内に流し込むことです。

※12
養生
コンクリートが硬化するまで，適切な環境に保つことです。

※13
ワーカビリティ
作業性のことです。

チャレンジ問題！

問1　難　中　易

コンクリートに関する記述として，不適当なものはどれか。

(1) コンクリートは，セメントと水の化学反応により凝結・硬化する。
(2) コンクリートは，圧縮強度が引張強度に比べて大きい。
(3) コンクリートは，不燃材料であり耐久性がある。
(4) コンクリートは，含水量によって普通コンクリートと軽量コンクリートに分類される。

解説

含水量ではなく，骨材の種類によって普通コンクリートと軽量コンクリートに分類されます。

解答（4）

鉄骨構造

1 構造

①**トラス構造**

三角形をひとつの単位として部材を組み立てた構造です。小さい断面の部材で**大スパン**[※14]を支えることができます。

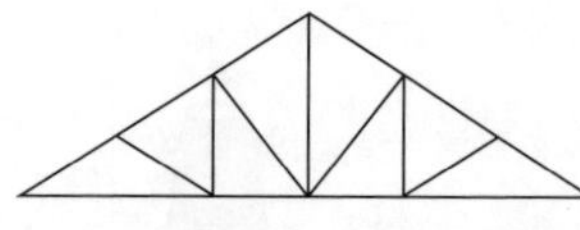

②**ラーメン構造**

部材と部材を剛接合した構造です。トラス構造に比べて部材の断面は大きくなります。

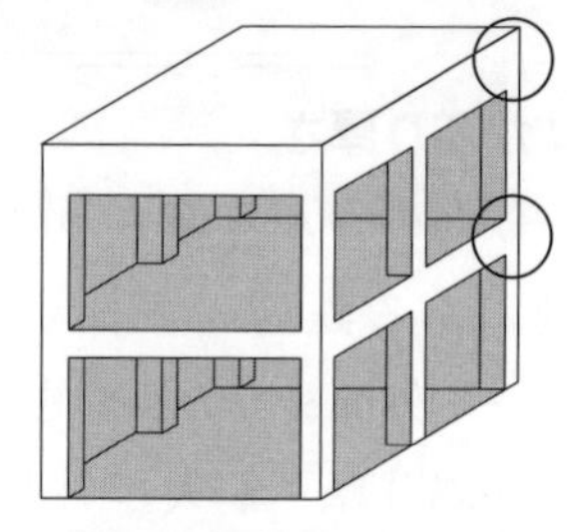

2 特徴

鋼材を用いた建物を鉄骨造**S造**[※15]といいます。

鋼材の特徴は次のとおりです。

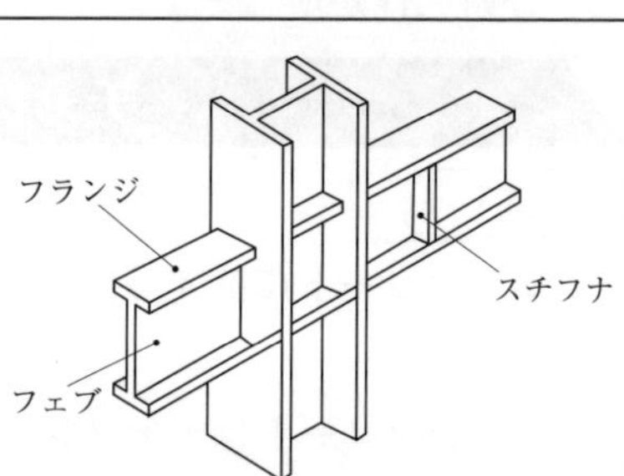

- 強度が大きく粘り強いので，小さな断面で大きな荷重に耐えられます。
- 骨組の部材断面が自由に製作でき，任意に接合できるので，さまざまなデザインに対応しやすくなります。
- 部材は工場で加工されるので，木造，RC造に比べて工期は短いです。
- 火災時は，耐力が大きく損なわれ，変形，倒壊の危険があり，鉄骨をコンクリートなどで**耐火被覆**する必要があります。

3 鋼材・鋼管

日本産業規格（JIS）による記号と名称の組合せは表のとおりです。

	名　称
SS	一般構造用圧延鋼材
SM	溶接構造用圧延鋼材
SN	建築構造用圧延鋼材
SGP	配管用炭素鋼鋼管
STKN	建築構造用炭素鋼鋼管

※14

大スパン

柱間隔をスパンといい，その間隔が大きいことを意味します。

※15

S造

Steelの構造です。

4 溶接欠陥

鉄骨構造の溶接欠陥には，アンダーカット，ブローホール，オーバーラップなどがあります。

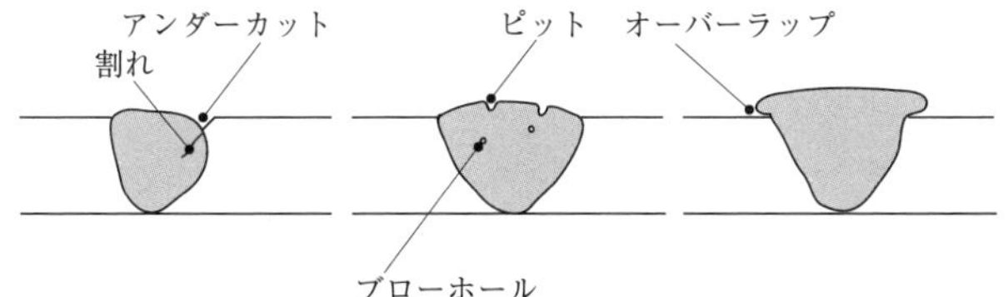

チャレンジ問題！

問1　　難　中　易

次の用語のうち，鉄骨構造の溶接欠陥に，関係のないものはどれか。

(1) オーバーラップ
(2) アンダーカット
(3) ブローホール
(4) コールドジョイント

解　説

コールドジョイントはコンクリートの打継目にできる筋で，鉄骨構造の溶接欠陥とは関係ありません。

解答（4）

第3章  関連分野

CASE 4 設計

まとめ & 丸暗記　この節の学習内容とまとめ

□ 盤類の図記号

	図記号	名称	図記号	名称
盤類		分電盤		配電盤
		制御盤		警報盤
		OA盤		端子盤

□ 照明器具の図記号

	図記号	名称	図記号	名称
照明器具		蛍光灯		非常用照明 (蛍光灯形)
		誘導灯 (蛍光灯形)		誘導灯
		非常用照明		

□ 開閉器・遮断器

PGS	柱上ガス開閉器	GCB	ガス遮断器
PVS	柱上真空開閉器	VCB	真空遮断器
MS	電磁開閉器	MBB	磁気遮断器
MCCB	配線用遮断器	ELCB	漏電遮断器

図記号・器具番号

1 図記号

電気工事の設計で使用される,「日本産業規格 (JIS)」に定められた,電灯用配線設備の図記号[※1]です。

	図記号	名称	図記号	名称
盤類		分電盤		配電盤
		制御盤		警報盤
		OA盤		端子盤
照明器具		蛍光灯		非常用照明(蛍光灯形)
		誘導灯(蛍光灯形)		誘導灯
		非常用照明		
配線器具	●3	点滅器(3路)	E	コンセント(接地極付)
	●R	リモコンスイッチ		コンセント(床面に取り付ける場合)
		コンセント		二重床用コンセント
他			Wh	電力量計

※1
図記号
特に,次の図記号は注意してください。
①制御盤と警報盤
②非常用照明と誘導灯
③差動式スポット型感知器と定温式スポット型感知器

自動火災報知設備	(差動式スポット型感知器 図記号)	差動式スポット型感知器	Ⓑ	警報ベル
	(定温式スポット型感知器 図記号)	定温式スポット型感知器	Ⓟ	P型発信機
	S	煙感知器	◐	表示灯
			(機器収容箱 図記号)	機器収容箱（消火栓箱に組込みの場合）

2 文字記号と用語

①開閉器・遮断器

PGS	柱上ガス開閉器	GCB	ガス遮断器
PVS	柱上真空開閉器	VCB	真空遮断器
MS	電磁開閉器	MBB	磁気遮断器
MCCB	配線用遮断器	ELCB	漏電遮断器

チャレンジ問題！

問1　難 中 易

電灯設備の配線用図記号と名称の組合せとして，「日本産業規格(JIS)」上，不適当なものはどれか。

	図記号	名称		図記号	名称
(1)	(図記号)	誘導灯（蛍光灯形）	(3)	●R	リモコンスイッチ
(2)	(図記号)	二重床用コンセント	(4)	Wh	電力量計

解 説

（1）の図記号は非常用照明器具（蛍光灯形）です。

解答（1）

第一次検定

第4章

施工管理

第4章  施工管理

CASE 1 施工計画

まとめ & 丸暗記 この節の学習内容とまとめ

□ 公共工事標準請負契約約款における設計図書

①質問回答書　④図面
②現場説明書　⑤標準仕様書
③特記仕様書

□ 施工計画の立案手順

①発注者との契約条件を理解し，現地調査を行う
②施工方法の基本方針を決める
③工程計画を立て，総合工程表を作成する
④材料などの調達計画および労務計画を立てる

□ 施工要領書

施工品質の均一化および向上をはかり，施工図を補完する資料として活用。現場に即した内容であることが重要である

□ 仮設計画

原則，請負者がその責任において定める。仮設物は労働安全衛生法を遵守して立案する

□ 消防用設備等の届出

①着工届
工事に着手しようとする日の10日前までに甲種消防設備士が，消防長または消防署長に届け出る

②設置届
工事が完了した日から4日以内に所有者，管理者または占有者が，消防長または消防署長に届け出る

公共工事標準請負契約約款

1 設計図書

公共工事[※1]標準請負契約約款において，設計図書[※2]とは次のものをいいます。ここでは優先度が高い順に示します。作成の遅い順に優先順位が高くなります。

①現場説明に対する質問回答書

②現場説明書

③特記仕様書

④図面

⑤標準仕様書

設計図書の内容についてB社から質問があった場合，B社だけでなく全社に質問の回答をします。

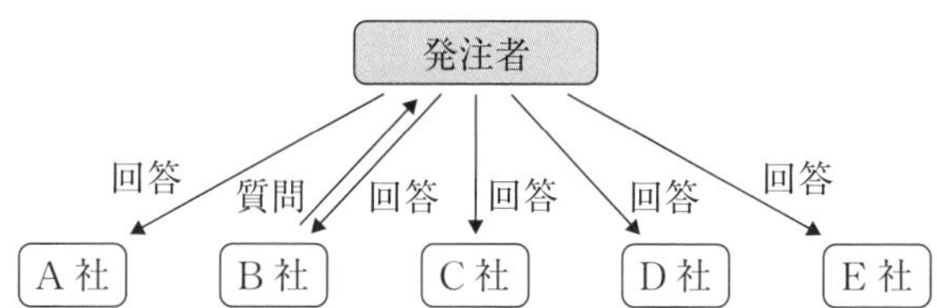

2 契約解除

発注者は，受注者が，正当な理由なく工事に着手すべき期日を過ぎても工事に着手しないときは契約を解除できます。

一方，受注者は，発注者が契約に違反し，その違反によって契約の履行が不可能となったときは，契約を解除できます。また，受注者は，設計図書の変更により請負代金額が**3分の2以上減少**したときは，契約を解除できます。

※1
公共工事
国，都道府県，市町村等の発注する工事です。

※2
設計図書
設計図書については本文に示したとおりですが，設計図書に該当しないものとして，次のものがあります。
・請負代金内訳書
・施工図
・施工計画書
・見積書　など

3 現場代理人

現場代理人は，現場代理人および主任技術者等の氏名その他必要な事項を，発注者に**通知**します。一方，発注者が監督員を置いたときも，同様に受注者に通知します。

現場代理人は，原則として工事現場に**常駐**し，運営，取り締まりを行うなどの権限を有しますが，請負代金額の変更等の権限は行使できません。

現場代理人，主任技術者（監理技術者）および**専門技術者**は，**兼務**できます。

4 検査

発注者は，工事を完成した旨の通知を受けたときは，**通知を受けた日から14日以内**に完成を確認するための検査を完了しなければいけません。完成の通知を受けた日から14日以内であって，工期から14日以内ではありません。

チャレンジ問題！

問1　難　中　**易**

「公共工事標準請負契約約款」上，設計図書に含まれないものはどれか。

(1) 図面
(2) 仕様書
(3) 現場説明書
(4) 請負代金内訳書

解説

請負代金内訳書は受注者が作成するものであり，設計図書に該当しません。

解答 (4)

施工計画書

1 施工計画作成の目的

施工計画書の作成の目的は，次のとおりです。

- 施工効率を高めるため
- 工事を安全に行うため
- コスト目標を達成するため

2 施工計画の立案

①手順

施工計画の立案の手順を次に示します。

a. 発注者との**契約条件**[※3]を理解し，**現地調査**を行う

b. 施工方法の基本方針を決める

c. 工程計画を立て，**総合工程表**[※4]を作成する

d. 材料などの調達計画および労務計画を立てる

②現地調査

工事を受注したら，施工の計画を立てます。**建設予定地に行き**[※5]，隣地の状況，近隣の道路と周辺交通状況，工事用車両の進入・退出経路等を調べます。そして，仮囲い，現場事務所，守衛所，作業員詰所等の予定位置を検討します。

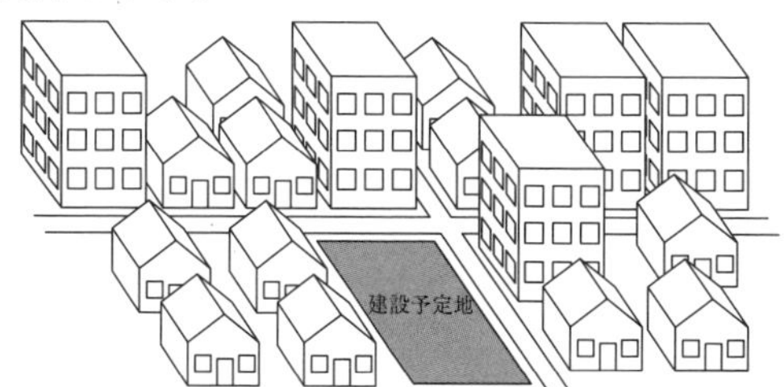

密集している現場に即した施工計画書を作る必要がある

※3
契約条件
設計図書の確認です。

※4
総合工程表
工事に係る全体の工程を示したものです。月間工程表や週間工程表とは異なり，工事すべてを含み，大局的な内容ですが，詳細な日程などは網羅していません。

※5
建設予定地に行き
現場代理人，主任技術者など現場の担当者のほか，工事経験豊富な人など，少数精鋭で現地調査するのが望ましいです。

3 総合工程表

総合工程表は，施工計画書に盛り込む内容であり，事前に作成する必要があります。一般的な電気工事における**総合工程表の作成**についての留意点は次のとおりです。

- 諸官庁への書類の作成を計画的に進めるため，提出予定時期を記入する
- 工程的に[※6]**動かせない作業**がある場合は，それを中心に他の作業との関連性をふまえ計画する
- 関連する建築工程を記入して，電気工事との関連性がわかるようにする

4 施工計画書の作成

①施工計画書の種類と内容

施工計画とは，受注した工事に対して適正な品質管理，安全管理等を行い，工期内に完成させるための計画です。

施工計画書は，工事着手前に工事目的物を完成するために必要な手順や工法等について記載したものです。[※7]**発注者（監理者）**に提出し，**承認**を得ます。変更した場合も同様です。

施工計画書は，大別すると次の2種類があります。

- **総合施工計画書**

総合施工計画書とは，仮設工事，付帯工事などすべての工事を含めた工程を，全体的，大局的に示したものです。検査，引渡し，火災予防計画，安全管理など工事にかかわる[※8]**全般を記載**します。ただし，他業種との詳細な取り合いなどの記載は要しません。具合的には，総合工程表の作成をふまえて，**総合施工計画書**を作成します。記載するものとして次のものがあります。

・総合工程表
・[※9]現場施工体制表
・官公庁届出書類一覧表
・使用資材メーカの一覧表など

なお，施工要領書は詳細なものであり，総合施工計画ができてから作成するものです。ただし，施工要領の作成予定表は含めることもあります。機器製作図や機器承諾図は，工事が開始されてから必要となるもので，総合施工計画書には記載しません。

●工種別施工計画書

週間工程表をもとに，施工すべき作業内容を具体的に示して作成します。

工事の工種ごとに**詳しく記載**[※10]したものですが，すべての工種について記載する必要はありません。

5 総合施工計画の検討

総合の施工計画は次の手順で立てます。

a. 施工計画書作成前に**設計図書**[※11]に目を通し，工事内容を理解する。**公共工事**では，現場説明書や質問回答書の確認も重要である。工事範囲や工事区分を確認しておく。

b. 現地調査を行う。塩害などの**環境条件**も確認する。

c. その現場に即した仮設計画，資機材の搬入計画，施工方法，安全管理，養生等を検討する。

6 工種別施工計画書の検討

工種別施工計画書は，総合施工計画書に基づき作成します。検討内容は，使用機材の性能や品質を確保するために施工上必要な事項や，設計図書に明示されていない施工上必要な事項，設計図書と異なる施工を行う場合の施工方法に関する事項等です。

※6
動かせない作業
キュービクル搬入・据付けの時期，受電の時期などです。

※7
発注者（監理者）
工事監督員，設計者（工事監理を行っている場合）等の承諾です。

※8
全般を記載
仮設計画，資材計画，工程計画，品質計画，安全計画等ですが，予算計画は除きます。

※9
現場施工体制表
現場組織の編成表です。

※10
詳しく記載
工種別工程表は各作業を詳細に記入しますが，総合工程表は大局的な全体の内容を記載します。

※11
設計図書
建築基準法では，図面および仕様書ですが，公共工事標準請負契約約款では，そのほかに，質問回答書，現場説明書も含み，こちらの方が優先度は高くなります。

7 施工要領書

①作成目的

施工要領書は，施工品質の均一化および向上をはかり，施工図を補完する資料として活用するために作成します。

施工手順，でき上がり状態を示したものであり，施工の見落としやミスが防げ，品質水準が向上します。

また，電気工事士になりたての人など，電気工事初心者の技術・技能の習得にも利用できます。

②作成方法

原則として，工事の種別ごとに作成し，一工程の施工の着手前に，総合施工計画書に基づき，設計図書と相違がないように作成します。

作業員が施工しやすいよう，部分詳細や図表などを用い，図面には，寸法，材料名称などを記載してわかりやすいものとします。製造者が作成した資料を用いることもできます。

なお，その現場に即した内容であることが重要で，他の現場においても共通に利用できるように作成するのは適当ではありません。

ひな形（フォーマット）を使用するのはよいですが，当該工事に該当しない項目なども含まれていることが多いので，必ず精査する必要があります。

③作成のポイント

作成時の要点は次の3つです。

- 図入りでわかりやすく
- 箇条書き（3つ以内）
- 文は短く（20文字以内）

【例】電線の接続について

①電線は，リングスリーブを用いて接続する。(20文字)

②その上に粘着テープを巻く。

③テープは半幅分重ねる。

④周知

施工要領書ができたら，施工前に施工計画書と同様に，工事監督員（発注者）や設計者（工事監理者）に提出し確認，**承認**を受けます。

施工要領書の内容は作業員に**周知徹底**します。作成して作業員に手渡すだけでは周知徹底とはいえません。正しい周知の方法は，たとえば，作業員全員に対してベテラン作業員が施工手順や要領の手本を実演し，必要に応じて作業員全員に実行させてみるなどです。

当然，ベテラン作業員に任せきりにするのではなく，現場代理人や，主任技術者が立ち会って，施工要領書に記載した内容どおりか確認する必要があります。

チャレンジ問題！

問1　難　**中**　易

施工要領書に関する記述として，最も不適当なものはどれか。

(1) 内容を作業員に周知徹底しなければならない。
(2) 部分詳細や図表などを用いてわかりやすいものとする。
(3) 施工図を補完する資料なので，設計者，工事監督員の承諾を必要としない。
(4) 一工程の施工の着手前に，総合施工計画書に基づいて作成する。
(5) 初心者の技術・技能の習得に利用できる。

解　説

設計者，工事監督員の承諾を必要とします。

※従来（令和２年度まで）は，四肢択一問題のみでしたが，令和３年度の第一次検定問題から，施工管理に関する問題について，五肢択一問題も出題されるようになりました。

解答（3）

仮設計画・搬入計画・届出

1 仮設計画

仮設計画は安全の基本となるもので，契約書および設計図書に特別の定めがある場合を除き，**請負者**がその責任において定めます。

仮設計画の良否は，工程やその他の計画に影響を及ぼし，工事の**品質**に影響を与えます。**仮設物は労働安全衛生法**を遵守して立案します。立案時には，次の事項に留意します。なお，仮設工事は，設置，維持，撤去，後片付けまで含みます。

- 近隣の道路と周辺交通状況および隣地の状況
- 仮囲い，現場事務所，資材置場，守衛所等の仮設物の大きさと**予定位置**[※12]
- 配電線，通信線，給排水管等の状況および計画引込予定位置

2 搬入計画

大型機器の**搬入計画**[※13]を立てる場合の検討事項は次のとおりです。

- 搬入時期および搬入順序
- 運搬車両の駐車位置と待機場所
- 搬入経路と作業区画場所
- 搬入口の位置と大きさ
- 揚重機の選定
- 揚重作業に必要な**資格**[※14]

3 提出書類

①消防用設備等の届出

●届の要・不要

電気工事に関して，**自動火災報知設備**，**ガス漏れ火災警報設備**は，所轄の消防長または消防署長に工事着手の届出が必要です。

なお，漏電火災警報器，非常警報設備の放送設備，無線通信補助設備，非常コンセント設備については，着手の届出は不要です。

● 着工届

工事に着手しようとする日の10日前までに甲種消防設備士が，消防長または消防署長に届け出ます。

● 設置届

工事完了日から4日以内に所有者，管理者または占有者が，消防長または消防署長に届け出ます。

②その他の届出

次の表は，主な届出書類，報告書類等の提出先です。

届出および報告書類等	提出先
道路使用許可申請書	所轄警察署長
道路占用許可申請書	道路管理者
航空障害灯（60m以上）	地方航空局長
確認申請書	建築主事または指定確認検査機関
自家用電気工作物使用開始届書	経済産業大臣または経済産業局長

※12

予定位置

仮設建物は，工事の進捗に伴う移転の多い場所には配置しないことです。

※13

搬入計画を立てる

この時点での搬入業者の作業員名簿，作業員の健康診断記録の確認は不要です。

※14

資格

クレーンの資格は，揚重トン数により異なります。

チャレンジ問題！

問1　難 **中** 易

市街地における新築工事現場の仮設計画立案のための現地調査の確認事項として，最も重要度が低いものはどれか。

(1) 近隣の道路と交通状況および隣地の状況
(2) 仮囲い，現場事務所，守衛所等の予定位置
(3) 所轄の警察署，消防署および労災指定病院の位置
(4) 配電線，通信線，給排水管等の状況および計画引込予定位置

解説

所轄の警察署，消防署および労災指定病院の位置の確認は，仮設計画立案のための現地調査の確認事項としては，最も重要度が低いものです。

解答（3）

第4章  施工管理

CASE 2 工程管理

まとめ & 丸暗記　この節の学習内容とまとめ

□ 工程表の比較

項目	バーチャート	ガントチャート	ネットワーク
作業の関連	△	×	○
作業日数	○	×	○
進行状況	△	△(全体は不明)	○
作成の難易	○	○	×

×：不明，困難　△：漠然　○：判明，容易

□ アローネットワーク

矢印を用いた工程表
(アルファベットは作業名，その下の数字は作業日数)

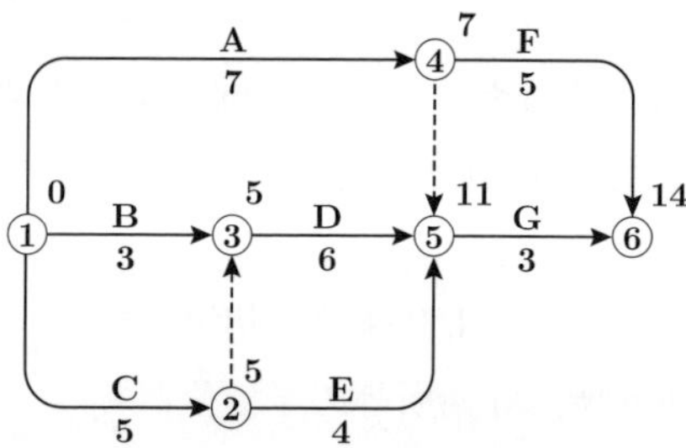

●作業（アクティビティ）：作業とその流れを表す。記号 ⟶
●ダミー：実際の作業はなく，順序を表す。記号 - - -➝
●結合点（イベント）：作業の始点，終点を表す。記号①，②，…⑥

工程管理と工程表

1 工程と費用

工事現場における工程（施工期間）と工事費[※1]の関係を表すグラフは，図のようになります。

① **直接工事費**

材料費や労務費のことであり，施工期間を短くすると増加します。

② **間接工事費**

一般管理費や借地代等のことであり，施工期間を短くすると減少します。

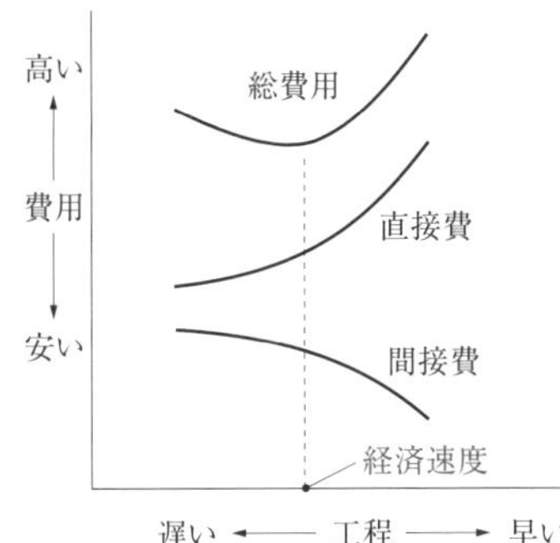

2 工程管理の要点

工程管理[※2]の要点は次のとおりです。

- 月間工程表で工事の進捗を管理し，週間工程表で詳細に検討および調整を行う
- 常にクリティカルな工程[※3]を把握し，**重点的に管理する**
- 工程が変更になった場合には，速やかに作業員や関係者に**周知徹底**を行う
- 電力引込みなどの屋外工事の工程は，天候不順などを考慮して**余裕**をもたせる
- 関連業者との工程調整では，電気工事として必要な工程を的確に要求する

※1
工事費
直接費と間接費から成り，合計が総費用でそれが最も安くなる工程速度が経済速度です。

※2
工程管理
まず，全体工程表を決め，月間工程表，週間工程表となるに従い詳細な工程になります。

※3
クリティカルな工程
その工程が遅れると全体工期も延びてしまうような，まったく余裕のない工程です。

3 工程表の作成

総合工程表の作成については次の点に留意します。

- 施工完了予定日から所要期間を逆算して，各工事の開始日を設定する
- 同一作業が連続するような場合は，作業人員を平準化させる
- 主要機器の工事工程は，製作期間，現場搬入時期，据付調整期間などを考慮する
- 工程的に動かせない作業がある場合は，それを中心に他の作業との関連性をふまえる
- 受変電設備，幹線などの工事期間は，受電の自主検査日より逆算して計画する

4 工程表の種類

工程表は，工事を順調に進め，工期を厳守するためのもので，次の種類があります。

①曲線式工程表

進度管理曲線[※4]は，工期と出来高の関係を示したものです。横軸に工期，縦軸に出来高をとると，作業の進捗はおよそ図のような曲線になります。この進度管理の曲線を，**S字曲線**[※5]と呼んでいます。

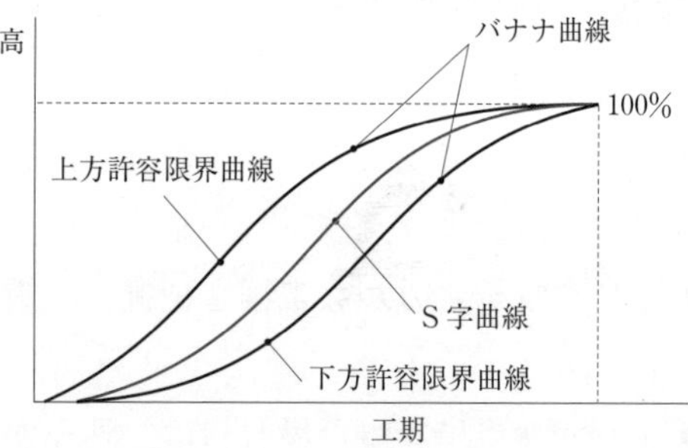

工程管理は，S字曲線が，当初予定した**上方許容限界曲線**と**下方許容限界曲線**の中に入るようにする必要があります。この上方，下方の2つの曲線の形から，**バナナ曲線**といいます。

②バーチャート工程表

バーチャート工程表は，縦に**各作業名**を列記し，横軸に**暦日**などをとり，各作業の着手日と終了日の間を横線で結んだものです。

各作業の所要日数と施工日程はわかりやすく，作成が容易なため，現場でよく使われています。各作業の手順はわかりやすいですが，各作業の工期に対する影響の度合いがわかりにくいのが欠点です。

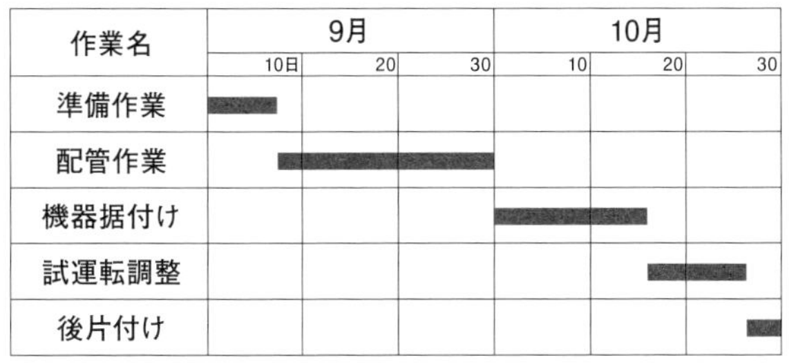

③ガントチャート工程表[※6]

ガントチャート工程表は，縦に各作業名を列記し，横軸に各作業の達成度（進捗率）をとったもので，作業ごとの進捗状況は把握できますが，工事全体の進捗度は把握できません。

作業名
達成度（%）
20 40 60 80 100
準備作業
配管作業
機器据付け
試運転調整
後片付け

④ネットワーク工程表

ネットワーク工程表は，矢印に作業名と所要日数を記載し，一連の作業を表したものです。作業の順序関係が明確であり，前作業が遅れた場合に後続作業に及ぼす影響の把握などにも速やかに対処できます。クリティカルパス[※7]も把握しやすい工程表です。

※4
進度管理曲線
曲線で表したものなので，曲線式工程表といえます。

※5
S字曲線
アルファベットのSの形になるので，こう呼ばれています。Sカーブともいわれます。
工期始めと最後の進捗率（出来高）が上がらないのは，それぞれ，仮設工事，試験調整のためです。

※6
ガントチャート工程表
ガントが考案したチャートです。

※7
クリティカルパス
クリティカルは，「特別な」「危険な」という意味で，パスは「道」です。その工程の作業のどれか1つでも遅延すると，工期が超過してしまう，特別な，危険な道です。
クリティカルパスは必ず1本はあり，複数本のこともあります。

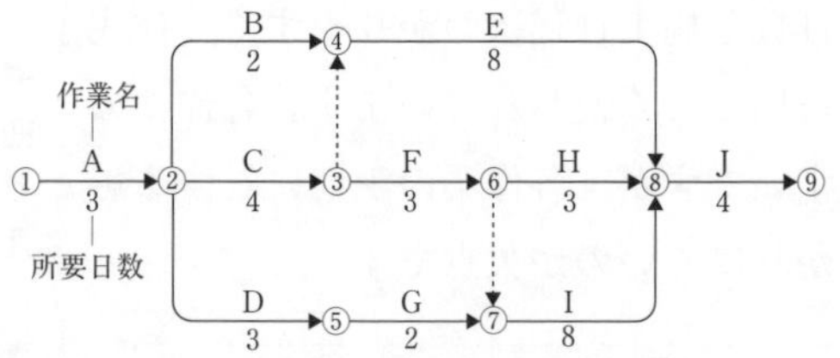

⑤タクト工程表

タクト工程表は，**繰返し作業の多い工程**の管理に適しています。たとえば，高層建物で同一作業を1フロアなどの工区ごとに繰り返す場合など，全体工程表の作成に多く用いられています。

工期の遅れなどの状況把握も容易です。

チャレンジ問題！

問1 難 **中** 易

建設工事の工程管理で採用する工程表に関する記述として，最も不適当なものはどれか。

(1) ある時点における各作業ごとの進行状況が把握しやすい，ガントチャート工程表を採用した。
(2) 各作業の完了時点を横軸で100％としている，ガントチャート工程表を採用した。
(3) 各作業の手順が把握しやすい，バーチャート工程表を採用した。
(4) 各作業の所要日数や日程が把握しやすい，バーチャート工程表を採用した。
(5) 工事全体のクリティカルパスが把握しやすい，バーチャート工程表を採用した。

解 説

工事全体のクリティカルパスが把握しやすいのは，ネットワーク工程表です。

解答 (5)

アローネットワーク

1 用語

ネットワーク工程表では，矢印（アロー）を用いた，アローネットワーク工程表が代表的なものです。

①作業[※8]（アクティビティ）

アクティビティは，作業活動や材料入手など，時間を必要とする諸活動を示します。各作業を実線の矢印で表し，矢印の向きは作業が進む方向を示します。

一般に作業名を矢印の上に表示し，作業日数を矢印の下に表示します。

作業名
→
日数

②ダミー

点線の矢印で表します。実際に作業はなく（作業日数も0です），作業の順序だけを示します。

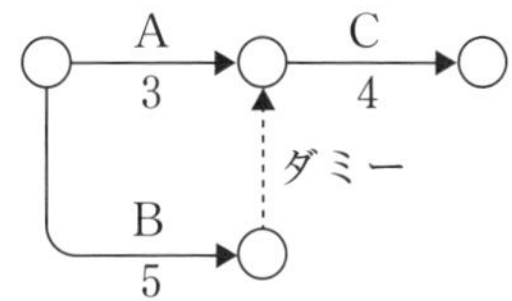

A作業はもとより，B作業も終わらないとC作業が開始できません。

> ※8
> **作業（アクティビティ）**
> 試験問題では，作業名を表示せず，単に作業日数だけの場合もあります。また，作業日数のことをデュレイションといいます。
> 作業のつながりについて次のように表現します。
> ・先行作業
> ある作業を行うために前もって行う作業
> ・後続作業
> ある作業の後に行う作業
> ・並列作業
> 複数の作業を同時に行う
> 工期を短縮するには，直列作業（先行作業，後続作業）を並列作業に変更できないか検討することが必要です。

例題

(1) において，Dの開始条件は何か。

(2) において，CとDの開始条件は何か。

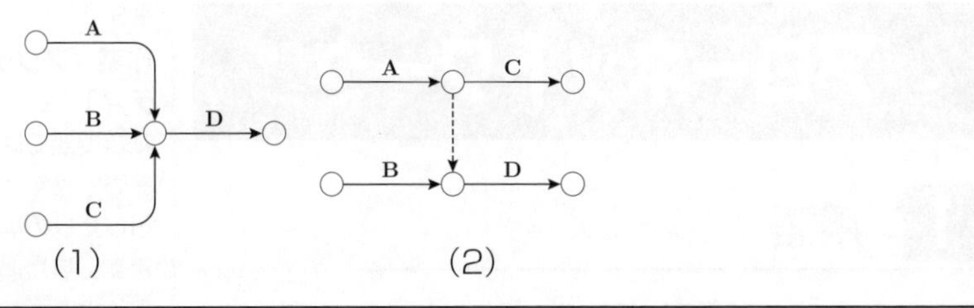

解説

(1) A，B，Cのすべてが終わればDが開始できます。

(2) Aが終わればCは開始できます。また，AとBが終わればDが開始できます（Bが終わるだけでは，Dは開始できません）。

③結合点（イベント）

作業の始まりや終わりを表し，1つの節目と考えることができます。○で表記しその中に番号を入れます。その番号を**イベント番号**[※9]といいます。

隣り合う結合点間に2つ以上の作業を表示することはできません。

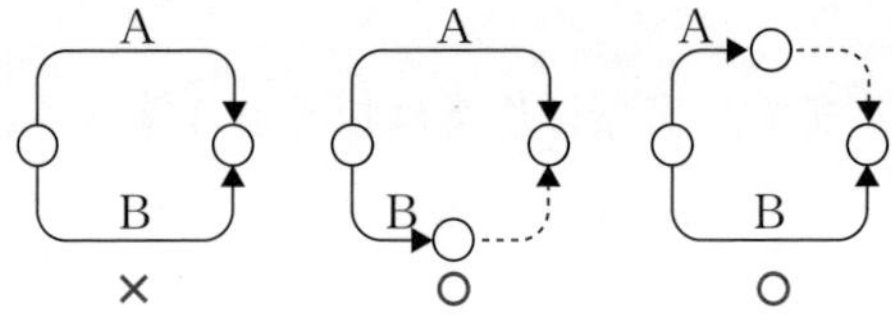

④先行作業と後続作業

先行作業とは，ある作業の前に先行して行う作業のことです。後続作業は，それに続いて行う作業です。先行作業が終われば後続作業が始められます。

先行作業 → 結合点 → 後続作業

⑤最早開始時刻[※10]（EST）

次の作業が，最も早く開始できる時刻をいいます。

⑥フロート

結合点に2つ以上の作業が集まる場合，最も遅く完了するもの以外には，時間的に余裕があります。その**余裕時間**をフロートといいます。

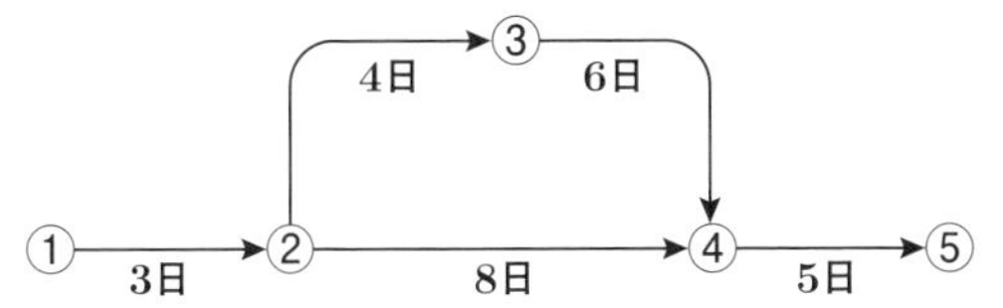

図のような工程表の場合，②→④（8日）のルートは，②→③→④（10日）より2日のフロートがあることがわかります。

⑦クリティカルパス

工事完了に至る工程のうち，最も日数を要するものをいいます。工期厳守には，クリティカルパスを重点管理することが重要となります。クリティカルパスのみを管理するのではありません。

※9
イベント番号
同じ番号を付けることはできません。一般に，左（工期の始まり）から，右（工期の終わり）に向かって，番号を付けます。

※10
EST
Earliest（最も早く）
Start（始まる）
Time（時刻）
最も早く開始できる日です（翌日から次の作業が開始できます）。

※11
スタートのイベント
これから工事が始まる朝なので，0と記入します。
遅くとも完了していなければならない時刻です。

2 最早開始時刻（EST）の求め方

図のようなネットワークの場合，ESTはイベント番号の上に記入します。

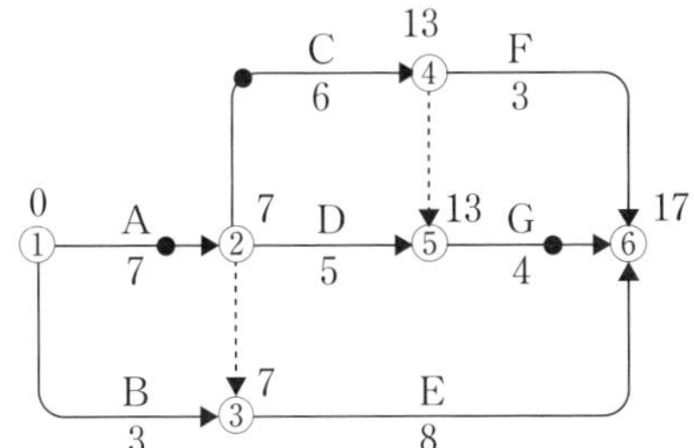

●手順

a. ①がスタートのイベント[※11]で，⑥がゴールになります。まず，①の上方に0を記入します。

b. イベント番号②への矢印は1本のみで，②に7と記入します。これは，A作業が完了した7日目の夕刻を意味します。

c. ③に入る矢印は2本あります（ダミーの矢印も1本

です)。この場合は，**2系統の比較**をします。つまり，①→②→③は7日で，①→③は3日です。B作業は3日で完了しますが，A作業が7日なので，A作業の終わるのを待たなければ次のE作業は開始できません。したがって，③に**7と記入**します。

d. ④は1本なので，②の上の数字7日と6日を足して，④に**13を記入**します。

e. ⑤は④→⑤が13日，②→⑤が12日なので，大きいほうの数字**13を**⑤に**記入**します。

f. ⑥に入る矢印は3本です。④→⑥が16日，⑤→⑥が17日，③→⑥が15日なので，⑥に**17を記入**します。

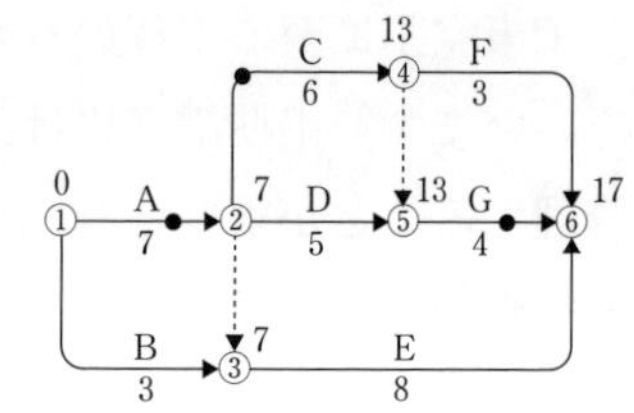

以上で，ESTをすべて求めたことになります。これにより，次のことがわかります。

・**所要日数は17日**

・**クリティカルパス**はA→C→G（作業名で記述）

よって，ESTは①→②→④→⑤→⑥（イベント番号で記述）となります。ESTを求めるときに，クリティカルパスのルートに印を付けておくと便利です。

③に至るには，②からのルートのほうが日数がかかるので，①→②の→に黒丸を付けておきます。以下同様です。

例題

図に示すネットワーク工程の所要工期は何日か。

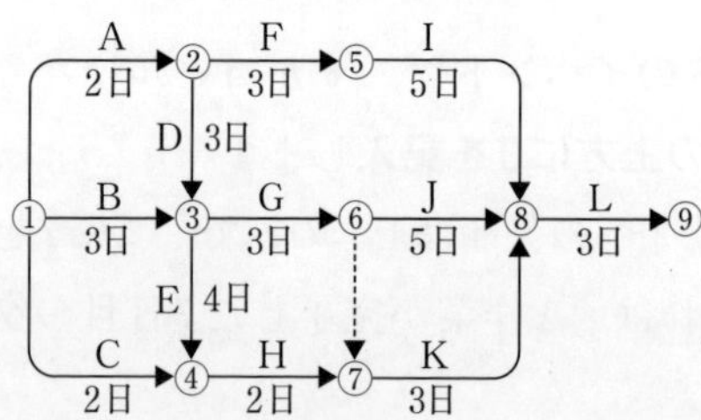

解説

最早開始時刻を求めると，図のようになります。

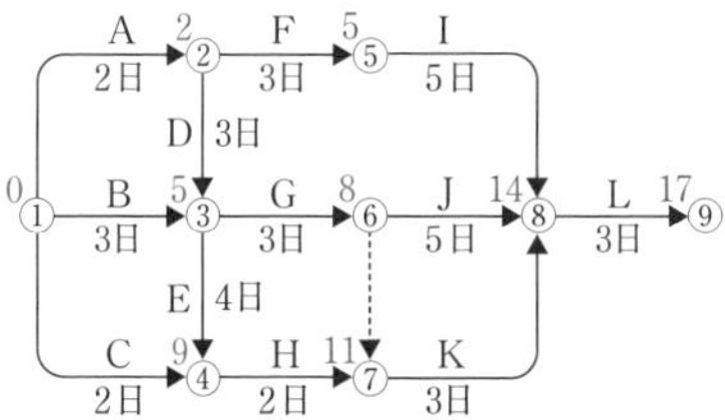

したがって，所要工期は17日です。

チャレンジ問題！

問1

難 中 易

図に示すネットワーク工程の各作業に関する記述として，不適当なものはどれか。

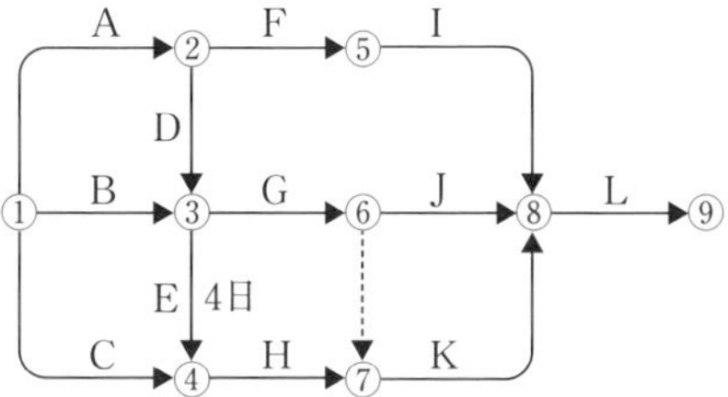

(1) 作業Bが終了していなくても，作業Aが終了すると，作業Fが開始できる。

(2) 作業Cと作業Eが終了すると，作業Hが開始できる。

(3) 作業Gが終了すると，作業Jが開始できる。

(4) 作業Gが終了していなくても，作業Hが終了すると，作業Kが開始できる。

(5) 作業Iと作業Jと作業Kが終了すると，作業Lが開始できる。

解説

⑥から⑦にダミーがあり，作業Kは作業Hのほかに作業Gも終了していないと開始できません。

解答（4）

CASE 3 品質管理

まとめ & 丸暗記 この節の学習内容とまとめ

□ 品質管理のツール

①管理図

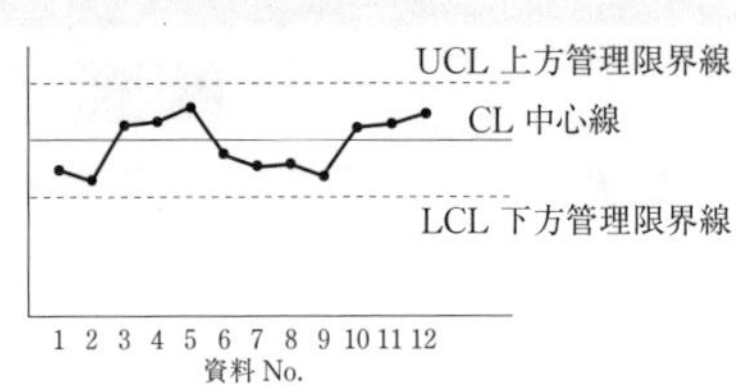

②ヒストグラム

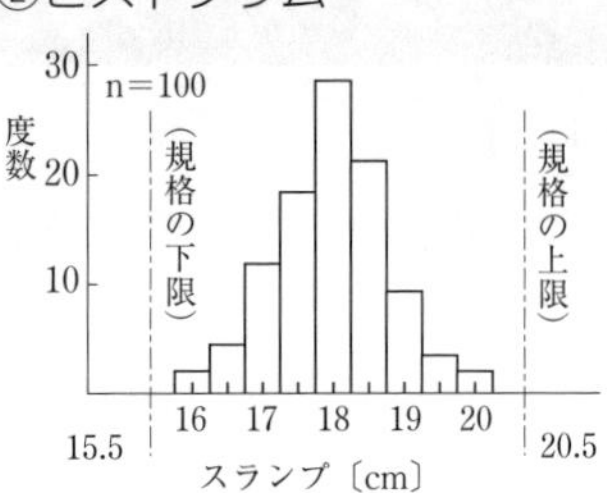

③特性要因図

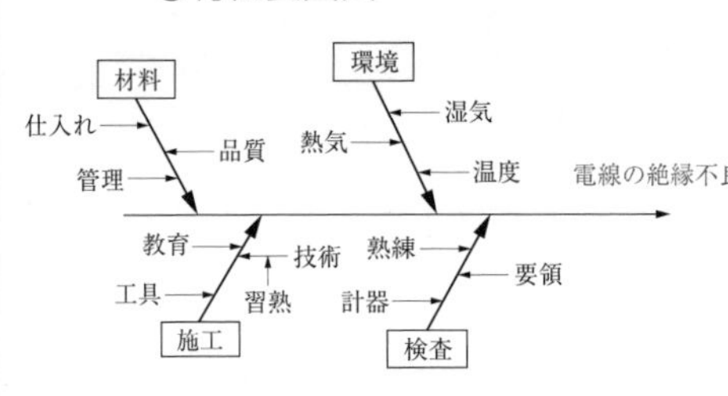

④パレート図

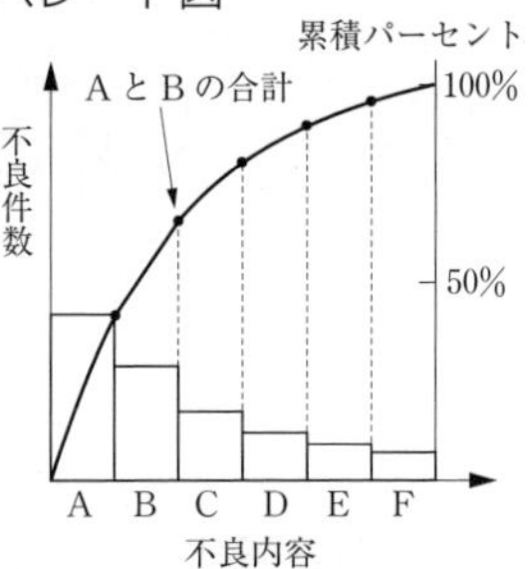

□ 測定機器

機器	使用目的
検電器	充電の有無の確認
検相器	三相動力回路の相順の確認
クランプ式電流計	配電盤からの幹線の電流を計測

品質管理とツール

1 品質管理

品質管理[※1]とは，買い手の要求に合った品物やサービスを，経済的[※2]につくり出すための手段の体系をいいます。施工図の検討，機器の工場検査，装置の試運転調整などは品質管理です。

また，品質管理を行うことにより，品質の向上，品質の均一化，手直しの減少工事原価の低減などの効果があります。

2 品質管理活動

品質管理の一般的な手順はデミングサークル[※3]によります。

①Plan：品質の仕様を決定する。

②Do：標準どおりに作業を実施する。

③Check：品質を測定・試験し，結果を基準と比較し，確認する。

④Action：不具合が出たら，原因を調べて処置する。

①～④のサークルが終わったら，計画を練り直しスパイラルアップします。

3 管理図

品質管理（QC）の手法として，QCの7つ道具とい

※1
品質管理
QC（Quality Control）ともいいます。

※2
経済的
費用をかけることが品質管理ではなく，設計仕様に定めた品質の水準を満たしたうえで，かつ，安い費用でつくることが重要です。

※3
デミングサークル
デミングが考案したものです。
P→D→C→Aと進めます。工程管理にも用いられる手法です。

われるものがあり，管理図はその1つです。以下，この試験に出題される5つのツールについて説明します。

管理図は，データをプロットして結んだ折れ線と管理限界線を表示した図であり，データの時間的変化，異常なばらつきがわかります。

【例】長さ15cmの特殊なボルトを毎日10本，12日間つくります。1日目に製作した10本のボルトを資料No.1とし，長さの平均値を求めたところ14.9cmであり，以下，No.12は15.1cmでした。

下の図は，ボルト長さの許容値を15cm±0.2cmとして縦軸にとり，横軸に資料No.をとったグラフです。

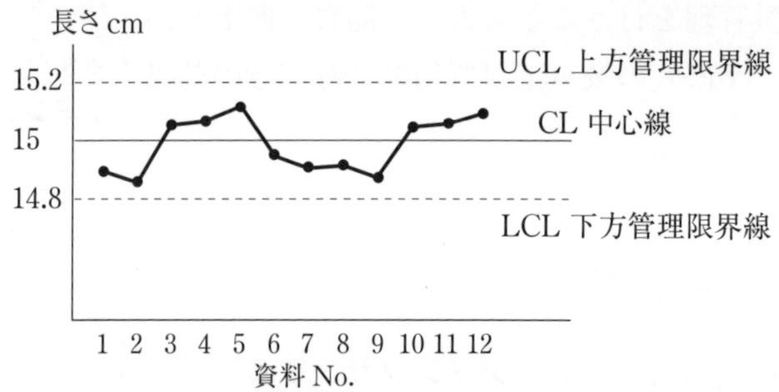

12の資料（ボルト）平均値が上下の管理限界線内にあり，異常な傾向[※4]もみられないので，品質は管理されていると判断します。

4 ヒストグラム

ヒストグラム[※5]は，「柱状図」とも呼ばれるもので，データの全体分布や，概略の平均値，規格の上限・下限から外れている度合いがわかります。

全データは許容誤差内におさまるようにします。さらに正規分布曲線[※6]に近い形になるのが理想です。

【例】生コンクリートの硬軟を表す，スランプ値〔cm〕100個分を測定したところ図のようになりました。許容範囲は18cm±2.5cm（15.5cm～20.5cm）です。

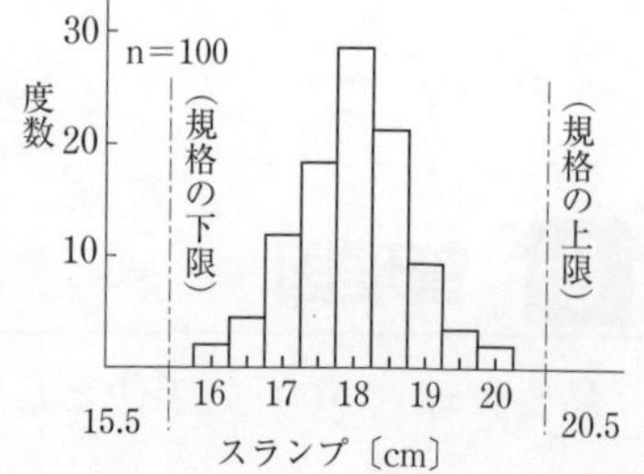

100回の測定値はすべて許容範囲内に

あることと，1つのきれいな山形になっていることから，スランプ値においては品質管理上問題なしとします。

5 特性要因図

特性要因図は，特性（結果）と要因（原因）の関係を図にしたものです。

「魚の骨」とも呼ばれるもので，不良とその原因が体系的にわかります。

不良の原因は，ブレーンストーミング※7の形で調べます。

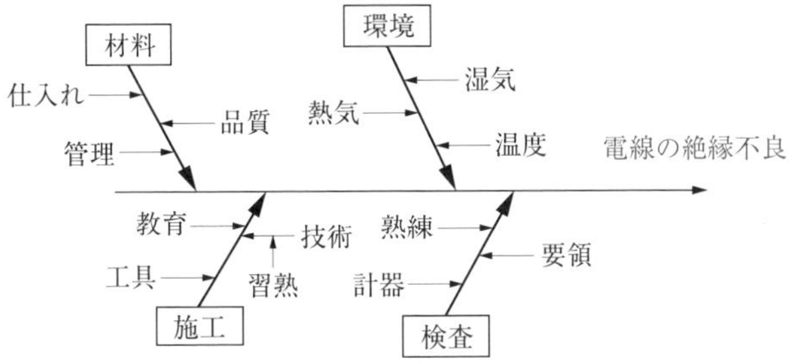

6 パレート図

パレート図とは，製品に生じた不良項目を種類ごとにまとめ，件数の多い順に並べて棒グラフをつくり，さらに，累計の折れ線グラフを表示したものです。

パレート図を用いると，全体の不良を，ある率まで減らす対策の対象となる重点不良項目がわかります。

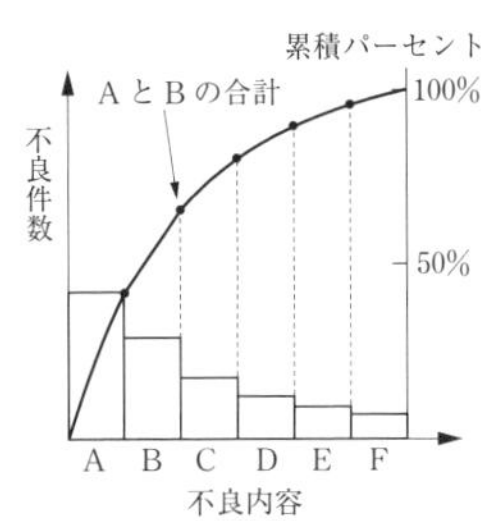

※4
異常な傾向
上方管理限界線と下方管理限界線の中にすべての点が入っていたとしても，上昇一方，下降一方，ジグザグに周期的に変動するなどが，異常な傾向といえます。

※5
ヒストグラム
棒グラフは5～10本程度になるように範囲を設定します。

※6
正規分布曲線
図のような曲線です。

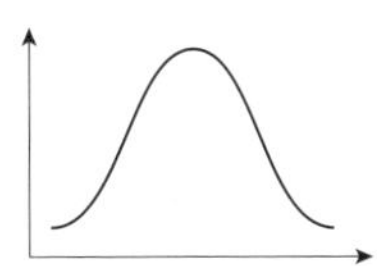

※7
ブレーンストーミング
なぜそういう結果になったのかを，各人がいろいろな視点から考えて原因を追究するものです。

7 散布図

散布図とは，2つの特性を横軸と縦軸にとり，測定値を打点して作る図で，点の分布状態で相関の有無を知ることができます。

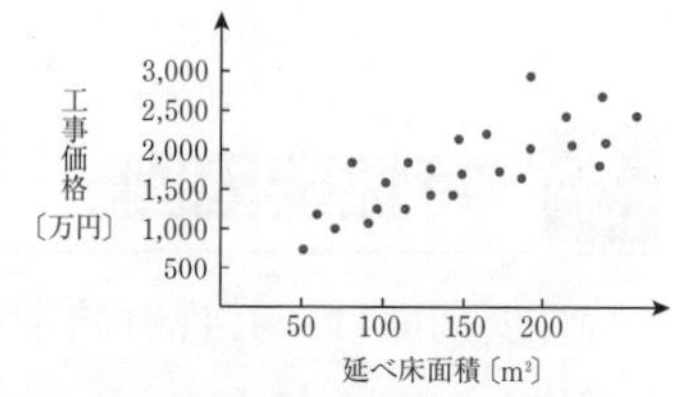

チャレンジ問題！

問1

難　中　易

図に示す電気工事におけるパレート図において，品質管理に関する記述として，不適当なものはどれか。

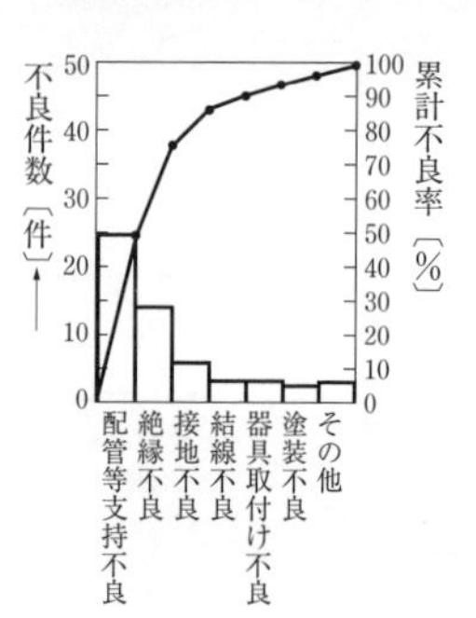

(1) 不良件数の多さの順位がわかりやすい。

(2) 工事全体の不良件数は，約50件である。

(3) 配管等支持不良の件数が，工事全体の不良件数の約半数を占めている。

(4) 工事全体の損失金額を効果的に低減するためには，配管等支持不良の項目を改善すればよい。

(5) 配管等支持不良，絶縁不良，接地不良および結線不良の各項目を改善すると，工事全体の約90%の不良件数が改善できる。

解 説

配管等支持不良の項目は最も件数が多いので，これを改善すれば，不良件数と累計不良率は大きく下がりますが，1件当たりの工事金額が不明なので，工事全体の損失金額を効果的に低減することになるかはわかりません。

解答（4）

試験・検査

1 試験や測定に使用する機器

電気工事の試験や測定に使用する機器とその使用目的の組合せは，次の表のとおりです。

機器	使用目的
検電器	充電の有無の確認
検相器	三相動力回路の相順の確認
接地抵抗計	接地極の接地抵抗の測定
絶縁抵抗計	回路の絶縁抵抗値の測定
回路計(テスタ)	低圧回路の電圧値の測定
[※8]クランプ式電流計	配電盤からの幹線の電流を計測

2 接地抵抗の測定

測定手順は次のとおりです。

- 接地抵抗計の電池の電圧を確認する
- 測定前に地[※9]電圧が小さいことを確認する
- 接地端子箱内で機器側と接地極側の端子を切り離す
- 測定用補助接地棒（P，C）を打ち込む。被測定接地極（E）との配置は，図のようにE[※10]→P→Cの順に約10m間隔である
- 検流計の指針が0（ゼロ）目盛りを指示したときのダイヤルの目盛りを読む

※8

クランプ式電流計

回路を切らずに測定できます。

測定器の先端部を開いて電線を1本だけ輪内に入れることで，その電線に流れている負荷電流が測定できます。

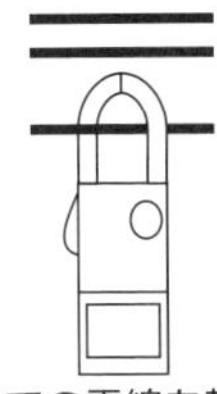

すべての電線を輪内に入れると，漏えい電流が測定できます。

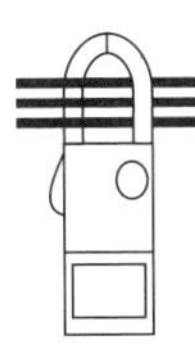

※9

地電圧

周囲の状況等で大地の電位が上昇していないか確認します。

※10

E→P→Cの順

この順は，よく出題されるため非常に重要です。補助接地極P，Cは地面深く埋め込みます。

3 絶縁抵抗測定

①測定方法

測定手順は次のとおりです。

a. 測定する電路の電圧と，使用する絶縁抵抗計の電圧が適正か確認する

b. 測定回路に，半導体など測定電圧をかけることにより破壊されるような機器が接続されていないことを確認する

c. 絶縁抵抗計の電池の電圧が適正であることを確認する

d. 接地端子（E）は，接地極に接続し，線路端子（L）と短絡し，スイッチを入れて指針が0であることを確認する

e. 回路の電圧を遮断し，負荷側電線を1本ずつ測定する。対地静電容量が大きい回路の場合，絶縁抵抗計の指針が安定してからの値を測定値とする

②使用できる電圧

電路の電圧によって，絶縁抵抗計の電圧は次の表のようになります。

電路	絶縁抵抗計
100Vの電灯の電路と大地間	250V
200V電動機用の電路と大地間	500V
高圧ケーブルの各心線と大地間	1,000V

4 絶縁耐力試験

公称電圧6,600Vの高圧ケーブルに所定の電圧を印加して，絶縁破壊しないことを確認します（電気設備技術基準とその解釈による）。

①交流試験電圧は，最大使用電圧[※11]の1.5倍を印加します。

6,900×1.5＝10,350〔V〕

②直流試験電圧は，最大使用電圧の3倍を印加します。

6,900×3＝20,700〔V〕

※①か②のいずれかの試験を行います。

電圧計や電流計を確認しながら，ゆっくり，電圧を上げていきます。

③電路と大地間に連続して10分間印加します。

ケーブル以外の高圧受変電設備についても，同様の試験電圧をかけて，絶縁破壊しないことを確認します。

試験終了後，電圧をゼロに降圧して電源を切り，検電して無電圧であることを確認してから接地し，残留電荷を放電します。特にケーブルが長い場合は，電荷が溜まっているので，必ず放電します。

※11

最大使用電圧

高圧の公称電圧は6,600Vで，最大使用電圧は6,900Vになります。

チャレンジ問題！

問1　　難　**中**　易

高圧電路の絶縁性能の試験（絶縁耐力試験）に関する次の記述のうち［　　］に当てはまる語句として，「電気設備の技術基準とその解釈」上，適当なものはどれか。

「最大使用電圧の［　　］の交流試験電圧を，電路と大地の間に連続して10分間加えたとき，これに耐える性能を有すること。」

(1) 1.1倍

(2) 1.25倍

(3) 1.5倍

(4) 2.0倍

解　説

最大使用電圧の1.5倍の交流試験電圧を加えます。

解答 (3)

CASE 4 安全管理

まとめ & 丸暗記　この節の学習内容とまとめ

□ 数値基準

原則は次のとおり

項目	数値
手すり	85cm以上
昇降設備	1.5mを超える箇所に設置
通路の障害物	1.8m以内に置かない
照度	2m以上の箇所に必要な照度を確保
作業床	2m以上の箇所で設置
投下設備	3m以上から物体を投下
登りさん橋	8m以上の登りさん橋には，7m以内ごとに踊場を設置
架設通路	30度以下の勾配　15度以上は踏さん等設置

□ 資格

種類	取得方法
免許	都道府県労働局長が行う試験に合格
技能講習	都道府県労働局長の登録を受けた者が行う講習を修了
特別の教育	事業所が行う教育

□ 作業主任者

①ガス溶接作業主任者　②酸素欠乏危険作業主任者
③石綿作業主任者
④足場の組立て等作業主任者（高さ5m以上）
⑤地山の掘削等作業主任者（高さ2m以上）

建設現場の安全

1 電気の安全

①停電作業

停電作業を行う場合，作業の指揮者は，作業開始前に作業の方法および順序を周知徹底させ，**危険予知**を行って作業を直接指揮します。

高圧受電設備の停電作業を行う場合，電路が**無負荷**であることを確認し，高圧の電路の**断路器**を開路します。開路した直後の**電力コンデンサ**には**残留電荷**があり危険なので，放電させます。

開路した高圧の電路の停電を**検電器具**で確認した後，**短絡接地**[※1]を施します。

②感電防止

労働者の感電の危険を防止するための措置は次のとおりです。

- 仮設の**配線**を通路面で使用する場合，配線の上を車両などが通過することによる絶縁被覆の損傷のおそれがないように**防護**する
- 電気機械器具の操作部分は，操作の際に，感電の危険を防止するため，必要な**照度**を**保持**する
- 移動電線に接続する手持型の電灯は，感電の危険を防止するため**ガード付き**とする
- 架空電線に近接する場所でクレーンを使用する場合，架空電線に**絶縁用防護具**[※2]を装着する
- 低圧活線近接作業において，感電のおそれのある充電電路に感電注意の表示をしても，**絶縁用保護具**[※3]の着用および絶縁用防護具の装着は省略できない

※1

短絡接地

検電器で無電圧を確認しても，短絡接地は省略できません。

短絡接地に使用する短絡接地器具は図のようなものです。

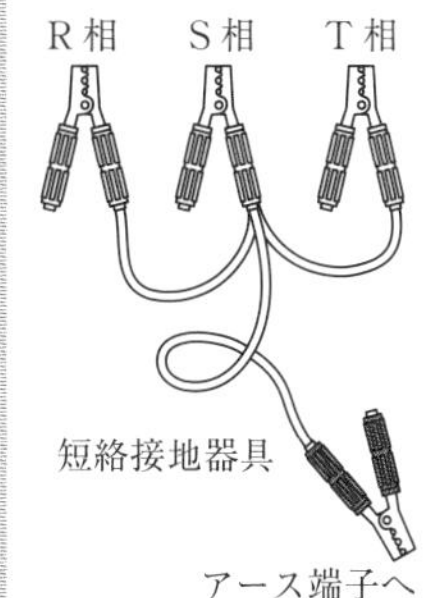

※2

絶縁用防護具

高圧電路に装着するものです。当該架空電線を移設することが望ましいですが，それが困難な場合は絶縁用防護具を装着します。

※3

絶縁用保護具

人体に装着するものです。区画された電気室において，電気取扱者以外の者の立入りを禁止すれば充電部の絶縁覆いを省略できます。

- 開路した開閉器には通電禁止の表示等を行う。この場合，監視人の配置を省略することができる

③高圧活線近接作業

高圧活線近接作業とは，高圧の充電電路に対して，頭上距離30cm以内，**躯側距離**または足下距離60cm以内に接近して行う作業のことです。

高圧の充電電路への接触による感電のおそれがない場合であっても，事業者から命じられたときは，**絶縁用保護具**を着用しなければいけません。

また，当該充電電路には，**絶縁用防護具**を装着します。

④点検

高圧活線作業に使用する**絶縁用保護具**は，その日の使用を開始する前に損傷の有無や乾燥状態を点検します。

高圧電路の停電を確認するために使用する**検電器具**は，その日の使用を開始する前に検電性能を点検します。

常時使用する**対地電圧が150V**を超える移動式の電動機械器具を使用する電路の感電防止用**漏電しゃ断装置**は，その日の使用を開始する前に点検し，異常を認めたら，直ちに補修または取り替えます。

2 危険防止

①掘削作業

明り掘削の作業[※4]において，掘削作業時に地中電線路を損壊するおそれがある場合は，掘削機械を使用せず手掘りで掘削します。

地山の掘削高さが2mを超える場合は，作業主任者が**要求性能墜落制止用器具**（安全帯）等および保護帽の使用について監視します。

掘削において**土止め支保工**を設けたときは，**7日以内**ごとに点検を行い，異常が認められたときは直ちに補修します。

掘削面の高さが5m以上の砂からなる地山を手掘りで掘削する場合，掘削面の勾配は**35度以下**とします。

②玉掛け作業

クレーンを使用して機材を揚重する場合の玉掛け作業において，玉掛け

用ワイヤロープは，安全係数が6のもので，両端にアイ[※5]を備えているものを使用し，使用する日に点検を行います。その結果，ワイヤ素線がよじれてキンクしたものは曲り直しをしても使用することはできないため交換します。

③ガス溶接

ガス溶接等の業務に使用する溶解アセチレンの容器は，火気を使用する場所の付近や気密性のある場所を避け，通風または換気の十分な場所に，容器の温度を40℃以下に保ち，立てて貯蔵[※6]します。

使用前または使用中の容器とこれら以外の容器との区別を明らかにし，運搬するときはキャップを施します。

3 高所作業

①要求性能墜落制止用器具

高さが2m以上の箇所で作業を行う場合，原則として事業者は労働者に要求性能墜落制止用器具[※7]を使用させます。また，墜落制止用器具等を安全に取り付けるための設備等を設ける必要があります。

なお，屋外作業で強風や大雨のため危険が予想される場合は，墜落制止用器具を作業員に着用させて作業に従事させることはできず，作業を中止します。

胴ベルト型

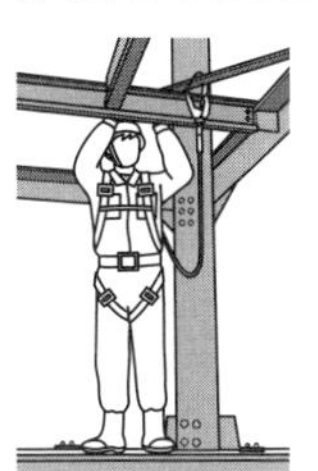

フルハーネス型

※4
明り掘削
トンネル工事などの暗いところでの掘削ではなく，太陽の下，明るいところでの一般の掘削です。

※5
両端にアイ
両端が目のように丸くなっています。

※6
立てて貯蔵
「保管するときは，転倒を防止するために横にして置く」という記述は誤りです。

※7
要求性能墜落制止用器具
正式名称は，要求性能墜落制止用器具です。6.75mを超える高さの箇所で使用する墜落制止用器具は，フルハーネス型とします。

②作業床

作業場所の高さが**2m以上**の箇所では作業床を設けます。これは作業する足元の高さです。作業床は，**幅40cm以上**，すき間[※8]**3cm以下**とします。

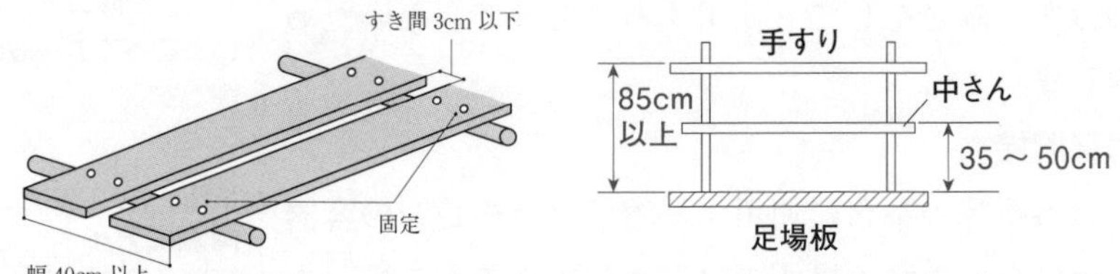

また，手すりの高さは**85cm以上**とします。作業床に開口部がある場合，その周囲は，墜落防止のための囲いを設けます。作業を安全に行うために[※9]**仮設照明**を設け，作業に必要な照度を確保します。屋外作業で，強風による危険が予想される場合，[※10]**作業は中止**します。

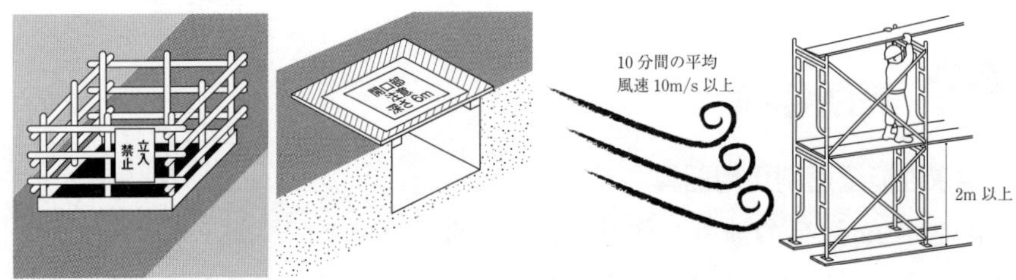

③脚立

脚と水平面との角度が**75度以下**のものを使用します。なお，脚立の天板に立って作業することはできません。

④移動はしご

幅が**30cm以上**のものを使用します。

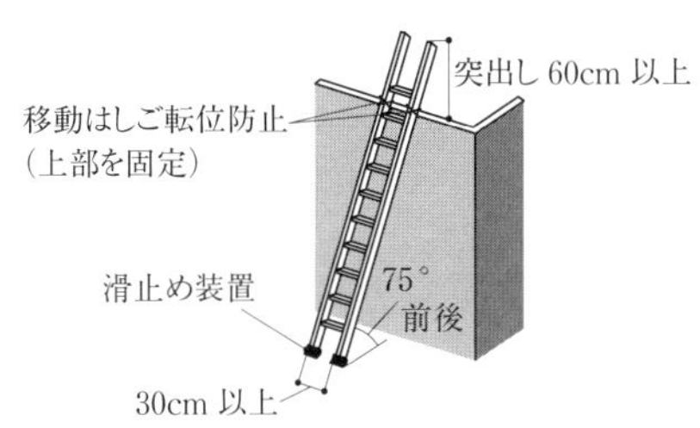

⑤歩み板

人が渡ることを目的として，工事現場において物と物との間に架け渡した板のことをいいます。

踏み抜きの危険のある屋根等には，幅30cm以上の歩み板を設けます。

⑥通路・踊場

屋内に設ける通路には，通路面から高さ1.8m以内に障害物がないようにします。

架設通路の勾配は，30度以下[※11]とし，勾配が15度を超えるものには，踏さんその他の滑止めを設けます。

高さが8m以上の登りさん橋には，7m以内ごとに踊場を設けます。

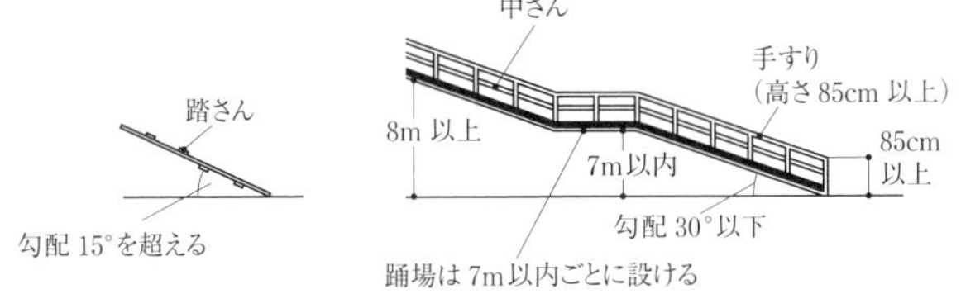

⑦移動式足場

移動式足場[※12]の作業床の足場板は，布枠上にすき間が3cm以下となるように敷き並べて固定します。安全な昇降設備を設けるとともに，枠組の最下端近くに，水平交さ筋かいを設けると，強固な構造になります。

作業床の周囲には，床面より90cm以上の高さに手

※8
3cm以下
吊り足場や一側足場は，すき間がないようにします。

※9
仮設照明
高さ2m以上の作業床で作業を行う場合に必要です。

※10
作業は中止
墜落制止用器具を着用させて作業させることはできません。

※11
30度以下
階段を設けたものや，高さが2m未満で丈夫な手掛りを設けたものはこの限りではありません。

※12
移動式足場
ローリングタワーともいいます。図のような構造です。乗ったまま足場を移動させることはできません。

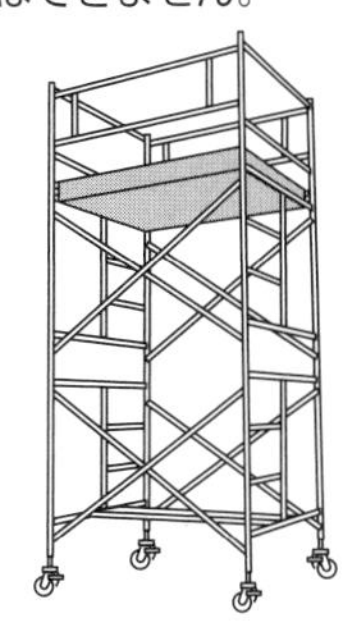

すりを設け，中さんと幅木を取り付けます。

作業床上では，脚立の使用は禁止です。

⑧投下設備

3m以上の高所から物体を投下するときは，**投下設備**[※13]を設けます。

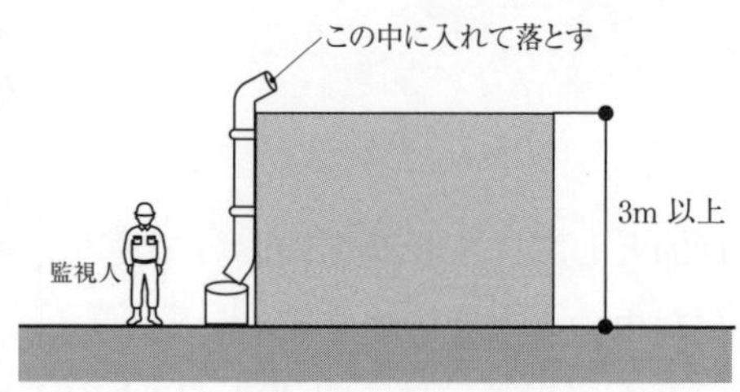

⑨昇降設備

高さまたは深さが1.5mを超える箇所で作業を行うときは，安全に昇降するための設備を設けます。

⑩防網（安全ネット）

墜落等の危険のある場所には，網目長さ10cm以下のネットを張ります。

チャレンジ問題！

問1　難　**中**　易

墜落等による危険の防止に関する記述として，「労働安全衛生法」上，誤っているものはどれか。

(1) 作業床の高さが1.8mなので，床の端の手すりを省略した。
(2) 屋根上での作業の踏み抜き防止のため，幅が30cmの歩み板を設けた。
(3) 作業床の高さが1.8mなので，昇降設備を省略した。
(4) 狭い場所なので，幅が30cmの移動はしごを設けた。

解説

作業床の高さが1.5mを超える場合，昇降設備を設けます。

解答（3）

安全衛生教育

1 資格

作業員等が取得する資格としては，次のものがあります。

①免許

国の機関である，都道府県労働局長が行う試験に合格して取得するものです。最も難易度の高い資格です。

②技能講習

都道府県労働局長の登録を受けた者が行う講習を修了して取得します。

③特別教育

事業所が行う教育です。最も取得しやすい資格です。

2 特別教育

建設現場において，特別教育を修了した者が就業できる業務は，次のとおりです。ただし，道路上を走行させる運転を除きます。

- 高圧の充電電路やその支持物の敷設および点検
- アーク溶接機[※14]を用いて行う金属の溶接の業務
- 建設用リフトの運転
- 研削といしの取替えと試運転
- ゴンドラの操作の業務
- つり上げ荷重が1t未満の移動式クレーンの運転の業務
- 最大荷重が1t未満のフォークリフトの運転

※13
投下設備
監視人を置きます。

※14
アーク溶接
可燃性ガスおよび酸素を用いて行う金属の溶接は技能講習が必要で，特別の教育ではありません。

● 作業床の高さが10m未満の高所作業車の運転

3 作業主任者

①種類

労働安全衛生法によれば，作業主任者の選任は，労働災害を防止するための管理を必要とする作業について**事業者**が行います。作業主任者を選任する必要がある作業とは，**危険作業または有害作業**です。

作業主任者を選任したときは，その者の氏名およびその者に行わせる事項を，作業場の見やすい箇所に掲示するなどにより，関係労働者に周知します。

作業主任者は，**免許**取得者または**技能講習**修了者でなければいけません。主な**作業主任者**[※15]は次のとおりです。

- **ガス溶接作業**[※16]主任者
- **酸素欠乏危険作業**主任者
- 石綿作業主任者
- 足場の組立て等作業主任者（**高さ5m以上**）
  ※ただし，吊り足場や張出し足場の組立て，解体の作業は，高さに関係なく選任します。組立て等なので，足場の組立て以外に解体も含みます。
- 地山の掘削等作業主任者（**高さ2m以上**[※17]）
- 土止め支保工[※18]作業主任者
- 鉄骨組立て作業主任者
- 型枠支保工の**組立て等**作業主任者
  ※組立て等なので，型枠支保工の組立て以外に解体も含みます。

上記のうち，ガス溶接作業主任者は免許，他は技能講習修了が必要です。特別教育だけでは，作業主任者になることはできません。

②職務

作業主任者の**職務**は，次のとおりです。

- 材料の欠点の有無を点検し，不良品を取り除く

- 器具，工具，要求性能墜落制止用器具，保護帽を点検し，不良品を取り除く
- 作業方法，労働者の配置を決め，作業の進行状況を監視する

作業主任者一覧表

作業区分	所属		氏名
		正	
		副	
		正	
		副	
		正	
		副	
		正	
		副	
		正	
		副	
		正	
		副	

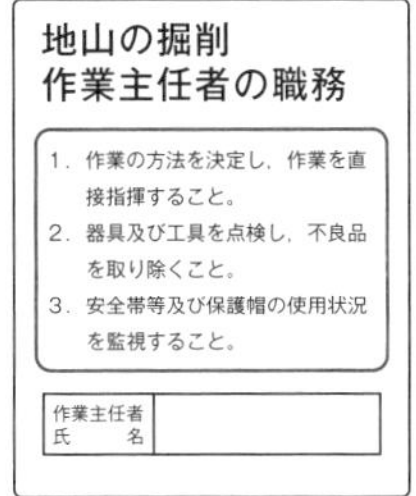

なお，酸素欠乏危険作業主任者の職務として，酸素濃度測定もあり，それぞれの作業主任者により細かい内容は異なります。

4 酸素欠乏危険作業

①酸素欠乏危険作業とは

大気中にはおよそ21%の酸素がありますが，**酸素濃度が18%未満**となった状態を**酸素欠乏（酸欠）**といいます。酸素欠乏危険場所とは酸素濃度が薄い危険性のある場所で，たとえばケーブルを敷設する地下ピット内部が該当します。そうした場所での作業が酸素欠乏危険作業であり，事業者は**酸素欠乏危険作業主任者**を選任します。

②酸素欠乏作業主任者

酸素欠乏危険作業を行う場合，次のことに留意します。

- 地下ピット内での配管作業などは，酸素濃度が薄くなるため，空気中の**酸素濃度を18%以上**に換気します。空気中の酸素濃度は約21%なので，極力この数

※15
作業主任者
仮設電源の電線相互を接続する作業や，活線近接作業には選任不要です。

※16
ガス溶接作業
アセチレン溶接装置を用いて行う金属の溶接の作業が該当します。

※17
高さ
地山の掘削の場合でも，深さでなく，高さと表現します。

※18
土止め支保工作業
労働安全衛生法では，「土留め」ではなく「土止め」と表記しています。支保工とは，切梁，腹起しなどのことです（P165参照）。

字に近づけるようにして作業環境を整えることが重要です。

- 硫化水素が発生しているおそれのある場所では，酸素濃度のほかに，**硫化水素の濃度**も測定します。浄化槽等の改修工事ではそのおそれがあります。
- 従事させる労働者の入場および退場時に，**人員を点検**します。

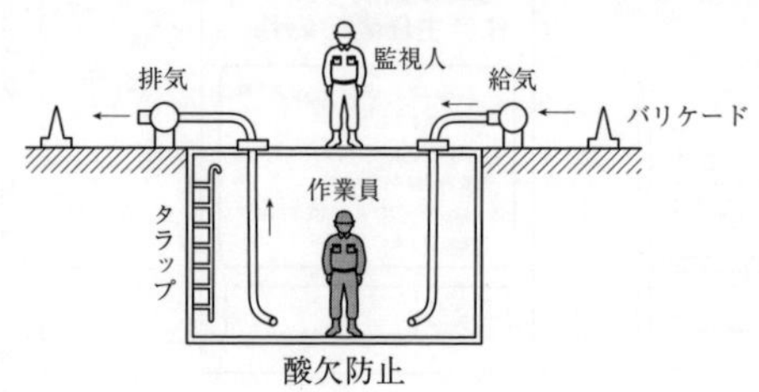

酸欠防止

作業場所では，酸素濃度を測定します。**第二種酸素欠乏危険場所**[※19]においては，その日の作業を開始する前に空気中の酸素および**硫化水素の濃度**を測定します。

5 移動式クレーン

①移動式クレーン

運転に必要な資格は，つり上げ荷重によって異なります。

つり上げ荷重	資格
1t未満	特別教育
1t以上5t未満	技能講習
5t以上	免許

3つの資格がありますが，取得の難易度が高い順に，免許，技能講習，特別教育となります。真ん中の「1t以上5t未満」が技能講習であることを覚えておきましょう。

②玉掛け

移動式クレーンの玉掛け作業の資格は，表のとおりです。

つり上げ荷重	資格
1t未満	特別教育
1t以上	技能講習

※19
第二種酸素欠乏危険場所
硫化水素が発生している危険な場所です。第一種酸素欠乏危険場所は，酸素濃度が18%未満の場所です。

チャレンジ問題！

問1　難　中　易

作業主任者を選任すべき作業として，「労働安全衛生法」上，定められていないものはどれか。

(1) 酸素欠乏危険場所における作業
(2) 土止め支保工の切梁の取付けの作業
(3) 仮設電源の電線相互を接続する作業
(4) 張出し足場の組立ての作業

解　説

仮設電源の電線相互を接続する作業は，危険でも有害でもないので作業主任者を選任する必要はありません。

解答（3）

第4章 施工管理

CASE 5

工事施工

まとめ & 丸暗記　この節の学習内容とまとめ

□ 太陽光発電システムの施工

①積雪地域の陸屋根では，太陽電池アレイの傾斜角を大きくする

②雷が多く発生する地域では，耐雷トランスを交流電源側に設置

③勾配屋根と太陽電池アレイの間に通気層を設ける

④配線作業の前に太陽電池モジュールの表面を遮光シートで覆う

□ 電柱と支線

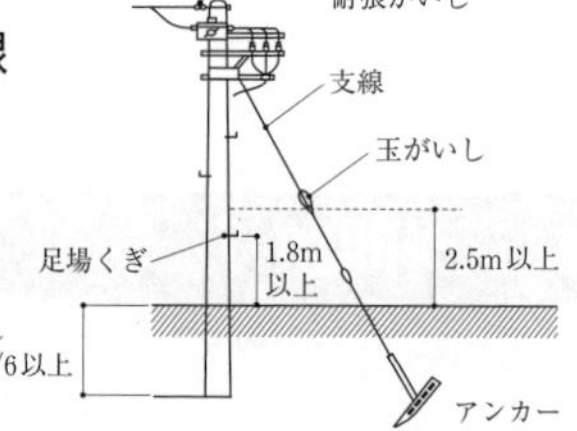

□ 配電盤等の最小保有距離

部位別 / 機器別	前面または操作面	背面または点検面
高圧配電盤	1.0m	0.6m
低圧配電盤	1.0m	0.6m

□ 通信線の高さ

場所	高さ
鉄道を横断する架空電線	軌条面から6m以上
道路上	道路面から5m以上
横断歩道橋の上	歩道面から3m以上

発電工事

1 汽力発電機の据付け

汽力発電設備工事の留意点は次のとおりです。

- 発電機は，工場で組み立てて試験運転を行った後，固定子と回転子および付属品に分けて現場に搬入する
- 固定子の据付け，回転子の挿入，発電機付属品の組立てと据付け，発電機本体および配管の漏れ検査の順で行う
- 固定子は，蒸気タービン側と共に心出しを行い，固定子脚部が基礎金物に確実に密着し，荷重が均等になるように据え付ける
- 回転子はクレーンで水平に吊るして1/3ほど挿入し，固定子側に滑車を付けてけん引用ワイヤ定位置まで押し込む
- 回転子を挿入した後，エンドカバーベアリングや軸密封装置等の付属品を取り付ける
- 水素冷却タービン発電機およびその付属配管の漏れ検査には，不活性ガス※1を使用する

※1
不活性ガス
希ガスとも呼ばれ，他の物質と化学反応しないガスです。

2 水力発電

①建設工事

- 天井クレーン

水力発電所の建設工事において，建屋内の天井クレーンは，主要機器の据付け前に設置します。

- 心出し

立て軸の水車と発電機の心出しは，ピアノ線センタリング方式[※2]などで行います。

● **接地工事**

一例として，発電所の敷地に網状に接地線をめぐらし，多数の銅板を埋設します。

②検査・試験

● **溶接部の検査**

ケーシングの現場溶接箇所は，目視試験のほか，内部欠陥を検査するため，超音波探傷試験などを行います。

● **通水検査**

導水路，水槽，水圧管，放水路に充水し，漏水などの異常がないことを確認します。

● **発電機特性試験**

発電機を定格速度で運転し，諸特性の測定を行います。

● **負荷遮断試験**

発電機の負荷を突然遮断したときに，水車発電機が異常なく無負荷運転に移行できることを確認します。

● **非常停止試験**

発電機の一定負荷運転時に，非常停止用保護継電器の1つを動作させ，所定の順序で水車が停止することを確認します。

3 ディーゼル発電設備の施工

ディーゼル機関を用いた自家発電設備の施工は，次の点に留意します。

- 共通台板と基礎の間に，ストッパ付き防振装置を設ける
- 発電機と接続するケーブルには，十分に余長をもたせて，ケーブルに張力がかからないようにする
- 主燃料タンクが燃料小出槽より高い場所にあるときは，燃料給油管の主燃料タンクの直近に緊急遮断弁[※3]を設ける
- 燃料小出槽の通気管[※4]の先端は，地上4m以上の高さとし，窓の開口部か

ら1m以上離隔する

- 排気管には，運転時の変位や振動を防止するための措置を施す
- 原動機と燃料給油管の接続部分に，金属製可とう管継手を用いる
- 原動機と燃料小出槽の離隔は2m以上離す
- 燃料小出槽の通気管の通気口と建築物の開口部の離隔は1m以上離す
- 発電機の操作盤の前面には，幅1mの操作スペースを確保する
- 発電機の点検面の周囲には，幅0.6mの点検スペースを確保する

4 風力発電

風力発電は，風の力により発電するものです。風力発電の発電量は，不安定で間欠的となります。風車の種類は次のとおりです。

①水平軸形

代表例はプロペラ形風車です。プロペラ形風車は，風速変動に対して回転数制御や出力制御が容易に行えます。

ナセルは，水平軸風車においてタワーの上部に配置され，動力伝達装置，発電機，制御装置などを格納するもの，およびその内容物の総称です。

②垂直軸形

代表例はダリウス形風車です。ダリウス形風車は，風向の変化に対して向きを変える必要がありません。

※2

ピアノ線センタリング方式

ピアノ線を用いて水平，垂直の中心を求める方法ですが，レーザーを用いて求める方法もあります。

※3

緊急遮断弁

地震等で配管損傷しても緊急に閉まる本弁です。

※4

通気管

燃料小出槽の通気管を，室内換気用の排気ダクトに接続するようなことはできません。

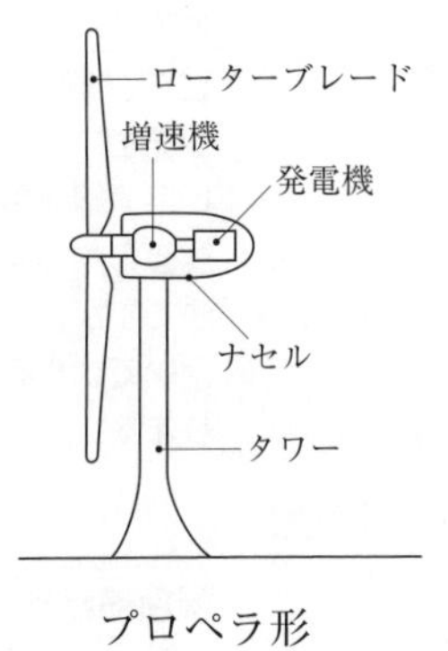

プロペラ形

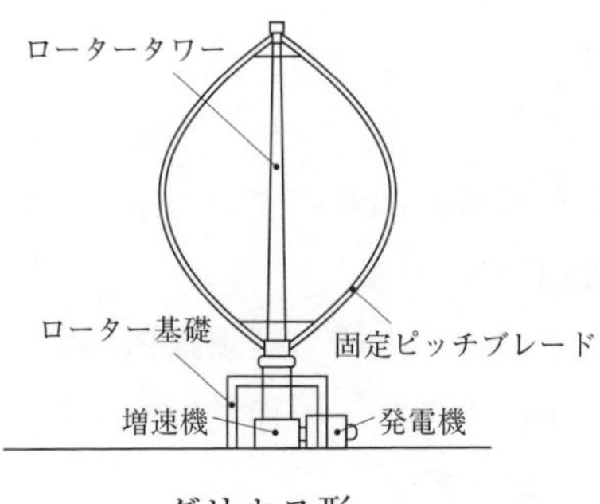

ダリウス形

チャレンジ問題！

問1　難　中　易

ディーゼル発電設備の施工に関する記述として，最も不適当なものはどれか。

(1) 燃料小出槽の通気管の先端は，地上4m以上の高さとし，窓の開口部から1m以上離隔した。
(2) 主燃料タンクが燃料小出槽より高い場所にあったので，燃料給油管の主燃料タンクの直近に緊急遮断弁を設けた。
(3) 共通台板が振動するため，耐震ストッパを省略し，防振装置を用いて基礎に取り付けた。
(4) 発電機と接続するケーブルには，十分に余長をもたせて，ケーブルに張力がかからないようにした。

解説

共通台板と基礎の間に，ストッパ付き防振装置を設けます。

解答 (3)

太陽光発電

1 システム

太陽からの光エネルギーを太陽光パネルで吸収し，電気エネルギーへ変換します。一般住宅用の小規模な太陽光パネルから事業者向けのメガソーラー[※5]まであります。

セルにより太陽光は直流の電気として取り出され，パワーコンディショナを通して交流の電気に変換します。交流電流は分電盤へ送電され電気製品に電源供給されます。

発電された電気は，系統連系[※6]することにより，余った電気を電力会社に買い取ってもらうこともできます。

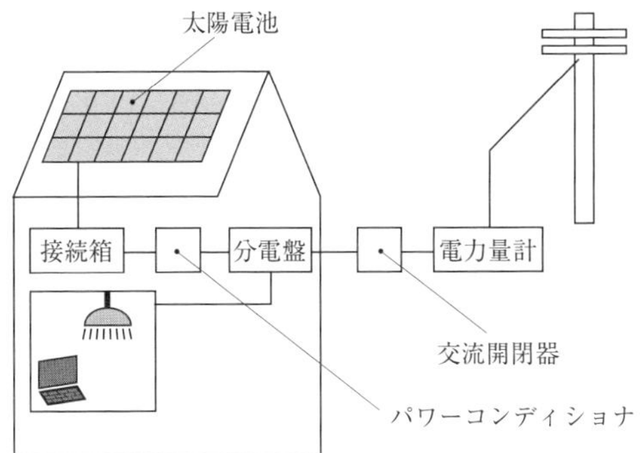

2 シリコン太陽電池

太陽電池の材料には，一般的にシリコンが用いられています。

シリコン半導体接合部に光が入射したときに起こる光起電力効果を利用しています。

※5
メガソーラー
1MW以上発電する太陽光発電のことです。

※6
系統連系
電力会社の電力系統に，自己の発電設備を接続することです。通常は電力会社から供給される電力を買うだけですが，系統連系工事を行うことで，太陽光発電で得た電力を電力会社に売電できます。

シリコン太陽電池は，表面温度が高くなると最大出力が低下する温度特性を有しています。

シリコンの結晶系では，セルが1つの結晶でできている**単結晶**と，複数の結晶でできている**多結晶**があります。また，非結晶のアモルファス製品もあります。

3 太陽電池の構成単位

太陽電池を構成する各部の名称は次のとおりです。

セル

太陽電池の最小単位

モジュール

セルを組み合わせて一枚のパネルにした単位

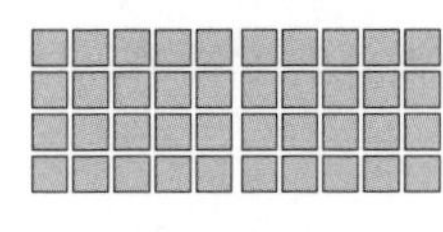

ストリング

モジュールを直列に組んだ単位

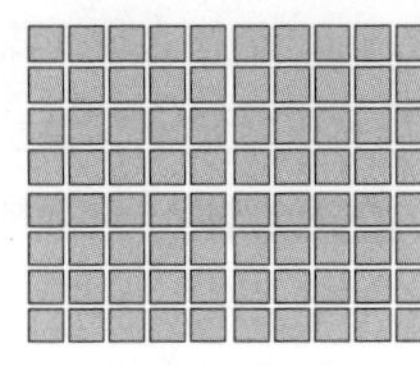

アレイ

ストリングを並列に組んだ単位

4 太陽光発電の用語

①パワーコンディショナ

太陽光発電システムからの直流の電気を，住宅やビル等で使用する交流の電気に変換するための機器です。日照時間にかかわらず安定して発電させる**機能**[※7]**が装備**されています。

②接続箱

太陽光発電のソーラー・パネルのブロックから，複数の配線をまとめてパワーコンディショナに接続するための機器です。

③バイパスダイオード

太陽電池セルの一部が**発電**[※8]しなくなった場合，そのモジュールに流れる電流をバイパスして破損を防止する素子です。

④逆流防止ダイオード

接続箱内で，パネル間の電圧に差があっても電流が流れないようにする素子です。

ストリングへの逆電流の流入を防止するため，各ストリングは逆流防止素子を介して並列接続します。

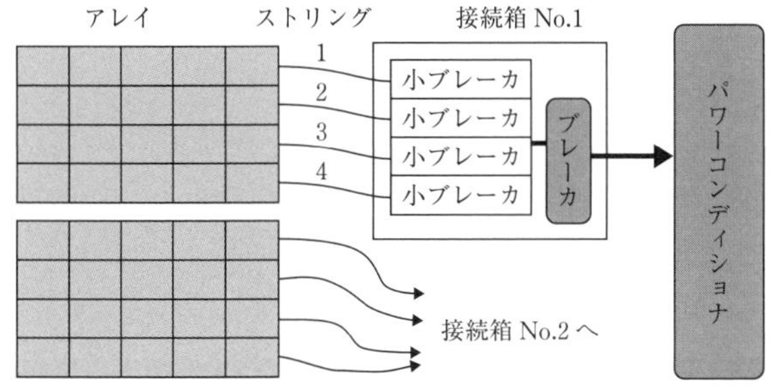

5 太陽光発電システムの施工

①架台

太陽電池アレイ用架台の構造は，固定荷重のほかに，風圧，積雪，地震時の荷重に耐えるものとし，特に積雪地域で，陸屋根[※9]に設置する場合は，太陽電池アレイの傾斜角を大きくし，雪が滑落しやすくします。

②耐雷トランス

雷が多く発生する地域では，耐雷トランスを交流電源側[※10]に設置します。

③通気層

太陽電池モジュールの温度上昇を抑えるため，勾配屋根と太陽電池アレイの間に通気層を設けます。

④遮光シート

感電を防止するため，配線作業の前に太陽電池モジュールの表面を遮光シートで覆います。

※7
機能が装備
停電となっても，事故を防ぐための機能が備わっています。

※8
発電しなくなった場合
落ち葉などで発電せずに高抵抗となり，発熱するおそれがあります。

※9
陸屋根
平らな屋根です。

※10
交流電源側
パワーコンディショナの直流側は×です。

⑤サージ防護デバイス（SPD）

雷害等から保護するため，接続箱にサージ防護デバイス（SPD）を設けます。

⑥電圧測定

太陽電池アレイの電圧測定は，晴天時，日射強度や温度の変動が少ないときに行います。

ストリングごとに開放電圧を測定して，電圧にばらつきがないことを確認します。

※ストリングとは太陽電池アレイが所定の出力電圧を満たすよう，太陽電池モジュールを直列に接続したひとまとまりの回路です。

チャレンジ問題！

問1　　難　**中**　易

太陽光発電システムの施工に関する記述として，最も不適当なものはどれか。

(1) 積雪地域であるため，陸屋根に設置した太陽電池アレイの傾斜角を大きくした。

(2) 感電を防止するため，配線作業の前に太陽電池モジュールの表面を遮光シートで覆った。

(3) 太陽電池モジュールの温度上昇を抑えるため，勾配屋根と太陽電池アレイの間に通気層を設けた。

(4) 雷が多く発生する地域であるため，耐雷トランスをパワーコンディショナの直流側に設置した。

解説

耐雷トランスはパワーコンディショナの直流側でなく，交流電源側に設置します。

解答（4）

変電・配電工事

1 屋外変電所の施工

施工上の留意点は次のとおりです。

- 変電機器の据付けは，架線工事などの上部作業[※11]を行った後に行う
- GIS[※12]の連結作業は，じんあいの侵入を防止するため，ビニルシートで仕切るか，プレハブ式の防じん組立室をつくって行う
- 引込口および引出口に近接する箇所に，避雷器を取り付ける
- 各機器および母線を直撃雷から保護するため，鉄鋼の頂部に架空地線を張る
- 遮断器の電源側および負荷側の電路に，点検作業用の接地開閉器[※13]を取り付ける
- 電線は，端子挿入寸法や端子圧縮時の伸び寸法を考慮して切断を行う
- がいしは，手ふき清掃と絶縁抵抗試験により破損の有無の確認を行う

2 架空配電線路の施工

施工上の留意点は次のとおりです。

- 延線した高圧電線は，張線器で引っ張り，たるみを調整する
- 高圧架空電線の引留め箇所には，高圧耐張がいし[※14]を使用する（多溝がいしではない）
- A種鉄筋コンクリート柱の根入れの深さは，1/6以

※11
上部作業を行った後
順序として，上部から工事を行います。下からはじめてしまうと，足場が組めないことや，万一の落下物で機器を損傷するおそれがあるからです。
大型機器を基礎に固定する際は，箱抜きアンカより強度のある埋込アンカを使用するのがよいでしょう。

※12
GIS
六フッ化硫黄ガスで絶縁された，密閉受変電設備です。

※13
接地開閉器
送電線や変電設備を停止して点検などの作業を行う場合，停止部分を接地するための開閉器です。

※14
高圧耐張がいし
張力を必要とする箇所には2個連結します。

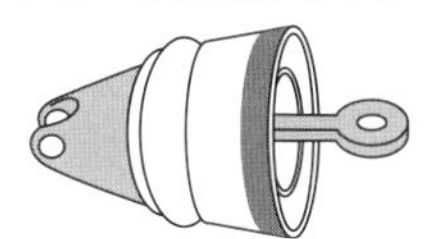

上とする

【例】12m柱は12×1/6＝2〔m〕ほど根入れします。

- 支線の埋設部分には，打込み式アンカーを使用する
- **支線の玉がいしは，支線が断線したときに地表上2.5m以上となる位置に取り付ける**
- **足場くぎの高さは1.8m以上とする**
- 高圧架空電線の張力のかかる接続箇所には，圧縮[※15]スリーブを使用する

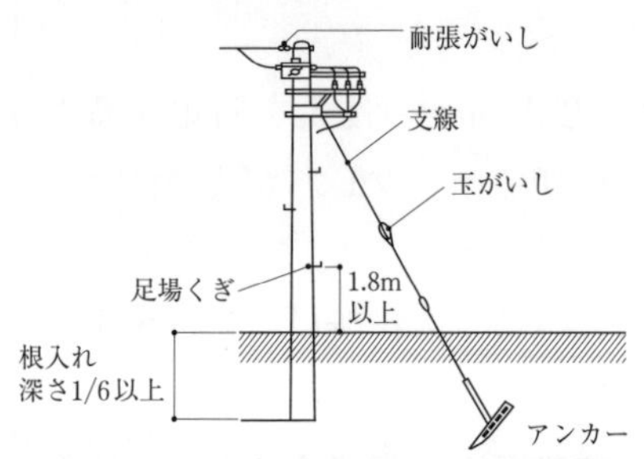

チャレンジ問題！

問1　難　中　易

屋外変電所の施工に関する記述として，最も不適当なものはどれか。

(1) がいしは，手ふき清掃と絶縁抵抗試験により破損の有無の確認を行った。

(2) 遮断器の電源側および負荷側の電路に，点検作業用の接地開閉器を取り付けた。

(3) 変電機器の据付けは，架線工事などの上部作業の終了前に行った。

(4) GISの連結作業は，じんあいの侵入を防止するため，プレハブ式の防じん組立室をつくって行った。

解説

変電機器の据付けは，架線工事などの上部作業の終了後に行います。

解答（3）

高圧電気工事

1 屋内の受電室（開放型）

受電室は耐火構造とし，不燃材[※16]でつくった壁，柱，床および天井で区画します。

扉には施錠装置を施設し，「高圧危険」および「関係者以外立入禁止」の表示をします。

受電室に，給水管や排水管などを通過させることは，たとえ最短経路で配管し，ドレンパン[※17]を設けたとしても行うことはできません。

配電盤などとの最小保有距離[※18]は，表のように決められています。

部位別 ／ 機器別	前面または操作面	背面または点検面
高圧配電盤	1.0m	0.6m
低圧配電盤	1.0m	0.6m

また，保安点検に必要な通路は，幅0.8m以上，高さ1.8m以上にします。

配電盤の計器面の照度は300 lx以上とします。

一般に，高圧母線から分岐して変圧器に引き下げる絶縁電線に，高圧機器内配線用電線（KIP）を使用します。

なお，建物の鉄骨と大地との電気抵抗値が2Ω以下なら，A[※19]種接地工事，B種接地工事の接地極として使用できます。

高圧受電設備の受電室の施工に関して，高圧受電設備規程によれば，機器，配線等の離隔は図のようになっています。

※15
圧縮スリーブ
高圧架空銅配電線路において，張力のかかっている絶縁電線同士の圧縮接続に使用します。

※16
不燃材
非常に燃えにくい材料です。鉄筋コンクリート造などが該当します。

※17
ドレンパン
配管からの漏水の受け皿です。

※18
最小保有距離
両面に配電盤があり，点検する場合は1.2m以上の距離を必要とします。

※19
A種
接地極の接地抵抗値は10Ω以下ですが，鉄骨に接続する場合は，2Ω以下とさらに厳しい数値です。

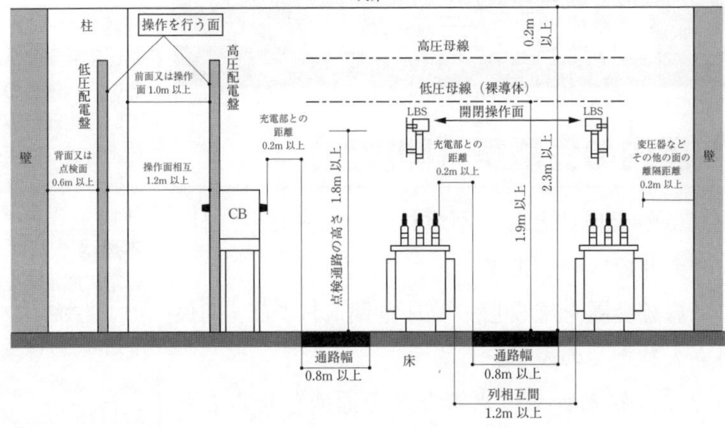

2 高圧受電設備の施工（キュービクル）

屋外に設置するキュービクルは，隣接する建築物から3m以上離して設置します。キュービクルへ至る保守点検のための通路は，幅0.8m以上を確保します。

チャレンジ問題！

問1　難　**中**　易

高圧受電設備の受電室の施設に関する記述として，「高圧受電設備規程」上，不適当なものはどれか。

(1) 屋内キュービクルの点検を行う面の保有距離を0.6mとした。
(2) ドレンパンを設けた給水管を通過させた。
(3) 配電盤の計器面の照度は，300lxとした。
(4) 扉に施錠装置を施設し,「高圧危険」および「関係者以外立入禁止」の表示をした。

解　説

給水管を通過させることはできません。

解答（2）

低圧電気工事

1 金属管工事

金属管は，特殊場所を除いてどこでも施工できます。一般に使用される電線はビニル絶縁電線（IV線）です。絶縁電線でもOW線[※20]は使用できません。電線管内で，電線を接続することもできません。

管相互およびボックスその他の付属品とは，ねじ接続で堅ろうに，かつ，電気的に接続[※21]します。

管の曲げ半径（内側半径）は，管内径の6倍以上[※22]とし，直角またはこれに近い屈曲は，プルボックス間で3か所以内となるように配管します。

金属管のこう長が，30mを超える場合にも，途中にプルボックスを設置します。

アウトレットボックス[※23]と電線管の接続口はロックナットで固定し，電線の被覆を損傷しないように，管の端口には絶縁ブッシングを使用します。

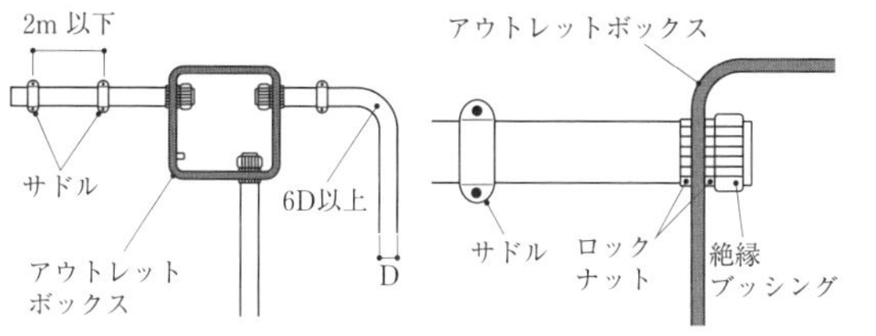

なお，強電流回路の電線と弱電流回路の電線は別々のボックスに収めます。

2 ケーブル工事

ケーブルは，原則どのような場所でも施設できま

※20
OW線
屋外用絶縁電線です。被覆が薄いので電線管内で使用できません。

※21
電気的に接続
ボンド線で接続します。

※22
6倍以上
太さが31mm以上の電線管では6倍以上です。太さが25mm以下では，管の内断面が著しく変形せず，管にひびわれが生じない程度まで小さくすることができます。

※23
アウトレットボックス
プルボックスが電線を引く（プル）ための箱であるのに対して，アウトレットボックスは，電線の接続部を収容するための小さな金属製の箱です。

す。二重天井内でケーブルに張力が加わらないように施設します。

低圧のケーブル配線で，造営材の下面に沿って施設するケーブルの支持点間の距離は2m以下とします。接触防護措置を施した場所において垂直に施設する場合は，6m以下にできます。キャブタイヤケーブルは1m以下です。

メッセンジャワイヤにケーブルをちょう架する場合のハンガの間隔は50cm以下です。

3 合成樹脂管工事

合成樹脂管は可とう性のないVE管と可とう性のあるCD管[※24]およびPF管に分類されます。建物内では，CD管はコンクリート埋込部分に限って使用でき，PF管は二重天井内の隠ぺい部分，露出部分，コンクリート埋込部分で使用できます。

どちらも，建物の強度を減少させないように，コンクリート内の1か所への集中配管は避けます。

PF管を露出配管するときの支持にはサドルを使用し，支持間隔を1.5m以下とします。管相互の接続は，カップリングを使用します。

4 バスダクト工事

低圧屋内配線のバスダクト工事は，乾燥した場所だけでなく湿気の多い場所でも施設できます。しかし，乾燥した場所でも，点検できない隠ぺい場所ではバスダクトを使用することはできません。

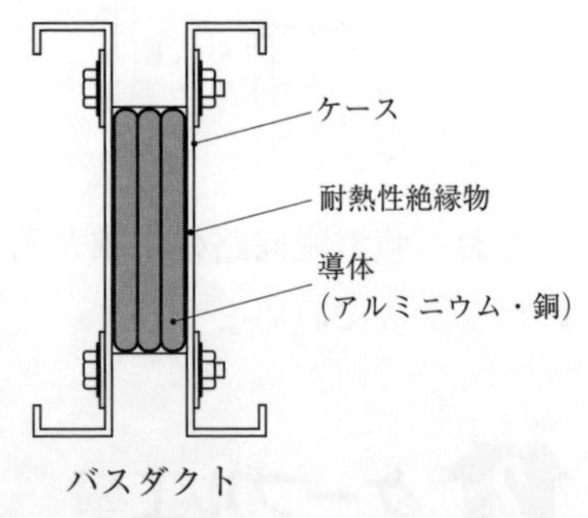

バスダクト

造営材にバスダクトを水平に取り付ける場合，支持点間の距離は3m以下とします。電気シャフト（EPS）内に垂直に取り付けるバスダクトの支持点間の距離は6m以下です。

5 金属ダクト工事

金属ダクト[※25]内でやむを得ず電線を分岐する場合，接続点を容易に点検できるようにします。金属ダクトの終端部は閉そくします。

金属ダクトを造営材に取り付ける場合，水平支持点間の距離を3m以下，垂直は6m以下とします。

金属ダクト配線に，ビニル絶縁電線（IV）を使用できます。

6 ライティングダクト

ライティングダクトは，図のように照明器具を移動して使用するための配線ダクトです。

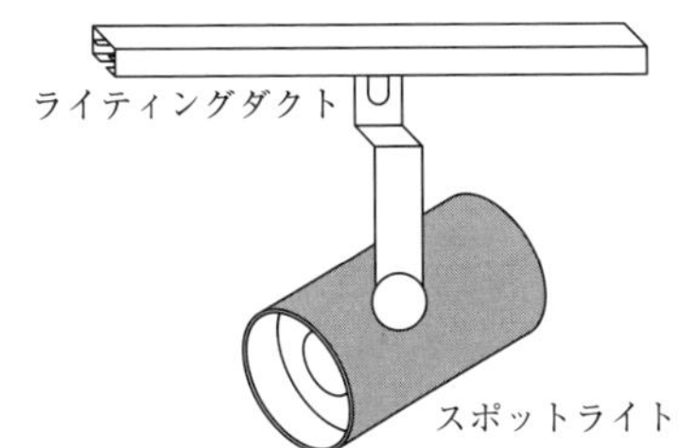

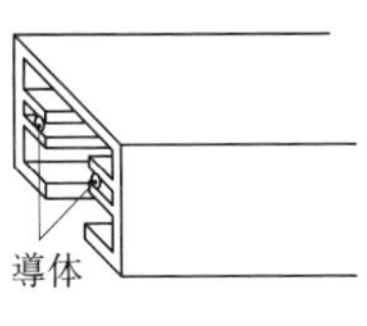

壁や二重天井を貫通して他室に渡ることはできず，一室内で使用します。

ライティングダクトの開口部[※26]は下に向け，終端部は，エンドキャップを取り付けて閉そくします。その支持点間の距離は2m以下として，堅固に取り付けます。

ライティングダクトの金属製部分（導体を除く）に，D種接地工事を施しますが，絶縁物で金属製部分を被覆したライティングダクトを使用する場合は，D種接地工事を省略することができます。

※24
CD管
露出配管や二重天井内に施設することはできません。
火熱に弱いため，コンクリート埋込み部分に限ります。
施工方法については，内線規程に定められています。

※25
金属ダクト
幅が5cmを超えるものをいいます。

※26
開口部は下に向け
横向きは可能ですが，上に向けるとほこりなどが入るので，不可です。

7 金属線ぴ

金属線ぴ[※27]配線は，内線規程[※28]により，次のように定められています。

- １種金属製線ぴに収める絶縁電線本数は10本以下
- ２種金属製線ぴに収める絶縁電線の断面積の総和は，線ぴの内断面積の20%以下
- 金属ダクト同様，金属線ぴの終端部も閉そくする
- 金属線ぴおよびその附属品に，Ｄ種接地工事を施す

8 接地工事の省略

接地工事を省略できる場合として，次のものがあります。

- 対地電圧が150V以下の機械器具を乾燥した場所に施設する場合
- 二重絶縁の機械器具を施設する場合　等

チャレンジ問題！

問1　難　中　**易**

合成樹脂管配線（PF管，CD管）に関する記述として，「内線規程」上，最も不適当なものはどれか。

(1) 点検できない隠ぺい場所に，PF管を使用した。
(2) 建物の強度を減少させないように，コンクリート内の集中配管をさけた。
(3) 乾燥した場所に，CD管を露出配管した。
(4) 管相互の接続は，カップリングを使用した。

解説

CD管を露出配管することはできません。

解答（3）

その他工事

1 地中管路工事

管路には，ライニングなど防食処理を施した厚鋼電線管や硬質塩化ビニル電線管（VE）を使用します。ただし，軟弱地盤の管路には，硬質塩化ビニル電線管は不向きです。衝撃や圧力に強く可とう性があり，施工性に優れる波付硬質ポリエチレン管（FEP[※29]）が適します。

軟弱地盤では，ボビン[※30]（管路通過試験器）を通しながら配管します。

管路の途中に水平屈曲部がある場合，引入れ張力を小さくするためには，屈曲部に近い方のマンホールからケーブルを引き入れます。

管路の両端に高低差がある場合は，引入れ張力を小さくするために，高い方のマンホールからケーブルを引き入れます。

管路へのケーブル引入れ時，ケーブルの損傷を防ぐため，引入れ側の管路口にケーブルガイドを取り付けます。

2 有線電気通信工事

有線電気通信法は，次のように規定しています。

①線路の電圧

通信回線の線路の電圧は，100V以下とします。

②屋内電線

屋内電線（光ファイバを除く）と大地との間および屋内電線相互間の絶縁抵抗は，直流100Vの電圧で測

※27
金属線ぴ
線ぴは1種金属線ぴ（幅4cm未満）と2種金属線ぴ（幅4cm以上5cm以下）があります。

※28
内線規程
電気設備技術基準等に基づいた，民間規格です。

※29
FEP
Flexible Electric Pipeの略で可とう性電線管という意味です。

※30
ボビン
管路につぶれがないことを確認するものです。

定した値で，1MΩ以上です。

③架空電線の支持物

架空強電流電線（当該架空電線の支持物に架設されるものを除く）との間の離隔距離は次の表によります。

架空強電流電線の使用電圧および種別		離隔距離
低圧		30cm
高圧	強電流ケーブル	30cm
	その他の強電流電線	60cm

④架空電線の高さ

架空電線（通信線）の高さは，原則として次のとおりです。

場所	高さ
鉄道を横断する架空電線	軌条面から6m以上
道路上	道路面から5m以上
横断歩道橋の上	歩道面から3m以上
河川横断	舟行に支障を及ぼすおそれがない高さ

⑤足場金具

架空電線の支持物には，取扱者が昇降に使用する足場金具等を地表上1.8m未満の高さに取り付けることはできません。

3 電気鉄道

①架空き電線路の施工

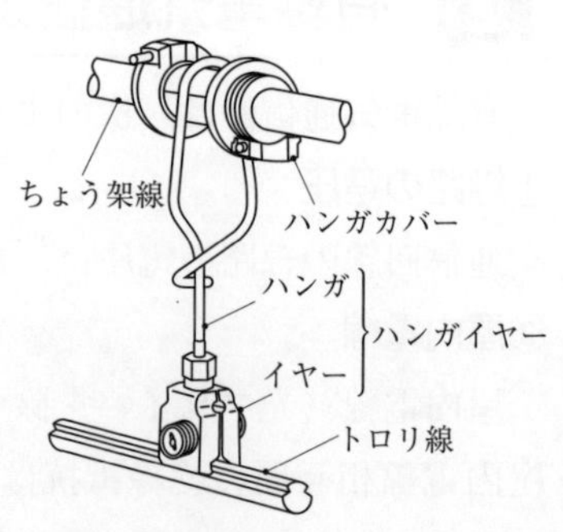

き電線は張力（引張力）が作用しているので，相互の接続は，圧縮スリーブ接続[※31]とします。

ハンガイヤー[※32]はトロリ線をちょう架線に支持するための金具です。

パンタグラフの溝摩耗を防止するため

に，直線区間ではトロリ線にジグザグ偏位を設けます。

②パンタグラフの離線防止対策

電気鉄道におけるパンタグラフの離線防止対策は，次のとおりです。

- トロリ線の硬点を少なくする
- トロリ線の接続箇所を少なくする
- トロリ線の勾配変化を少なくする
- トロリ線の架線金具を軽くする

※31
圧縮スリーブ
圧着スリーブではありません。トロリ線相互の接続には圧縮接続ではなく，専用の金具を使用します。

※32
ハンガイヤー
ちょう架線から吊るすハンガとトロリ線を把持するイヤーによって構成されています。

4 防犯設備

①ドアスイッチ

扉の開閉を検知するため，リードスイッチ部を建具枠に，マグネット部を扉にそれぞれ取り付けます。

②ガラス破壊センサ

はめころし窓のガラスの破壊および切断を検知するため，ガラス面に取り付けます。

③熱線式パッシブセンサ

人体から放出される熱線（遠赤外線）を検知します。

④センサライト

ライトを点灯して侵入者を威嚇するため，外壁に取り付けます。

5 拡声設備

事務所ビルの全館放送に用いる拡声設備は，ハイインピーダンス接続としてすべてのスピーカを並列接続します。1台のスピーカが故障した場合でも他のスピーカに影響はありません。この接続法は，スピーカの増設や撤去が容易なので，事務所ビルの**全館放送**をはじめ，増改築の多い商業施設等においても採用される方式です。

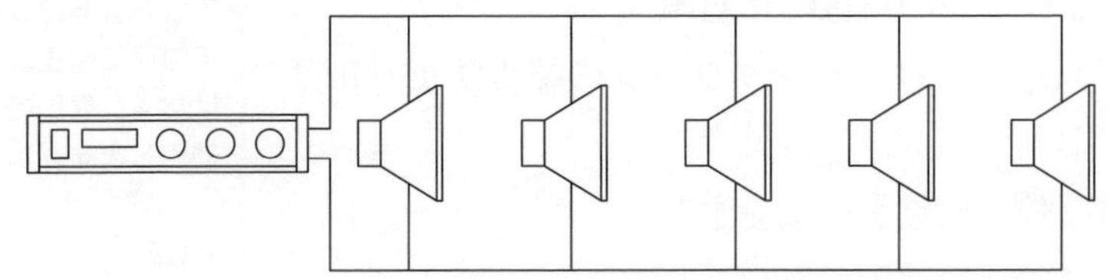

全館に緊急連絡するような場合，一斉放送を行えるように，音量調整器には3線式で配線します。こうすることにより，音量調整器で音量がOFFとなっていても，すべてのスピーカに放送信号を送ることができます。

なお，**非常警報設備に用いるスピーカへの配線**は，**耐熱電線（HP）**とします。

チャレンジ問題！

問1

架空電線（通信線）の高さに関する記述として，「有線電気通信法」上，誤っているものはどれか。

(1) 鉄道を横断する架空電線は，軌条面から6mの高さとした。

(2) 道路上に設置する架空電線は，横断歩道橋の上の部分を除き路面から5mの高さとした。

(3) 河川を横断する架空電線は，舟行に支障を及ぼすおそれがない高さとした。

(4) 横断歩道橋の上に設置する架空電線は，その路面から2.5 mの高さとした。

解　説

横断歩道橋の上の架空電線は，その路面から3m以上の高さとします。

解答（4）

第一次検定

第５章

法規

第５章  法規

CASE 1 建設業法

まとめ & 丸暗記　この節の学習内容とまとめ

□ 建設業許可

営業所の所在	許可する者	許可の種類
１つの都道府県	都道府県知事	一般建設業許可 特定建設業許可
２つ以上の都道府県	国土交通大臣	一般建設業許可 特定建設業許可

①許可の有効期間は５年
②500万円未満の電気工事のみ請け負う場合，建設業許可は不要
③電気工事で特定建設業の許可が必要なのは，次の両方に該当する場合
・発注者から直接請け負う
・下請金額の総額が4,500万円以上

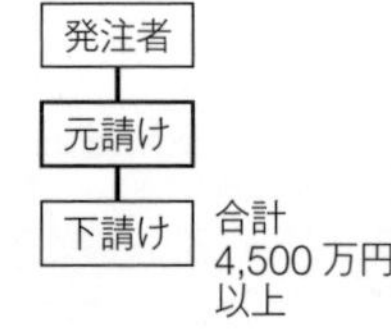

□ 契約

電気工事に附帯する他の工事（附帯工事）を請け負うことができる。

□ 技術者の配置

工事現場には，主任技術者か監理技術者のいずれかを配置する。電気工事で監理技術者を配置しなければならないのは，次の両方に該当する場合。
・発注者から直接請け負う
・下請金額の総額が4,500万円以上

□ 技術者の職務

①主任技術者および監理技術者の職務は，施工計画の作成，工程管理，品質管理
②施工に従事する者の技術上の指導監督

建設業許可

1 用語

建設業法等で用いられる用語です。

用語	意味
建設工事	土木建築に関する工事
建設業※1	元請，下請を問わず，建設工事の完成を請け負う営業
指定建設業	建築一式工事業，土木一式工事業，電気工事業，管工事業，造園工事業，舗装工事業，鋼構造物工事業の７種類
建設業者	建設業の許可を受けて建設業を営む者
発注者	建設工事(他の者から請け負ったものを除く)の注文者
元請負人	下請契約における注文者で建設業者である者
下請負人	下請契約における請負人
下請契約	建設工事を他の者から請け負った建設業を営む者と他の建設業を営む者との間で当該建設工事について締結される請負契約

2 許可

建設業を行うには，政令で定める軽微な建設工事のみを請け負う者を除き，建設業法に基づく**許可**を受けなければなりません。許可は**建設業の種類**ごとに受ける必要があります。一つの営業所で複数業種の許可を受けた場合，たとえば，電気工事業と建築一式工事業の許可を受けた建設業者は，一の営業所において両方

※1
建設業
全部で29業種あります。
建築一式工事と，電気工事をはじめとする28業種では，軽微な工事の扱いなどが異なります。
また，国が指定した建設業を指定建設業といい，次の７業種があります。
・建築一式工事業
・土木一式工事業
・電気工事業
・管工事業
・鋼構造物工事業
・造園工事業
・舗装工事業

の営業を行うことができます。

営業する場合は，営業所ごとに専任の技術者を置き，**都道府県知事または国土交通大臣の許可**[※2]を必要とします。許可する者については，次のとおりです。

- 1つの都道府県に営業所を設置する
  →都道府県知事の許可
- 2つ以上の都道府県に営業所を設置する
  →国土交通大臣の許可

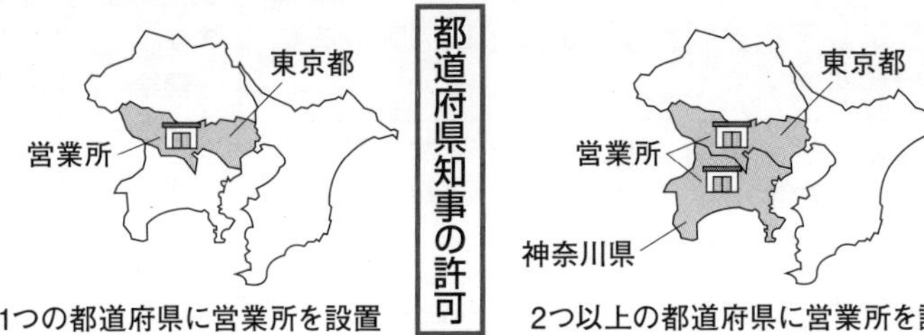

許可の**有効期間**[※3]**は5年で**，継続して会社運営を行う場合，更新手続きをします。ただし，次にあげる**軽微な工事**だけを行うときは，許可がなくても建設業を行うことができます。

- **500万円未満の工事**（電気工事など28業種）
- 建築一式工事で，**1,500万円未満**の工事または，延べ面積が$150m^2$未満の木造住宅工事

電気工事業を営もうとする者が，二以上の都道府県の区域内に営業所を設けて営業しようとする場合は，**国土交通大臣の許可**が必要であり，それぞれの所在地を管轄する都道府県知事の許可ではありません。

3 一般建設業と特定建設業

建設業の許可には**一般建設業許可**と**特定建設業許可**[※4]があり，一般建設業と特定建設業の別に区分して与えられます。

次の①と②に該当する場合，特定建設業の許可がなければ請け負うことができません。

許可 ─┬─ 一般建設業許可
　　　└─ 特定建設業許可

特定建設業とは，次の①かつ②で，①または②ではありません。

①発注者から直接請け負う

②下請金額の総額が，電気工事など28業種では4,500万円以上，建築一式工事では7,000万円以上

当該工事が①と②の両方に該当しなければ，一般建設業許可でその工事を請け負ってよいことになります。もちろん，特定建設業の許可でもかまいません。

下図において，A社は発注者から直接受注しており，A社の下請負業者B社，C社，D社の合計金額は，4,500万円で，A社は特定建設業許可が必要です。

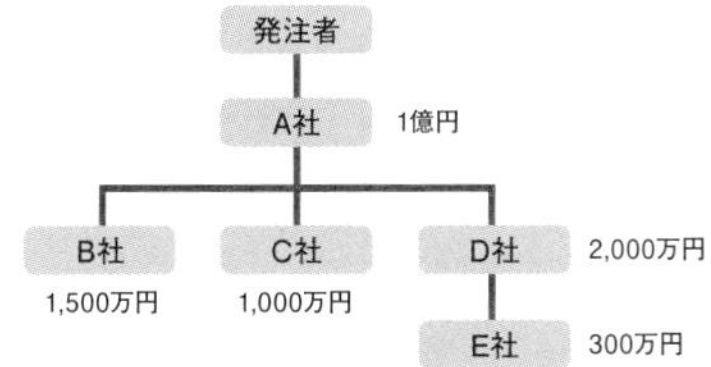

特定建設業の許可は，発注者から直接請け負う一件の請負代金の額により決められているのではありません。また，国または地方公共団体が発注者である建設工事を請け負う者に課せられているものではないことに注意してください。

電気工事業に係る一般建設業の許可を受けた者が，電気工事業に係る特定建設業の許可を受けたときは，その一般建設業の許可は効力を失います。つまり，**同一業種で一般建設業許可と，特定建設業許可を同時に取得することはできないということです。**異なる業種であれば，たとえば，電気工事が特定建設業の許可で，管工事が一般建設業の許可というのは可能です。

都道府県知事の許可を受けた建設業者が当該都道府県の区域内における営業所を廃止して，他の一の都道

※2

都道府県知事または国土交通大臣の許可

どちらの許可を受ける必要があるかは，会社が1つの都道府県内なのか，複数の都道府県にあるのかだけによります。

※3

有効期間5年

建設業許可を受けてから1年以内に営業を開始せず，または引き続いて1年以上営業を休止した場合は，当該許可を取り消されます。

※4

特定建設業許可

一般建設業の許可要件よりハードルは高くなりますが，一般建設業の実績は必要ありません。

下請金額については，令和5年に本文記載の金額に改正されました。また，専任の技術者を配置する請負額も次のように改正されました。

- 建築一式工事
  8,000万円以上
- 28業種
  4,000万円以上

府県の区域内に営業所を設置する場合も，従前の都道府県知事の許可は，その効力を失います。

営業所の所在地を管轄する都道府県知事の許可を受けた建設業者は，他の都道府県においても営業することができます。

建設業者は，許可を受けた建設業に係る建設工事を請け負う場合においては，当該建設工事に附帯[※5]する他の建設業に係る建設工事を請け負うことができます。

チャレンジ問題！

問1　難　中　易

建設業の許可に関する記述として，「建設業法」上，誤っているものはどれか。

(1) 建設業の許可は，一般建設業と特定建設業の別に区分して与えられる。

(2) 電気工事業と建築一式工事業の許可を受けた建設業者は，一の営業所において両方の営業を行うことができる。

(3) 建設業を営もうとする者は，一の都道府県の区域内にのみ営業所を設けて営業をしようとする場合は，国土交通大臣の許可を受けなければならない。

(4) 建設業を営もうとする者は，政令で定める軽微な建設工事のみを請け負う者を除き，建設業法に基づく許可を受けなければならない。

解説

建設業を営もうとする者は，1つの都道府県の区域内にのみ営業所を設けて営業をしようとする場合，都道府県知事の許可を受けなければなりません。国土交通大臣の許可は，2つ以上の都道府県に会社の営業所を設けて営業する場合です。

解答（3）

請負契約

1 契約

①締結

建設業法によれば，建設工事の請負契約の当事者は，各々の対等な立場における合意に基づいて公正な契約を締結し，これを履行するよう定められています。

契約の締結に際して，工事内容等の事項を書面に記載し，それぞれ記名押印し相互に交付します。

建設業者は，建設工事の注文者から請求があったときは，請負契約が成立するまでの間に，建設工事の見積書を交付する義務があります。

注文者は，自己の取引上の地位を不当に利用して，建設工事を施工するために**通常必要と認められる原価**[※6]に満たない金額を請負代金の額とする請負契約を締結することはできません。

②記載事項

建設工事の**請負契約書**に**記載**しなければならない事項として，「建設業法」上定められている主なものは次のとおりです。

- 工事内容
- 請負代金の額
- 工事着手の時期および工事完成の時期
- 契約に関する紛争の解決方法
- 工事完成後における請負代金の支払の時期および方法
- 各当事者の債務の不履行の場合における遅延利息，違約金その他の損害金

※5

附帯する他の建設業

たとえば，主たる工事が電気工事で，附帯する工事が管工事の場合，電気工事の建設業許可しかない建設業者でも，管工事を含めた工事を一括で請け負うことができます。

※6

通常必要と認められる原価

下請負人が手持ちの資材があるため，安い価格で受注する場合は不当に低い請負代金にあたりません。

※施工体制，下請負人の選定，現場代理人の氏名および経歴は記載事項にありませんので，注意してください。

③**履行**

建設業法によれば，請負工事は，あらかじめ**発注者の書面による承諾**を得たときは，一括して他人に請け負わせることができます。

ただし，共同住宅を新築する工事である場合と公共工事については，いっさい認められていません。

なお，下請負人の承諾を得ても，その請け負った建設工事を一括して下請負人に請け負わせることはできません。

請負人は，請負契約の履行に関し工事現場に**現場代理人**を置く場合においては，**注文者に通知**[※7]します。

注文者は，請負人に対して，建設工事の施工につき著しく不適当と認められる下請負人があるときは，あらかじめ注文者の書面による承諾を得て選定した下請負人である場合等を除き，変更を請求することができます。

2 元請負人の義務

①**意見聴取**

元請負人は，工程の細目，作業方法を定めようとするときは，あらかじめ，**下請負人の意見**[※8]をきく必要があります。

②**検査・引渡し**

元請負人は，下請負人から工事が完成した通知を受けたときは，**通知を受けた日**（工事が完成した日からではありません）から**20日以内**で，かつ，できる限り短い期間内にその完成を確認するための**検査を完了**しなければなりません。

下請負人の請け負った建設工事の完成を確認した後，下請負人が申し出たときは，特約がされている場合を除き，直ちに，当該建設工事の目的物の引渡しを受けなければなりません。

③**支払い**

元請負人は，**前払金の支払**を受けたときは，下請負人に対して，資材の購入，労働者の募集その他建設工事の着手に必要な費用を前払金として支払うよう適切な配慮をします。

また，元請負人は，工事完成後に注文者から請負代金の支払を受けたときは，支払を受けた日から1か月以内で，かつ，できる限り短い期間内に，下請負人に下請代金を支払わなければなりません。

※7
注文者に通知
注文者に通知するだけでよく，承諾は不要です。

※8
下請負人の意見
発注者，注文者ではありません。

チャレンジ問題！

問1　難　中　易

建設工事の請負契約に関する記述として，「建設業法」上，誤っているものはどれか。

(1) 建設業者は，下請負人の承諾を得た場合は，その請け負った建設工事を一括して下請負人に請け負わせることができる。
(2) 建設工事の請負契約の当事者は，契約の締結に際して，工事内容等の事項を書面に記載し，相互に交付しなければならない。
(3) 建設業者は，建設工事の注文者から請求があったときは，請負契約が成立するまでの間に，建設工事の見積書を交付しなければならない。
(4) 建設工事の請負契約の当事者は，各々の対等な立場における合意に基づいて公正な契約を締結し，これを履行しなければならない。

解　説

建設業者は，下請負人の承諾を得た場合でも，その請け負った建設工事を一括して下請負人に請け負わせることができません。公共工事，民間の共同住宅新築工事を除く民間工事に限り，建設業者は，発注者から書面による承諾があった場合のみ，一括して他の会社に請け負わせることができます。

解答（1）

技術者

1 監理技術者・主任技術者

工事現場には，主任技術者か監理技術者のいずれかを配置します。監理技術者を配置しなければならないのは，次の①と②の両方に該当する場合です。

① 発注者から直接請け負う

② 下請金額の総額が，

・4,500万円以上（電気工事など28業種）

・7,000万円以上（建築一式工事）

技術者の配置について，具体的な例を次に挙げます。

a 発注者から直接電気工事を請け負った一般建設業の許可を受けた電気工事業者 → 主任技術者

b 下請負人として電気工事の一部を請け負った特定建設業の許可を受けた電気工事業者 → 主任技術者

c 発注者から直接電気工事を請け負い，下請負者を使用せず自ら施工する特定建設業者 → 主任技術者

2 職務

主任技術者および監理技術者の職務[※9]は，施工計画の作成，工程管理，品質管理などや，施工に従事する者の技術上の指導監督を行います。工事現場における建設工事の施工に従事する者は，監理技術者，主任技術者がその職務として行う指導に従わなければなりません。

3 資格要件

現場[※10]の技術者等になることができる者のおもな要件は表のとおりです。

資格・実務	監理技術者	主任技術者
1級電気工事施工管理技士	○	○
2級電気工事施工管理技士	—	○
電気工事に関し実務経験が10年以上	—	○

なお，建設業の許可を受けようとする者は，営業所ごとに所定の要件を満たした専任の技術者を置かなければなりません。

※9
職務
請負代金額の管理は職務にありません。

※10
現場の技術者等
営業所の専任の技術者にもなれます。1級資格者は，特定建設業で，他は一般建設業です。

チャレンジ問題！

問1　難 **中** 易

建設現場に置く技術者に関する記述として，「建設業法」上，誤っているものはどれか。

(1) 主任技術者および監理技術者は，当該建設工事の施工に従事する者の技術上の指導監督の職務を誠実に行わなければならない。
(2) 監理技術者資格者証を必要とする工事の監理技術者は，発注者から請求があったときは，監理技術者資格者証を提示しなければならない。
(3) 発注者から直接電気工事を請け負った一般建設業の許可を受けた電気工事業者は，当該工事現場に主任技術者を置かなければならない。
(4) 下請負人として電気工事の一部を請け負った特定建設業の許可を受けた電気工事業者は，当該工事現場に監理技術者を置かなければならない。

解説

下請負人として電気工事の一部を請け負った特定建設業の許可を受けた電気工事業者は，当該工事現場に主任技術者を置きます。

解答（4）

CASE 2 電気関係法令

まとめ & 丸暗記 この節の学習内容とまとめ

□ 電気工作物

電気工作物
- 事業用電気工作物
  - 電気事業の用に供する電気工作物
  - 自家用電気工作物
  - 小規模事業用電気工作物
- 一般用電気工作物

□ 電気用品

特定電気用品（主なもの）	安定器，温度ヒューズ，電線，ケーブル，コード，漏電遮断器，配線用遮断器，電撃殺虫器，電気温水器
それ以外（主なもの）	電気温床線，ケーブル配線用スイッチボックス，二種金属製線ぴ（A型），電線管

□ 電気用品の表示記号

特定電気用品

特定電気用品以外の電気用品

□ 電気工事士等

電気工事の資格	従事できる作業
第一種電気工事士	500kW未満の需要設備
第二種電気工事士	一般用電気工作物の設備
認定電気工事従事者	自家用電気工作物の低圧設備
特種電気工事資格者	ネオン工事
	非常用予備発電装置工事

□ 備える機具

一般用電気工事のみの業務を行う営業所にあっては，絶縁抵抗計，接地抵抗計並びに回路計（テスタ）

電気事業法

1 電気工作物

①電気工作物

電気工作物とは，発電，変電，送電，配電または電気使用のために設置する機械・器具・ダム・水路・貯水池・電線路その他の工作物をいいます。

たとえば，建築物に設置する高圧受電設備，火力発電のために設置するボイラや蒸気タービン，水力発電のための貯水池および水路，ビル，店舗，住宅などが電気工作物です。

ただし，**船舶，車両，航空機に設置**[※1]されるものは，電気工作物から除かれています。

たとえば，電気鉄道の車両に設置する電気設備（発電設備，変電設備）や船舶に設置する発電機などが電気工作物から除かれます。

電気工作物を分類すると図のようになります。

- 電気工作物
  - 事業用電気工作物
    - 電気事業の用に供する電気工作物
    - 自家用電気工作物
    - 小規模事業用電気工作物
  - 一般用電気工作物

一般用電気工作物とは，次の条件を満たす電気工作物をいいます。

- 他の者から**600V以下の電圧**で受電し，その受電の場所と同一の構内で電気を使用する電気工作物で，受電用の電線路以外の電線路で構内以外にある電気工作物と電気的に接続されていないもの
- 構内に設置する**小規模発電設備**[※2]（小規模事業用発電設備は除く）であって，その発電した電気が構内以

※1

船舶，車両，航空機に設置

船舶，車両，航空機そのものに設置されるものは自家用電気工作物から除かれますが，電気事業者から電気鉄道用変電所へ電力を供給するための送電線路や電気鉄道用の変電所は電気工作物に該当します。

※2

小規模発電設備

太陽電池発電などにおいて，出力の小さいものをいいます。令和5年に小出力発電設備から小規模発電設備に名称変更等がありました。

外にある電気工作物と電気的に接続されていないもの

②**工事計画**

公共の安全の確保上特に重要なものとして経済産業省令で定める**事業用電気工作物**の設置の工事をする者は，その工事の計画について経済産業大臣または所轄産業保安監督部長の認可を受けます。

2 保安規程

事業用電気工作物（小規模事業用電気工作物を除く）**を設置する者は**，事業用電気工作物の工事，維持および運用に関する保安を確保するために※3**保安規程**を定めます。保安を一体的に確保することが必要な事業用電気工作物の組織ごとに保安規程を定めます。

その電気工作物の**使用開始前**に保安規程を経済産業大臣または所轄産業保安監督部長に届け出ます。

保安規程には，※4次の**事項**を定めます。

- 工事，維持および運用に関する保安のための巡視，点検，検査の事項
- 工事，維持および運用に関する保安についての記録に関すること
- 工事，維持または運用に関する業務を管理する者の職務および組織に関すること
- 電気工作物の運転または操作に関すること
- 記録および記録の保存に関すること
- 保安教育に関すること
- 災害その他非常の場合に採るべき措置に関する事項

事業用電気工作物を設置する者およびその従業者は，保安規程を守らなければなりません。

3 電気主任技術者

事業用電気工作物（小規模事業用電気工作物を除く）**を設置する者は**，電気工作物の工事，維持および運用に関する保安の監督をさせるため，※5**主**

務大臣から主任技術者免状の交付を受けている者のうちから主任技術者[※6]を選任します。一般用電気工作物を設置する者に対しては，選任する必要はありません。

自家用電気工作物を設置する者については，主任技術者免状の交付を受けていない者を主任技術者として選任することができます。

交付を受けていない者とは，一定要件を有する第一種電気工事士などです。

主任技術者は，事業用電気工作物の工事，維持および運用に関する保安の監督の職務を誠実に行わなければなりません。

事業用電気工作物の工事，維持または運用に従事する者は，主任技術者がその保安のためにする指示に従います。

電気主任技術者免状の種類と保安監督の適用範囲は表のとおりです。

事業用電気工作物を設置する者は，主任技術者を選任したときは，遅滞なくその旨を主務大臣に届け出ます。これを解任したときも同様です。

資格の種別	保安監督の適用範囲
第一種電気主任技術者	事業用電気工作物の工事，維持および運用
第二種電気主任技術者	電圧17万V未満の事業用電気工作物の工事，維持および運用
第三種電気主任技術者	電圧5万V未満の事業用電気工作物(出力5,000kW以上の発電所を除く)の工事，維持および運用

4 小規模発電設備

小規模発電設備とは，次のものをいいます。いずれ

※3
保安規定
一般用電気工作物を設置する者は，保安規程を定める必要はありません。
小規模事業用電気工作物については，保安規程の届出や主任技術者の選任に代えて，基礎情報の届出と使用前自己確認が必要になります。
なお，保安規程を定めるのは，主任技術者ではありません。

※4
次の事項
工事，維持及び運用に関するエネルギーの使用の削減，合理化に関することや，工事，維持及び運用に従事する者の健康管理に関することは，定める内容ではありません。

※5
主務大臣
経済産業大臣です。

※6
主任技術者
電気主任技術者，ボイラー・タービン主任技術者をいい，建設業法の主任技術者とは異なります。

も一般用電気工作物です。

①太陽電池発電設備で**出力50kW未満**のもの

②風力発電設備で**出力20kW未満**のもの

③水力発電設備で**出力20kW未満**のもの

④燃料電池発電設備で**出力10kW未満**のもの

⑤内燃力を原動力とする火力発電設備で**出力10kW未満**のもの

①~⑤までの**合計容量が50kW**以上の場合は小規模発電設備の対象外となります。なお，太陽電池発電で10kW以上50kW未満と，風力発電で20kW未満の設備は「小規模事業用発電設備」といいます。(令和5年改正)

チャレンジ問題！

問1　難 **中** 易

電気工作物に関する記述として，「電気事業法」上，誤っているものはどれか。

(1) 電気工作物は，一般用電気工作物と事業用電気工作物に分けられる。

(2) 高圧で受電する需要設備は，一般用電気工作物である。

(3) 火力発電のために設置する蒸気タービンは，電気工作物である。

(4) 水力発電のために設置するダムは，電気工作物である。

解 説

一般用電気工作物は低圧の600V以下で受電する設備等をいい，高圧で受電する需要設備は，自家用電気工作物です。

解答 (2)

電気用品安全法

1 電気用品

①電気用品

電気用品とは，一般用電気工作物等[※7]の部分となり，またはこれに接続して用いられる機械，器具または材料であって，政令で定めるものをいいます。

電気用品安全法第2条では，電気用品とは次に掲げる物とされています。

- 一般用電気工作物等の部分となり，またはこれに接続して用いられる機械，器具または材料であって政令で定めるもの
- 携帯発電機であって，政令で定めるもの
- 蓄電池であって，政令で定めるもの

電気用品として定められていないものの代表例として，プルボックス，ケーブルラックがあります。これらは，電気工事に使用されるものですが，電気用品に該当しません。

電気用品は，「**特定電気用品**」と「特定電気用品以外の電気用品」に分けられます。

電気用品 ─┬ 特定電気用品
　　　　　 └ 特定電気用品以外の電気用品

特定電気用品とは，構造または使用方法その他の使用状況からみて特に**危険**または**障害**の発生するおそれが多い電気用品であって，政令で定められています。

※7
一般用電気工作物等の部分となり
一般用電気工作物と小規模事業用電気工作物です。
事業用電気工作物や，自家用電気工作物ではない点に留意してください。
また，携帯発電機，蓄電池も穴埋め問題として多出しています。

②特定電気用品の主なもの

- ケーブル（導体の公称断面積が22mm² 以下等）[※8]
- 絶縁電線（導体の公称断面積が100mm² 以下等）
- 温度ヒューズ
- タイムスイッチ（定格電流30A以下）
- フロートスイッチ
- 配線用遮断器（定格電流100A以下）
- 漏電遮断器（定格電流100A以下）
- 電流制限器（定格電流100A以下）
- 蛍光灯用安定器（500W以下）
- 電気温水器
- 電撃殺虫器
- 携帯発電機

③特定電気用品以外の電気用品の主なもの

- 電気温床線
- 金属製電線管（内径120mm以下）
- 二種金属製線ぴ（幅50mm以下　A型は該当する）
- ケーブル配線用スイッチボックス
- リモートコントロールリレー（定格電流30A以下）

2 電気用品の製造

電気用品の製造の事業を行う者は，電気用品の区分に従い，必要な事項を経済産業大臣または所轄経済産業局長に届け出ます。電気用品は，技術上の基準に適合したものでなければなりません。

3 電気用品の表示記号

電気用品が安全性を満たしていることを表示するため，表示記号があります。特定電気用品と，特定電気用品以外の電気用品の表示記号は次のとおりです。

特定電気用品

PS
E
特定電気用品以外の電気用品

なお，特定電気用品は〈PS･E〉，特定電気用品以外の電気用品は（PS・E）と表示することもあります。

※ PSEは，Product＋Safety＋Electrical appliance and materialsの頭文字です。

※8
以下
ケーブルで太いサイズのものは，電気室内で使用されるなど，使用状況からみて一般の人が触れる機会がほとんどなく，その点で特に危険または障害の発生するおそれが多いとはいえません。

チャレンジ問題！

問1　難　中　易

電気工事に使用する機械，器具又は材料のうち，「電気用品安全法」上，電気用品として定められていないものはどれか。

ただし，電気用品は防爆型のもの及び油入型のものを除くものとする。

(1) 600Vビニル絶縁電線（5.5mm^2）
(2) 300mm×300mm×200mmの金属製プルボックス
(3) ねじなし電線管（E31）
(4) 定格電圧AC　125V　15Aの配線器具

解説

プルボックスは，電気用品に該当しません。

解答（2）

電気工事士法

1 免状

電気工事士免状の種類には，第一種電気工事士免状および第二種電気工事士免状があります。

電気工事士等となると，電気工事士を含め，表のようになります。

種類	免状交付者	業務範囲
第一種電気工事士	**都道府県知事**	一般用電気工作物　小規模事業用電気工作物 自家用電気工作物
第二種電気工事士	都道府県知事	一般用電気工作物　小規模事業用電気工作物
認定電気工事従事者	**経済産業大臣**	一般用電気工作物 自家用電気工作物の600V以下で使用する設備※1
特種電気工事資格者※2	経済産業大臣	ネオン工事 非常用予備発電装置工事

※1　電線路に関わるものを除く。
※2　ネオン工事と非常用予備発電装置は別の免状

業務範囲は，いずれの資格も最大電力[※9]**500kW未満の需要設備**です。

[※10]**第一種電気工事士**は，自家用電気工作物の保安に関する[※11]**所定の講習**を受けなければなりません。**認定電気工事従事者**は，自家用電気工作物に係る**簡易電気工事**の作業に従事することができます。簡易電気工事とは，自家用電気工作物のうち，最大電力500kW未満の需要施設であって，電圧600V以下で使用する電気工作物の電気工事（ただし電線路を除く）を指します。第二種電気工事士の資格だけでは，簡易電気工事の作業に従事できず，認定電気工事従事者の資格が必要です。

また，ネオン工事，非常用予備発電装置工事には従事できません。**特種電気工事資格者の免状**が必要です。特種電気工事資格者は，認定証の交付を受けた特種電気工事の作業に従事することができます。ネオン用として設置するネオン管に電線を接続する作業では，第一種電気工事士でもできず，特種電気工事資格者のネオン工事の資格者であることが要件です。免状交付者は，免状の返納命令を出すことができます。たとえば，第一種電気工事士の返納命令を出すことができるのは，経済産業大臣ではなく，都道府県知事です。

2 電気工事士でなければ従事できない作業

一般用電気工作物に係る次の作業は，電気工事士免状を所有していないとできない作業です。

- 電線管を曲げる作業
- 電線管とボックスを接続する作業
- 電線管に電線を収める作業
- ダクトに電線を収める作業
- 電線相互を接続する作業
- 配電盤を造営材に取り付ける作業
- 金属製のボックスを造営材に取り付ける作業
- 電線を直接造営材に取り付ける作業
- 埋込型点滅器を取り換える作業
- 埋込型コンセントを取り換える作業
- 接地極を地面に埋設する作業

3 電気工事士でなくても従事できる作業

次は，電気工事士でなくても従事できる軽微な作業です。

- 電力量計を取り付ける作業

※9
500kW未満の需要設備
500kW以上は定めがありません。

※10
第一種電気工事士
第一種電気工事士は，自家用電気工作物に係るすべての電気工事の作業に従事できるわけではありません。

※11
所定の講習
免状の交付を受けた日から5年以内に，自家用電気工作物の保安に関する講習を受けます。当該講習を受けた日以降についても同様です。

- 露出型コンセントを取り換える作業
- 電気機器（配線器具を除く）の端子に電線（コード，キャブタイヤケーブル及びケーブルを含む）をねじ止めする工事
- さし込み接続器，ねじ込み接続器，ソケット，ローゼットその他の接続器またはナイフスイッチ，カットアウトスイッチ，スナップスイッチその他の開閉器にコードまたはキャブタイヤケーブルを接続する工事
- 地中電線用の管を設置する工事
- 地中電線用の暗きょを設置または変更する工事
- 電線を支持する柱，腕木[※12]その他これらに類する工作物を設置し，または変更する工事
- 電鈴，インターホーン，火災感知器，豆電球その他これに類する施設に使用する小型変圧器[※13]の二次側の配線工事

チャレンジ問題！

問1　難｜中｜易

電気工事士等に関する記述として，「電気工事士法」上誤っているものはどれか。

(1) 第一種電気工事士は，一般用電気工作物に係る電気工事の作業に従事できる。
(2) 第二種電気工事士は，簡易電気工事の作業に従事できる。
(3) 電気工事士免状は，都道府県知事が交付する。
(4) 認定電気工事従事者認定証は，経済産業大臣が交付する。

解説

簡易電気工事とは，自家用電気工作物のうち，最大電力500kW未満の需要施設であって，電圧600V以下で使用する電気工作物の電気工事（ただし電線路を除く）を指します。第二種電気工事士は，簡易電気工事の作業に従事できず，認定電気工事従事者の資格が必要です。

解答（2）

電気工事業の業務の適正化

1 登録

電気工事業の業務の適正化に関する法律は，通称，「電気工事業法」といいます。

電気工事業を営む者の登録およびその業務の規制を行うことにより，その業務の適正な実施を確保し，もって一般用電気工作物および自家用電気工作物の保安の確保に資[※14]することを目的としています。

電気工事業者には，登録電気工事業者[※15]と通知電気工事業者[※16]があります。電気工事業を営もうとする者は，登録を受ける必要があり，登録を受けた電気工事業者を登録電気工事業者といいます。

登録については次のとおりです。

①1つの都道府県のみに営業所を設置
　→都道府県知事

②2つ以上の都道府県に営業所を設置
　→経済産業大臣

登録の有効期間は①，②とも5年間です。

2 主任電気工事士

①選任

登録電気工事業者は，一般用電気工作物に係る電気工事の業務を行う営業所を設置したら，2週間以内に，主任電気工事士[※17]を選任しなければなりません。

主任電気工事士になるための要件は次の①または②のいずれかです。

※12
腕木
腕金に取付けたがいしに電線を結束する作業は電気工事士でないとできません。

※13
小型変圧器
二次電圧が36V以下のものに限ります。

※14
資する
役立てるという意味です。

※15
登録電気工事業者
一般用電気工作物と自家用電気工作物の工事を行い，建設業登録していない業者です。

※16
通知電気工事業者
一般用電気工作物の工事を行い，建設業登録していない業者です。

※17
主任電気工事士
第二種電気工事士で，3年以上の実務経験のある者か，第一種電気工事士がなれます。
営業所ごとに選任します。

①第一種電気工事士

②第二種電気工事士免状の交付を受けた後**3年以上**の実務の経験を有する者

次の者は主任電気工事士になれませんので，注意してください。

● 認定電気工事従事者
● 特種電気工事資格者
● 第三種電気主任技術者
● 一級・二級電気工事施工管理技士
● 監理技術者

②**業務**

主任電気工事士の職務は次のとおりです。

● 一般用電気工作物による危険および障害が発生しないように作業の管理を行う
● 一般用電気工作物に従事する者は，主任電気工事士がその職務として認めてする指示に従わなければならない

3 器具の備付け

電気工事業者は，営業所ごとに次の器具を備える必要があります。

● 一般用電気工作物の工事のみの業務を行う営業所にあっては，**絶縁抵抗計，接地抵抗計並びに回路計**（抵抗および交流電圧の測定ができる）
● 自家用電気工作物の工事の業務を行う営業所にあっては，絶縁抵抗計，接地抵抗計，回路計，**低圧検電器**[※18]，高圧検電器，継電器試験装置並びに絶縁耐力試験装置

4 標識の掲示

電気工事業者は，営業所および施工場所ごとに次の事項を記載した標識を掲げます。

● 営業所の名称（営業所の所在地は記載事項になし）
● 氏名または名称，法人では，その代表者の氏名
● 電気工事の種類

● 登録の年月日および登録番号
● 主任電気工事士の氏名

5 帳簿の備付け記載事項

電気工事業者は，営業所ごとに帳簿を備え，定める事項を記載し，記載の日から**5年間保存**しなければなりません。**記載事項**[※19]は，次のとおりです。

● 注文者の氏名または名称および住所
● 電気工事の種類および施工場所
● 施工年月日
● 主任電気工事士等および作業者の氏名
● 配線図
● 検査結果

※18
低圧検電器
実務上必要と思われますが，法的には一般用電気工作物の工事のみを行う営業所には備付け不要です。

※19
記載事項
営業所の名称および所在の場所，施工金額や電気工事士免状の種類および交付番号の記載は求められていません。

チャレンジ問題！

問1　難　**中**　易

電気工事業者が，一般用電気工事のみの業務を行う営業所に備えなければならない器具として，「電気工事業の業務の適正化に関する法律」上，定められていないものはどれか。

(1) 低圧検電器
(2) 絶縁抵抗計
(3) 接地抵抗計
(4) 抵抗および交流電圧を測定することができる回路計

解　説

低圧検電器は，自家用電気工作物の工事を行う場合には必要ですが，一般用電気工作物の工事のみを行う場合は定められていません。

解答 (1)

第5章 法規

CASE 3 建築関係法令

まとめ & 丸暗記　この節の学習内容とまとめ

□ 建築基準法の用語

①建築物

屋根および柱もしくは壁を有するもの。建築設備を含む。ただし，鉄道のプラットホームの上屋は除く

②特殊建築物

多数の人が集い，衛生上，防火上特に規制すべき建築物。事務所ビルは特殊建築物に該当しない

③建築設備

建築物に設ける電気，ガス，給水，排水，換気，暖房，冷房等

④建築

新築，増築，改築，移転の４つ

⑤居室

居住，執務等のために継続的に使用する室

⑥避難階

直接地上へ通ずる出入口のある階

⑦地階

床が地盤面より下にある階で，床面から地盤面までの高さが，その階の天井面までの高さの１/３以上のもの

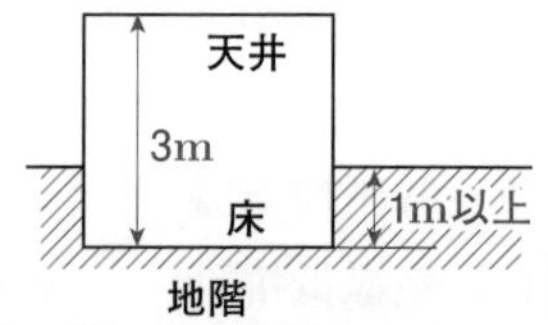

⑧主要構造部

壁，柱，床，梁，屋根，階段。最下階の床と外部階段は除く

⑨大規模の修繕

建築物の主要構造部の一種以上について行う過半の修繕

⑩特定行政庁

建築主事を置いていない市町村の区域については，都道府県知事で，建築主事を置いている市町村は，市町村長

建築基準法

1 目的

建築基準法第1条には，次のように目的が定められています。

- この法律は，建築物の敷地，構造，設備及び用途に関する最低の基準を定めて，国民の生命，健康及び財産の保護を図り，もって公共の福祉の増進に資することを目的とする。

2 建築基準法の用語

①建築物

- 土地に定着する工作物のうち，屋根および柱もしくは壁を有するものであって，建築設備を含みます。なお，鉄道のプラットホームの上家は，建築物から除かれます。
- これに付属する門か塀
- 観覧のための工作物[※1]
- 地下か高架の工作物内に設ける事務所，店舗，興行場，倉庫等

②特殊建築物

学校，体育館，病院，劇場，百貨店，共同住宅[※2]などです。多数の人が集まる建物などで，衛生上，防火上特に規制すべき建築物です。

ほとんどすべての建築物が特殊建築物に該当します。

③建築設備[※3]

建築物に設ける電気，ガス，給水，排水，換気，暖

※1
観覧のための工作物
野球場，サッカー場などです。

※2
共同住宅
個人住宅は特殊建築物に該当しません。なお，事務所も特殊建築物ではありません。

※3
建築設備
防火戸，避難はしご，誘導標識などは建築設備ではありません。

房，冷房，消火，排煙設備，昇降機，避雷針，煙突などが建築設備です。

④建築

建築物を新築，増築，改築，または移転することをいいます。

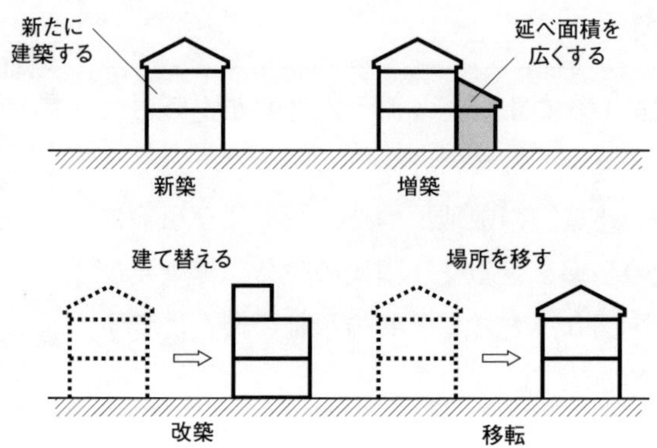

⑤居室

居住，執務，作業，集会，娯楽その他これらに類する目的のために継続的に使用する室をいいます。

⑥避難階

階段等を使わずに直接地上※4へ通ずる出入口のある階です。一般に出入口は1階のみですが，山間の旅館など傾斜地に立つ建物では，表玄関のほかに裏玄関を別の階に設けることがあり，その場合はそれぞれの階が避難階となります。

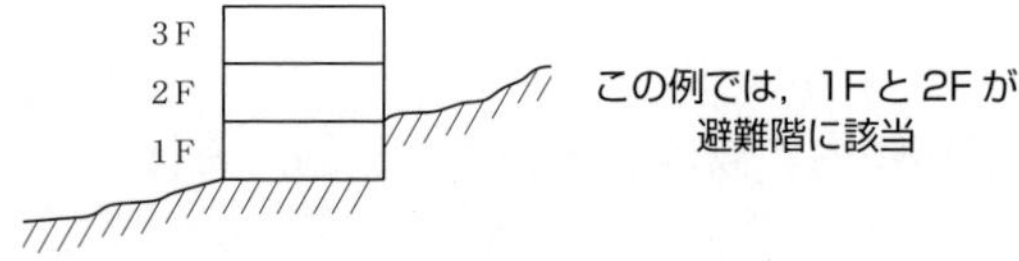

⑦地階

床が地盤面より下にある階で，床面から地盤面までの高さが，その階の天井面までの高さの1/3以上のものをいいます。

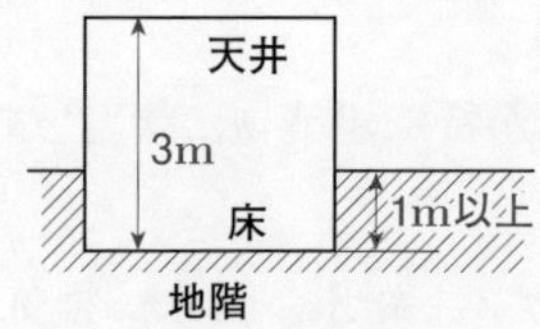

⑧主要構造部

壁，柱，床，梁，屋根，階段です。ただし，最下階の床と外部階段は除きます。

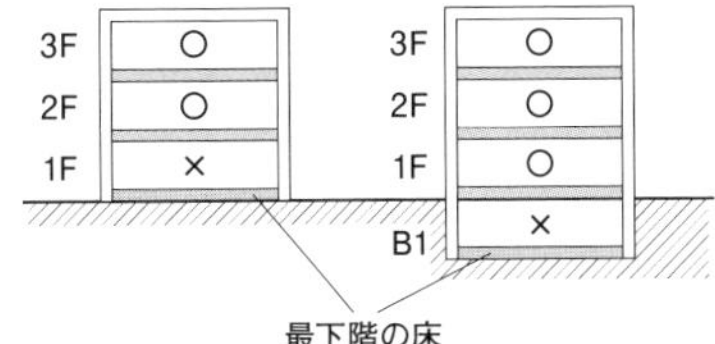

なお，基礎や基礎ぐいは，構造耐力上主要な部分ですが，主要構造部には該当しません。

⑨大規模の修繕

建築物の主要構造部の一種以上について行う過半の修繕です。

⑩大規模の模様替

建築物の主要構造部の一種以上について行う過半の模様替です。

⑪不燃材料

コンクリート，れんが，瓦，アルミニウム，ガラスなど，一定の加熱に一定時間耐える物質です。

⑫耐水材料

れんが，石，コンクリート，アスファルト[※5]，陶磁器，ガラスなどです。

⑬延べ面積

建築物の各階の床面積の合計です。

⑭建ぺい率

建築面積÷敷地面積で計算します。建築面積とは，真上から光を当てたときの水平投影面積です。ただし，庇などが1m以上出ている場合は，計算の仕方が異なります。

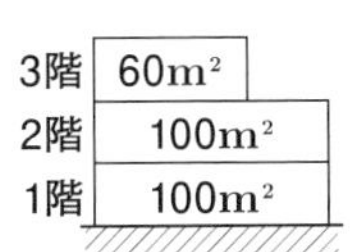

建築面積は100m²
延べ面積は260m²

※4

直接地上

階段やスロープを使わずに出られる階です。

※5

アスファルト

原油から作られるので，耐水材料ですが，不燃材料ではありません。

⑮容積率

延べ面積÷敷地面積で計算します。

⑯延焼のおそれのある部分

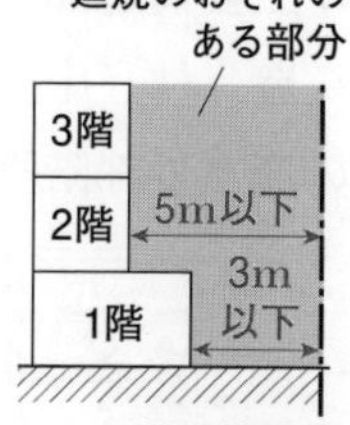

建築物の1階の部分で，隣地境界線より3m以下の部分，2階以上については5m以下の部分をいいます。

⑰階数

屋上部分や地階に設けた機械室などの水平投影面積の合計が建築物の建築面積の1/8以下である場合は階数に算入しません。ただし，居室の場合は算入します。

⑱特定行政庁

建築主事[※6]を置いていない市町村の区域については，都道府県知事であり，建築主事を置いている市町村は，市町村長です。

3 建築確認

建築しようとする場合，建築主は建築主事または指定確認検査機関に，設計図などを提出し，建築の許可を得なければなりません。これを建築確認といい，その申請を**建築確認申請**といいます。

建築主 —①申請→ 建築主事など —②同意を求める→ 消防機関

建築主 ←④確認— 建築主事など ←③同意— 消防機関

消防用設備等については，建築する建物の地域を所管する消防本部または消防署の審査を受け，同意を得て（消防の同意）建築確認をすることになります。

4 建築士法の用語

- 建築士とは，一級建築士，二級建築士および木造建築士です。
- 一級建築士[※7]とは，国土交通大臣の免許を受け，一級建築士の名称を用いて，建築物に関し，設計，工事監理その他の業務を行う者です。

- 二級建築士とは，都道府県知事の免許を受け，二級建築士の名称を用いて，建築物に関し，設計，工事監理その他の業務を行う者です。
- 設計図書[※8]とは，建築物の建築工事の実施のために必要な図面および仕様書です。
- 設備設計とは，建築設備の各階平面図および構造詳細図その他の建築設備に関する設計図書で国土交通省令で定めるものの設計です。
- 工事監理とは，その者の責任において，工事を設計図書と照合し，それが設計図書のとおりに実施されているかを確認することです。

※6
建築主事
建築の審査，検査等を行う，国家資格を持った人です。

※7
一級建築士
すべての建築物の設計及び工事監理を行うことができます。

※8
設計図書
公共工事標準請負契約約款では，その他に質問回答書，現場説明書も含まれます。

チャレンジ問題！

問1　難　**中**　易

建築物に関する記述として，「建築基準法」上，誤っているものはどれか。

(1) 建築物に設ける避雷針は，建築設備である。
(2) 鉄道のプラットホームの上家は，建築物である。
(3) 共同住宅は，特殊建築物である。
(4) 屋根は，主要構造部である。

解説

鉄道のプラットホームの上家は，建築物から除外されています。

解答 (2)

第5章  法規

CASE 4

労働関係法令

まとめ & 丸暗記　この節の学習内容とまとめ

□ 親権者または後見人
①未成年者の賃金を代って受け取ることはできない
②労働契約が未成年者に不利な場合，解除できる

□ 休憩時間

労働時間	休憩時間
8時間を超える	労働時間の途中に60分間
6時間を超える	労働時間の途中に45分間

□ 年少者の使用
①満15歳に達した日以後の最初の3月31日が終了するまで使用できない
②満18歳未満は，午後10時から午前5時までの間において使用することができないが，満16歳以上の男性を交替制により使用する場合は，可能である
③満18歳に満たない者については，その年齢を証明する戸籍証明書を事業場に備え付ける

□ 一事業所内の組織

選任される者	選任の基準
総括安全衛生管理者	従業者が100人以上で選任
安全管理者	従業者が50人以上で選任
衛生管理者	
産業医	
安全衛生推進者	従業者が10～49人で選任

※従業者50人以上では，安全委員会と衛生委員会を設置

労働基準法

1 労働契約

①使用者と労働者

使用者とは，事業主または事業の経営担当者その他その事業の労働者に関する事項について，事業主のために行為をするすべての者をいいます。

労働者とは，使用者に使用され，賃金を支払われる者をいいます。

②使用者の権利と義務

使用者は，労働契約の不履行について違約金を定め，または損害賠償額を予定する契約をすることはできません。

また，労働者が女性であることを理由として，賃金について男性と差別的取扱いをしてはいけません。

常時10人以上の労働者を使用する場合，就業規則を作成して行政官庁[※1]に届け出ます。

使用者は，労働者名簿，賃金台帳および雇入，解雇その他労働関係に関する重要な書類を作成し5年間保存します。

③労働者の権利と義務

労働者は，労働契約で明示された労働条件が事実と相違する場合においては，即時に労働契約を解除することができます。

労働者の親権者[※2]または後見人[※3]は，未成年者の賃金を代って受け取ることはできませんが，労働契約が未成年者に不利であると認める場合においては，将来に向かってこれを解除することができます。

※1
行政官庁
会社の所在地を管轄する労働基準監督署です。

※2
親権者
親権とは未成年の子供の監護，養育，財産管理など親に認められた権利です。通常，父母が共同で持っており，父母が親権者になります。

※3
後見人
判断能力が不十分と考えられる者を補佐する人です。

2 労働条件

①書面の交付

使用者が労働契約の締結に際し，労働者に対して書面の交付[※4]により明示します。その労働条件は，次のとおりです。

- 労働契約の期間
- 就業の場所および従事すべき業務
- 労働時間や休日・休暇に関する事項
  (始業，就業の時刻，残業の有無，休憩時間などです。)
- 賃金に関する事項
- 退職に関する事項
- その他必要事項

明示しなければならない労働条件の中に，福利厚生施設の利用に関する事項はありません。

以上を通知書として労働者に明示し，使用者は交付日から3年間保存します。

②休憩時間

使用者が労働者に対して与えなければならない休憩時間[※5]については，次のようになります。

労働時間	休憩時間	備考
6時間を超える	少なくとも45分間	労働時間の途中に与える
8時間を超える	少なくとも60分間	同上

労働時間の途中なので，労働前後に与えることはできません。

3 労働者名簿

使用者が労働者名簿[※6]に記入しなければならない事項は，次のとおりです。

- 労働者の氏名
- 生年月日

- 履歴
- 性別
- 住所
- 従事する業務の種類
- 雇入の年月日
- 退職の年月日およびその理由
- 死亡の年月日およびその原因

保存年数は，労働者の死亡，退職，解雇の日から5年間です。

4 年少者の使用

①使用制限

建設事業における年少者の使用について，使用者は，児童が満15歳に達した日以後の最初の3月31日が終了するまで，これを使用することはできません。

また，満18歳に満たない者に労働基準法に定める危険有害業務に就かせることもできません。

さらに，満18歳未満は，午後10時から午前5時までの間において使用することができませんが，満16歳以上の男性を，交替制により使用する場合は，可能です。

②満18歳に満たない者

満18歳に満たない者については，就かせることができない業務があり，次のとおりです。

- クレーンの運転
- デリックまたは揚貨装置の運転
- 動力により駆動される土木建築用機械の運転
- クレーン，デリックまたは揚貨装置の玉掛けの業務

ただし，2人以上の者によって行うクレーンの玉掛けの業務における補助作業は行うことができます。

※4
書面の交付
労働条件通知書です。

※5
休憩時間
従業者に対して，自由に利用させなければなりません。

※6
労働者名簿
労働者の労働日数，労働時間数の記載は不要です。ただし，賃金台帳には，これらの事項は支払いの元となるので，記載します。

- 高さが5m以上の場所で，墜落により危害を受けるおそれのあるところにおける業務
- 深さが5m以上の地穴における業務
- 坑内での業務
- 土砂が崩壊するおそれのある場所における業務
- 足場の組立，解体または変更の業務

ただし，地上または床上における足場の組立または解体の補助作業については，行うことができます。

- 電圧が300Vを超える交流の充電電路の点検，修理または操作の業務

ただし，200Vであれば超えないのでできます。

なお，満18才に満たない者については，その年齢を証明する**戸籍証明書**を事業場に備え付けておきます。

5 災害補償

労働者が業務上負傷し，または疾病にかかった場合においては，使用者は，必要な療養を行い，費用を負担しなければなりません。

①休業補償

使用者は労働者の療養中，平均賃金の**60/100**の休業補償を行います。

②遺族補償

労働者が業務上死亡した場合においては，使用者は，遺族に対して，平均賃金の1,000日分の遺族補償を行います。

③打切補償※7

補償を受ける労働者が，療養開始後**3年を経過**しても負傷または疾病が治らない場合においては，使用者は，平均賃金の**1,200日分**の**打切補償**を行います。

その後は労働基準法の規定による補償を行わなくてもよいことになります。

建築の事業が数次の請負によって行われる場合においては，災害補償については，その**元請負人**を原則として使用者とみなします。

労働者が業務上負傷し，治った場合において，その身体に障害が存するときは，使用者は障害補償を行わなければなりません。

労働者災害補償保険法に基づいて労働基準法の災害補償に相当する給付が行われる場合においては，使用者は，補償の責を免れます。

※7
打切補償
平均賃金の1,200日分を補償します。無条件での解雇はできません。

チャレンジ問題！

問1 難 中 易

労働契約等に関する記述として，「労働基準法」上，誤っているものはどれか。

(1) 使用者は，労働契約の不履行について違約金を定めてはならない。
(2) 労働者は，労働契約で明示された労働条件が事実と相違する場合においては，即時に労働契約を解除することができる。
(3) 使用者は，満18歳に満たない者を高さが5m以上の場所で，墜落により危害を受けるおそれのあるところにおける業務に就かせてはならない。
(4) 使用者は，労働者が業務上負傷し，療養のために休業する期間が5年を経過した場合は，無条件で解雇することができる。

解説

使用者は，労働者が業務上負傷し，療養のために休業する期間が3年を経過した場合は，平均賃金の1,200日分の打切補償により解雇できます。無条件で解雇することはできません。

解答（4）

労働安全衛生法

1 安全組織

①特定元方事業者[※8]

建設業における特定元方事業者が，労働災害を防止するために講ずべき措置は次のとおりです。

- 関係請負人が行う労働者の安全または衛生のための教育に対する**指導および援助**を行う
- 特定元方事業者およびすべての関係請負人が参加する**協議組織の設置および運営**を行う
- 特定元方事業者と関係請負人との間および関係請負人相互間における，作業間の**連絡および調整**を行う

②単一の事業所内での組織

事業者は，1つの建設現場での従業者の人数により，図のような組織を編成します。

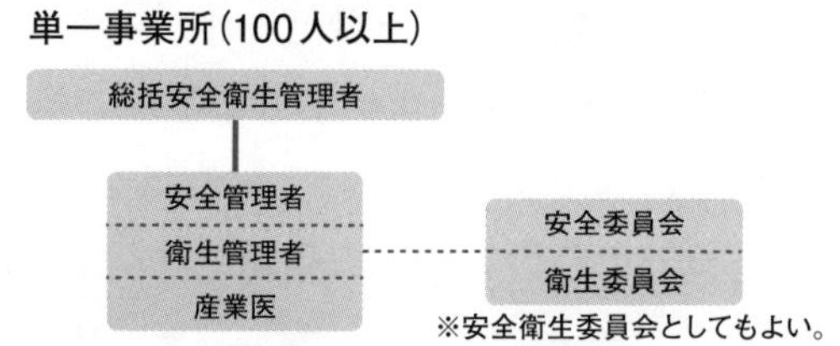

●総括安全衛生管理者

常時100人以上の場合，総括安全衛生管理者を選任します。[※9]

●安全管理者，衛生管理者，産業医

常時50人以上の場合，安全管理者，衛生管理者，産業医を選任します。

その場合，安全委員会，衛生委員会を設置します。この2つの委員会をまとめて安全衛生委員会とすることもできます。

③安全衛生推進者

常時10人以上50人未満の場合，安全衛生推進者を選任します。

表にすると以下のとおりです。

選任される者	選任の基準
総括安全衛生管理者	従業者が100人以上で選任
安全管理者	従業者が50人以上で選任
衛生管理者	従業者が50人以上で選任
産業医	従業者が50人以上で選任
安全衛生推進者	従業者が10〜49人で選任

総括安全衛生管理者は，安全管理者および衛生管理者の指揮をします。

総括安全衛生管理者を選任すべき事由が発生した日から**14日以内**に選任し，遅滞なく，報告書を**所轄労働基準監督署長**に提出します。総括安全衛生管理者が旅行，疾病，事故その他やむを得ない事由によって職務を行うことができないときは，代理者を選任します。

労働基準監督署長は，労働災害を防止するため必要があると認めるときは，事業者に対し，安全管理者の増員または解任を命ずることができます。

④元請負者・下請負者合同の組織

元請，下請混在現場では，その合計が常時**50人以上**の場合，図のような組織を編成します。

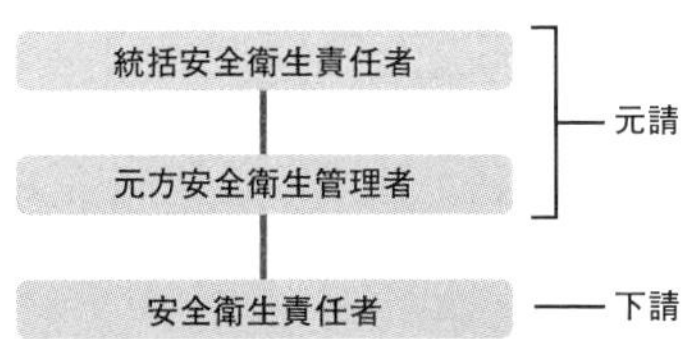

元請け社員である**統括安全衛生責任者**が統括管理しなければならない事項は，協議組織の設置および運営，作業場所の巡視，機械，設備等を使用する作業に関し関係請負人が講ずべき措置についての指導を行う

※8
特定元方事業者
下請負者のいる現場で，最も先次の事業者です。

※9
常時
工事期間中，毎日いつでもということでなく，普段という意味にとってください。

ことなどです。同じく元請け社員の**元方安全衛生管理者**は，技術的事項を補佐します。

安全衛生責任者は下請け各社の社員で，選任した請負人は，同一の場所において作業を行う統括安全衛生責任者を選任すべき事業者に対し，遅滞なく，その旨を通報します。

50人に満たない場合，**店社安全衛生管理者**[※10]を選任し，次の職務を行わせます。

- 協議組織の会議に随時参加すること
- 少なくとも毎月1回労働者が作業を行う場所を巡視すること
- 労働者の作業の種類その他作業の実施の状況を把握すること

なお，作業場所における機械，設備等の配置に関する計画を作成することは定められていません。

常時50人以上の現場の組織表の一例です。

常時50人以上の下請け混在現場（工事現場）における事業場

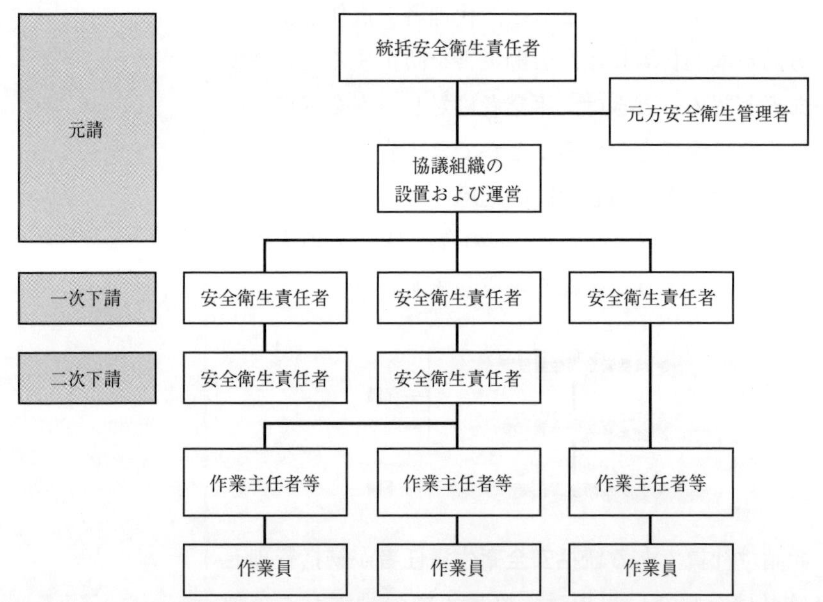

⑤出題の多い「責任者」等

過去に多く出題されている者について要点をまとめます。

● 安全管理者

・事業者は，常時使用する労働者が50人以上となる事業場には，安全管理者を選任する
・安全管理者に，労働者の危険を防止するための措置に関する技術的事項を管理させる
・安全管理者を選任すべき事由が発生した日から14日以内に選任する
・安全管理者を選任したときは，当該事業場の所轄労働基準監督署長に報告書を提出する。都道府県知事に提出ではない

● 安全衛生推進者

・事業者は，都道府県労働局長[※11]の登録を受けた者が行う講習を修了した者から安全衛生推進者を選任する。労働基準監督署長の登録ではない
・選任した安全衛生推進者の氏名を作業場の見やすい箇所に掲示する等により，関係労働者に周知させる

● 統括安全衛生責任者

建設工事現場の統括安全衛生責任者が統括管理しなければならない事項として，次のものがあります。

・作業間の連絡および調整を行うこと
・関係請負人が行う労働者の安全または衛生のための教育に対する指導および援助を行うこと
・仕事の工程に関する計画および作業場所における機械，設備等の配置に関する計画を作成すること

● 元方安全衛生管理者

特定元方事業者が選任した統括安全衛生責任者が統括管理すべき事項のうち技術的事項を管理する者が元方安全衛生管理者です。

※10
店社安全衛生管理者
鉄筋コンクリート造の工事などの場合，20～49人で選任します。

※11
都道府県労働局
各都道府県に配置され，図のような組織に位置付けられています。

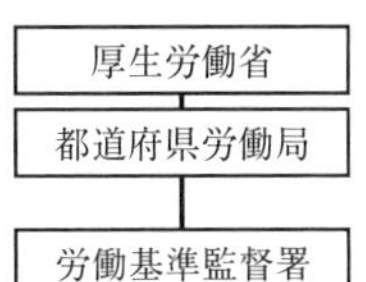

2 安全衛生教育

事業者が労働者に**安全**または**衛生**のための**教育**を行わなければならない場合は，次のとおりです。

- 労働者を**雇い入れた**とき
- 職長が新たに職務につくとき
- 労働者の作業内容を**変更**したとき
- 厚生労働省令で定める**危険**または**有害な作業**に労働者を就かせるとき

危険または有害な作業とは，具体的に示すと以下のとおりです。

- 研削といしの取替えの業務
- 高圧の充電電路の点検，操作の業務

なお，労働災害が発生したときや施工体制台帳を作成したときなどは，安全衛生教育を行わなければならない場合には該当しません。

3 報告書

次の場合，事業者は**遅滞なく**，事故報告書を**労働基準監督署長**に提出するよう定められています。

- 事業場で火災または爆発の事故が発生したとき
- ゴンドラの転倒ワイヤロープの切断の事故が発生したとき
- 移動式クレーン（つり上げ荷重0.5 t 未満除く）の**転倒**[※12]**の事故等**が発生したとき
- 死亡または**4日以上**の**休業**を要する労働災害が発生したとき（休業の日数が4日に満たない労働災害が発生したときは該当しません）

4 感電防止

移動式または可搬式の**電動機械器具**で対地電圧が**150V**を超えるものが接続される電路には，当該電路の定格に適合し，感度が良好であり，かつ，確実に作動する感電防止用漏電しゃ断装置を接続します。

5 健康管理

事業者は，労働者の健康管理を行います。

- 常時50人以上の労働者を使用する事業場には，**産業医**を選任し，その者に労働者の健康管理等を行わせる
- 常時使用する労働者に対し，医師による**定期健康診断**を行う場合は，既往歴及び業務歴の調査を行う
- **中高年齢者**については，心身の条件に応じて適正な配置を行うように努める
- 健康診断の結果に基づき，健康診断個人票を作成して，これを**5年間保存**する

※12
転倒事故等
そのほかに，ワイヤロープの切断なども該当します。また，建設用リフト（0.25 未満を除く）の倒壊，ワイヤロープ切断等も報告します。

チャレンジ問題！

問1　難　中　易

建設業における安全衛生推進者に関する記述として，「労働安全衛生法」上，誤っているものはどれか。

(1) 事業者は，常時10人以上50人未満の労働者を使用する事業場において安全衛生推進者を選任しなければならない。
(2) 事業者は，選任すべき事由が発生した日から14日以内に安全衛生推進者を選任しなければならない。
(3) 事業者は，労働基準監督署長の登録を受けた者が行う講習を修了した者から安全衛生推進者を選任しなければならない。
(4) 事業者は，選任した安全衛生推進者の氏名を作業場の見やすい箇所に掲示する等により，関係労働者に周知させなければならない。

解説

事業者は，労働基準監督署長の登録を受けた者が行う講習ではなく，都道府県労働局長の登録を受けた者が行う講習を修了した者から安全衛生推進者を選任します。

解答 (3)

第5章  法規

CASE 5 消防法

まとめ & 丸暗記　この節の学習内容とまとめ

□ 消防設備士

消防設備士の種類	点検・整備	工事
甲種消防設備士	○	○
乙種消防設備士	○	×

□ 消防用設備等

消防用設備の種類	細目	主な設備名
消防の用に供する設備	消火設備	屋内消火栓，スプリンクラー
	警報設備	自動火災報知設備，ガス漏れ火災警報設備，自動式サイレン
	避難設備	誘導灯，救助袋
消防用水		防火水槽
消火活動上必要な施設		排煙設備，非常用コンセント設備，無線通信補助設備

□ 非常警報設備と誘導灯は消防設備士資格を所有していなくても工事ができる。

□ 消防設備士の義務

①業務遂行
業務を誠実に行い，消防用設備等の質の向上に努める

②免状携帯
その業務に従事するときは，消防設備士免状を携帯する

③講習受講
都道府県知事等が行う工事または整備に関する講習を受ける

消防法の用語等

1 用語

①防火対象物

山林または舟車，船きょ[※1]もしくはふ頭[※2]に繋留された船舶，建築物その他の工作物もしくはこれらに属する物をいいます。

②消防対象物

山林または舟車，船きょもしくはふ頭に繋留された船舶，建築物その他の工作物もしくはこれらに属する物および物件[※3]をいいます。

③関係者

防火対象物または消防対象物の所有者，管理者，占有者です。

④防火管理者

当該防火対象物全体の消防計画を作成し，消火，通報，および避難の訓練を実施します。統括防火管理者[※4]も同様の業務です。

⑤高層建築物

高さが31mを超える建築物です。

⑥無窓階

建築物の地上階のうち，総務省令で定める避難上または消火活動上有効な開口部を有しない階です。

2 消防用設備等

防火対象物の消防用設備等は，P127「消防用設備等」の図のように分類されます。特に，次のことは出

※1
船きょ
船を点検，修理するドックです。

※2
ふ頭
波止場です。

※3
物件
消防対象物の場合，防火対象物と比べて，これが加わります。
物件とは，たとえば，布きれです。これに火が付けば，消防の対象となりますが，防火の対象にはなりません。

※4
統括防火管理者
大規模な雑居ビルなど所有者等が複数にわたる防火対象物の管理者です。

題の要点です。

- 自動火災報知設備は「警報設備」に該当する
- 「消火活動上必要な施設」の5項目は重要。これに該当しないものを選択させる問題である
- **非常用の照明装置,非常用の昇降機**[※5]は消防用設備等のどれにも該当しないので，消防設備士の資格を有していなくても施工可能

消防用設備等			設備名
1	消防の用に供する設備	①消火設備	動力消防ポンプ設備，簡易消火用具，消火器(整備は不可)
		②警報設備	非常警報器具・設備，漏電火災警報器(整備は不可)
		③避難設備	滑り台，避難橋，誘導灯・標識
2	消防用水		消防用水
3	消火活動上必要な施設		排煙設備，非常コンセント設備，連結送水管，連結散水設備，無線通信補助設備

3 消防設備士

①免状の種類

消防設備士の資格には，甲種と乙種があり，次のような分類です。

●甲種消防設備士免状

消防用設備等の**整備および工事**が行えます。

扱うことのできる消防用設備の種類によって，**種類は特類と1〜5類**に分類されます。

政令で定める消防用設備等の工事を行うときは，消防設備士が**着工の届出書**[※6]を消防長または消防署長に提出します。

●乙種消防設備士免状

消防用設備等の**整備**が行えます。工事は行えません。

②消防設備士免状不要の工事

消防用設備等の多くは，甲種消防設備士免状が無ければ施工できません

が，次にあげるものについては，消防設備士でなくても行うことができます。

非常警報設備と誘導灯は消防設備士資格を所有していなくても工事ができます。ただし，電源工事を伴うので，電気工事士免状は必要です。

③消防設備士の義務

● 業務遂行

業務を誠実に行い，消防用設備等の質の向上に努めます。

● 免状携帯

その業務に従事するときは，消防設備士免状を携帯します。

● 講習受講

都道府県知事等が行う工事または整備に関する講習を定期的に受けます。

※5
非常用の照明装置
消防法ではなく，建築基準法の定めです。

※6
着工の届出書
工事整備対象設備等着工届といいます。
工事着工の10日前までに届け出ます。
なお，消防用設備等設置後は，所有者等が4日以内に届け出ます。

チャレンジ問題！

問1　難　**中**　易

消防用設備等として，「消防法」上，定められていないものはどれか。

(1) ガス漏れ火災警報設備
(2) 非常用の照明装置
(3) 避難はしご
(4) 漏電火災警報器

解　説

非常用の照明装置は，建築基準法に定められた建築設備です。

解答 (2)

第5章  法規

CASE 6 その他法令

まとめ & 丸暗記　この節の学習内容とまとめ

□ 廃棄物の種類

建設副産物（発生材）
- 発生残土
- 有価物（スクラップ）
- 廃棄物
  - 一般廃棄物（特別管理一般廃棄物が含まれる）
  - 産業廃棄物（特別管理産業廃棄物が含まれる）

□ 建設工事に係る資材の再資源化等に関する法律

特定建設資材とは
①木材
②コンクリート
③アスファルト・コンクリート
④コンクリート及び鉄から成る建設資材

□ 騒音規制法

特定建設作業の騒音は，敷地の境界線において，85dB以下とする。

□ 環境基本法

公害とは次のもの。
①大気汚染　②水質汚濁　③地盤沈下　④振動
⑤土壌汚染　⑥悪臭　⑦騒音

□ 大気汚染防止法

ばい煙は次のとおり。
①鉛　②カドミウム　③窒素酸化物　④硫黄酸化物
⑤煤塵　等

その他の法令

1 廃棄物の処理及び清掃に関する法律

①廃棄物の種類

建設現場から発生するものを分類すると次のようになります。

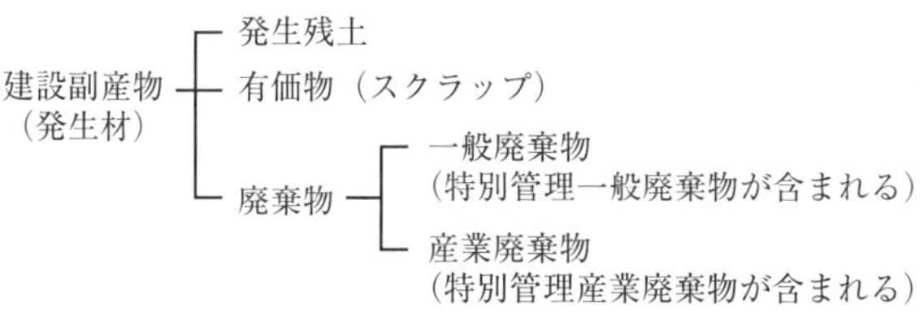

廃棄物[※1]は次の2つです。

●産業廃棄物

工作物の除去など事業活動により排出される廃棄物です。廃プラスチック類，ガラスくず，金属くず，廃ウエス，紙くず[※2]，汚泥，廃油[※3]および廃酸などです。

特別管理産業廃棄物が含まれます。

●一般廃棄物

産業廃棄物以外の廃棄物です。特別管理一般廃棄物が含まれます。

建設現場で発生するものは，原則として産業廃棄物になります。

たとえば，建築物の新築，改築で生じる包装材，段ボールなどの紙くず類は，産業廃棄物です。一方，建設現場事務所で発生する生ごみやミスコピーの紙くずなどは，一般廃棄物です。

②廃棄物処理

事業活動に伴って生じた廃棄物は，事業者が自らの

※1
廃棄物
建設発生土は廃棄物ではありません。

※2
紙くず
資材を梱包していた紙等です。建設現場でのコピー紙くずは一般廃棄物です。

※3
廃油
灯油は，特別管理産業廃棄物です。
特別管理とは，有害性等の高い廃棄物です。

責任において処理します。事業者は，産業廃棄物を運搬するまでの間，生活環境の保全上支障のないように保管します。

[※4]産業廃棄物管理票は，排出事業者が処理を委託した者に，産業廃棄物の種類ごとに交付します。管理票交付者は，産業廃棄物の処分が終了した旨が記載された管理票の写しを，送付を受けた日から5年間保存します。

2 建設工事に係る資材の再資源化等に関する法律

[※5]建設工事に係る資材の再資源化等に関する法律に，分別解体等及び再資源化等を促進するため，[※6]特定建設資材として次の4種類が定められています。

①木材

②コンクリート

③アスファルト・コンクリート

④コンクリート及び鉄から成る建設資材

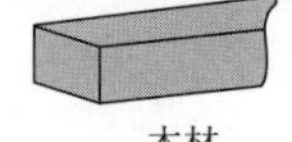

木材

コンクリートブロック

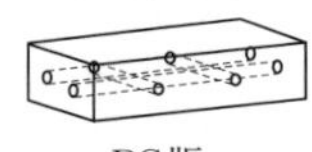

PC版

アスファルト・コンクリート舗装材

3 道路法

①道路占用許可

道路を占用する場合，道路占用許可を，道路管理者から受けなければなりません。

許可を受けなければならない例は次のとおりです。

- 電力引込みのために，電柱を道路に設置する
- 配電用の[※7]パッドマウント変圧器を道路に設置する
- 道路の一部を掘削して，地中ケーブル用管路を道路に埋設する

街路灯の電球を交換するために，作業用車両を道路に駐車するような場合は，これに該当しません。

②記載事項

道路の占用許可申請書に記載する事項としては次のとおりです。

- 工作物，物件または施設の構造

● 工事の時期
● 道路の占用の期間
● 道路の復旧方法

工作物の維持管理方法は記載事項にありません。

4 騒音規制法

特定建設作業[※8]の騒音は，特定建設作業の場所の敷地の境界線において，85dBを超える大きさとならないようにします。

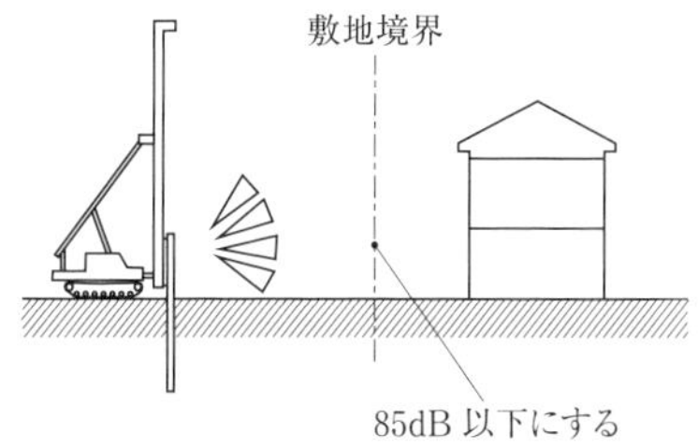

5 環境基本法

公害とは次のものをいいます。

● 大気汚染
● 土壌汚染
● 水質汚濁
● 悪臭
● 地盤沈下
● 騒音
● 振動

妨害電波や日照障害は公害の定義には該当しません。

6 大気汚染防止法

物の燃焼，合成等に伴い発生する物質のうち，ばい煙[※9]として定められているのは次のとおりです。

※4
産業廃棄物管理票
マニフェストともいいます。

※5
建設工事に係る資材の再資源化等に関する法律
通称「建設リサイクル法」と呼ばれています。

※6
特定建設資材
電線は該当しません。

※7
パッドマウント変圧器
景観調和を目的に，配電線が埋設された区域に設置される変圧器です。

※8
特定建設作業
著しい騒音を発生する作業です。

※9
ばい煙
一酸化炭素，二酸化炭素は定められていません。

●鉛　　　　　　●硫黄酸化物　　●窒素酸化物
●カドミウム　　●煤塵　等

7 改正省エネ法

正式名称は「エネルギーの使用の合理化及び非化石エネルギーへの転換等に関する法律」（令和５年）です。

特定エネルギー消費機器として，29品目が定められていますが，主なものは次のとおりです。

●変圧器　　　　　　　　●蛍光灯　　　　　　●照明器具
●エアコンディショナー　●LEDランプ　　　　●電子レンジ
●テレビジョン受信機　　●三相誘導電動機　等

※コンデンサは含まれていません。

チャレンジ問題！

問1　　難　**中**　易

廃棄物の処理に関する記述のうち，「廃棄物の処理及び清掃に関する法律」上，誤っているものはどれか。

(1) 産業廃棄物管理票（マニフェスト）は，産業廃棄物の種類ごとに交付しなければならない。
(2) 事業活動に伴って生じた廃棄物は，事業者が自らの責任において処理しなければならない。
(3) 事業活動に伴って生じた廃プラスチック類は，産業廃棄物である。
(4) 工作物の除去に伴って生じたガラスくずは，一般廃棄物である。

解　説

工作物の除去に伴って生じたガラスくずは，産業廃棄物です。

解答（4）

第一次検定

練習問題

練習問題（第一次検定）

第1章 電気工学

▶ 電気理論

問1 図に示す回路において，2Ωの抵抗に流れる電流 I〔A〕の値として，正しいものはどれか。

(1) 0.5A

(2) 1A

(3) 2A

(4) 3A

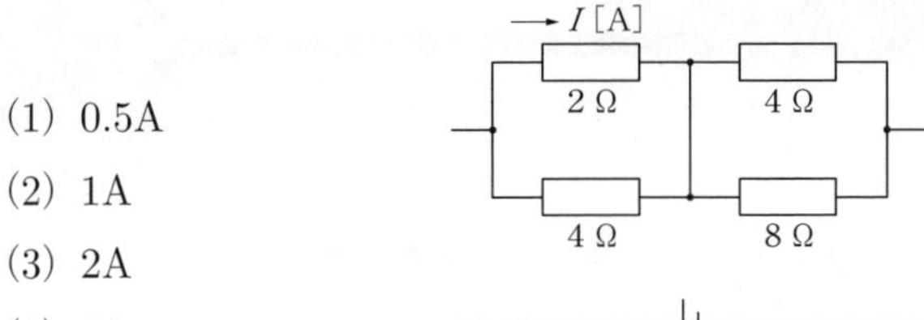

解説

2Ωと4Ωが並列で合成抵抗は4/3Ωで，4Ωと8Ωも並列で合成抵抗は8/3Ωです。この直列抵抗値は4Ωで，回路全体の電流＝12/4＝3Aであり，オームの法則から，I＝2A　です。 ▶解答（3）

問2 電線の断面を4秒間に4C(クーロン)の電荷が一定の割合で通過したときの電流の値〔A〕として，適当なものはどれか。

(1) 1A

(2) 4A

(3) 16A

(4) 20A

解説

I＝Q/t　より，数値を代入すると，次のようになります。

I＝4/4＝1〔A〕 ▶解答（1）

▶ 計測・電気機器

問1 直流専用の指示電気計器として，適当なものはどれか。

(1) 永久磁石可動コイル形計器
(2) 可動鉄片形計器
(3) 整流形計器
(4) 電流力計形計器

解説

直流専用の指示電気計器は永久磁石可動コイル形計器です。

▶解答（1）

問2 単相変圧器の二次側端子間に1 Ωの抵抗を接続して，一次側端子間に電圧100Vを加えたところ，一次電流は1Aとなった。

この場合の一次側と二次側の電圧比（一次側電圧／二次側電圧）として適当なものはどれか。

ただし，変圧器は理想変圧器とする。

(1) $\frac{1}{10}$
(2) 1
(3) 10
(4) 100

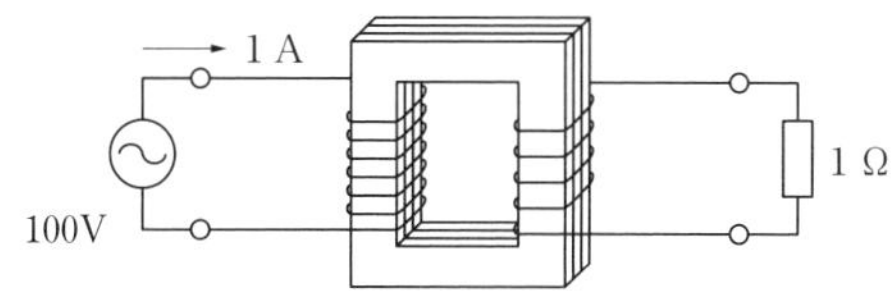

解説

一次側電力 $= E_1 \times I_1 = 100 \times 1 = 100$ …①

二次側電力 $= E_2{}^2 / R = \dfrac{E_2{}^2}{1} = E_2{}^2$ …②

①=②より，$E_2 = 10$

一次側電圧／二次側電圧 $= 100/10 = 10$ ▶解答（3）

問3 図のように，巻数が1回の円形コイルに，電流1Aを流したとき，コイルの中心Pの磁界の大きさは1A/m であった。このコイルに2Aの電流を流したときのコイルの中心Pの磁界の大きさ〔A/m〕として，適当なものはどれか。

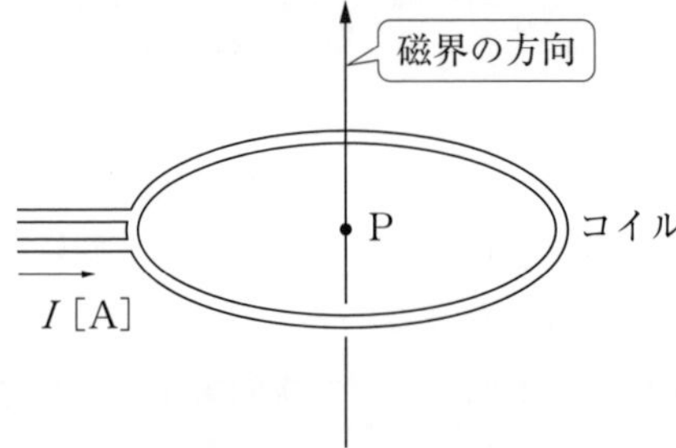

(1) 0.5A/m

(2) $\sqrt{2}$A/m

(3) 2A/m

(4) 4A/m

解説

巻数が1回で半径がrの円形コイルに電流を流したとき，円の中心に生じる磁界の大きさHは，$H = I/2r$ で表されます。

電流1Aを流したとき，H=1A/m なので，r=0.5mになります。このコイルに2Aの電流を流すと，H=2/（2×0.5）=2 A/mです。 ▶解答（3）

▶ 電力系統

問1 配電系統におけるループ方式に関する記述として，最も不適当なものはどれか。

(1) 幹線を環状にし，電力を2方向より供給する方式である。
(2) 需要密度の低い地域に適している。
(3) 常時開路方式と常時閉路方式がある。
(4) 事故時にその区間を切り離すことにより，他の健全区間に供給できる。

解説

ループ方式は，需要密度の高い地域に適しています。 ▶解答 (2)

▶ 電気応用

問1 事務所の室等のうち，「日本産業規格（JIS）」の照明設計基準上，推奨照度が最も高いものはどれか。

(1) 電気室
(2) 事務室
(3) 集中監視室
(4) 電子計算機室

解説

各室の推奨照度（lx）は次のとおりです。

(1) 電気室：200
(2) 事務室：750
(3) 集中監視室：500
(4) 電子計算機室：500

したがって，事務室が最も高い照度になります。 ▶解答 (2)

問2 図においてP点の水平面照度E〔lx〕の値として，正しいものはどれか。ただし，光源はP点の直上にある点光源とし，P方向の光度Iは160cd とする。

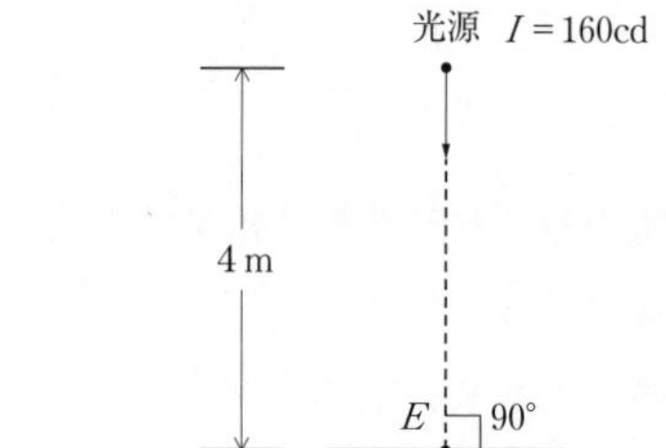

(1) 5lx
(2) 10lx
(3) 20lx
(4) 40lx

解説

$E = I/r^2 = 160/4^2 = 10$lx ▶解答 (2)

第2章 電気設備

▶ 発電設備

問1 汽力発電所の熱効率向上対策として，不適当なものはどれか。

(1) 節炭器を設置する。
(2) 復水器内の圧力を高くする。
(3) 抽気した蒸気で給水を加熱する。
(4) 高温高圧の蒸気を採用する。

解説

復水器内の圧力を高くしても熱効率向上対策になりません。 ▶解答 (2)

▶ 送配電設備

問1 高圧配電線路で一般的に採用している接地方式として，適当なものはどれか。

(1) 非接地方式
(2) 直接接地方式
(3) 抵抗接地方式
(4) 消弧リアクトル接地方式

解説

高圧配電線路で一般的に採用している接地方式は，中性点に接地を施さない非接地方式です。

▶解答 (1)

問2 架空送電線路に関する次の記述に該当する機材の名称として，適当なものはどれか。

「電線の周りに数本巻き付けて，電線が風の流れと定常的な共振状態になることを防止し，電線特有の風音の発生を抑制する。」

(1) スパイラルロッド
(2) アーマロッド
(3) クランプ
(4) ダンパ

解説

電線の周りに数本巻き付けて，電線が風の流れと定常的な共振状態になることを防止し，電線特有の風音の発生を抑制するのは，スパイラルロッドです。

▶解答 (1)

問3 送電線路の線路定数に関する次の記述のうち，[　　]に当てはまる語句として，適当なものはどれか。

「送電線路は，抵抗，インダクタンス，[　　]，漏れコンダクタンスの4つの定数をもつ連続した電気回路とすることができる。」

(1) アドミタンス
(2) インピーダンス
(3) 静電容量
(4) 漏れ電流

解説

線路定数とは，電線の特性を表すもので，抵抗（R），インダクタンス（L），静電容量（C），漏れコンダクタンス（G）の4つのことです。

▶解答（3）

問4 次の機器のうち，一般に配電線に電圧フリッカを発生させる機器として，不適当なものはどれか。

(1) 蛍光灯
(2) 溶接機
(3) アーク炉
(4) 圧延機

解説

蛍光灯は電圧フリッカを発生させる機器ではなくその影響を受ける機器です。

▶解答（1）

問5 架空配電線路の雷害対策として，最も不適当なものはどれか。

(1) 高圧線路に沿って，架空地線を施設する。
(2) 高圧電線の支持に，深溝型のがいしを用いる。
(3) 配電用機器の近傍に，避雷器を設置する。
(4) 高圧がいしの頭部に，放電クランプを取り付ける。

解説

高圧電線の支持には，高圧ピンがいしを用います。 ▶解答 (2)

問6 図のような構造で，鉄構などに直立固定させ，電線を磁器体頭に固定して使用するがいしの名称として，適当なものはどれか。

(1) 懸垂がいし
(2) 長幹がいし
(3) ラインポストがいし
(4) 耐霧がいし

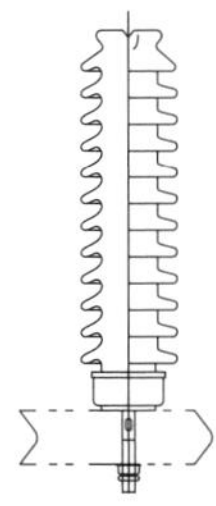

解説

鉄構などに直立固定させ，電線を磁器体頭部に固定して使用するがいしは，ラインポストがいしです。

▶解答 (3)

▶ 構内電気設備

問1 高圧受電設備に使用する機器に関する記述として，最も不適当なものはどれか。

(1) 限流ヒューズ付高圧交流負荷開閉器は，高圧限流ヒューズと組み合わせて，電路の短絡電流を遮断する機能を有する。

(2) 断路器は，高圧遮断器の電源側に設置し，負荷電流が流れている電路を開閉する機能を有する。

(3) 高圧交流電磁接触器は，負荷電流の多頻度の開閉をする機能を有する。

(4) 避雷器は，雷および開閉サージによる異常電圧による電流を大地へ分流する機能を有する。

解説

断路器は，負荷電流が流れている電路を開閉する機能を有さないので，遮断器が開いているときに操作可能です。　▶解答（2）

問2 キュービクル式高圧受電設備に関する記述として，「日本産業規格(JIS)」上，不適当なものはどれか。

(1) 単相変圧器1台の容量は，500kV·A 以下とする。

(2) 三相変圧器1台の容量は，1,000kV·A 以下とする。

(3) CB形の主遮断装置は，高圧交流遮断器と過電流継電器を組み合わせたものとする。

(4) CB形の高圧主回路の過電流は，変流器と過電流継電器を組み合せたもので検出する。

解説

三相変圧器1台の容量は，750kV·A 以下とします。　▶解答（2）

問3 使用電圧200V の三相誘導電動機が接続されている電路と大地との間の絶縁抵抗値として，「電気設備の技術基準とその解釈」上，定められているものはどれか。
ただし，対地電圧は，200V とする。

(1) 0.1MΩ以上

(2) 0.2MΩ以上

(3) 0.3MΩ以上

(4) 0.4MΩ以上

解説

使用電圧が300V以下で，対地電圧が150Vを超えた場合，絶縁抵抗値は0.2MΩ以上です。 ▶解答 (2)

問4 図に示す定格電流100A の過電流遮断器で保護された低圧屋内幹線との分岐点から，分岐幹線の長さが8mの箇所に過電流遮断器を設ける場合，分岐幹線の許容電流の最小値として，「電気設備の技術基準とその解釈」上，正しいものはどれか。

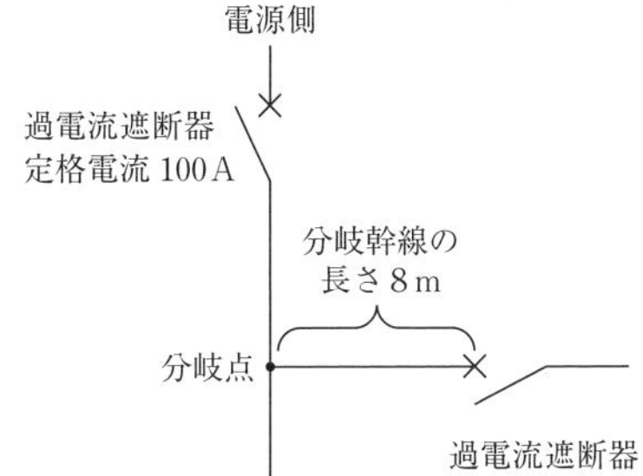

(1) 35A

(2) 45A

(3) 55A

(4) 65A

解説

分岐幹線の長さが3m～8mの場合，100Aの35%以上の許容電流の電線を使用します。 ▶解答 (1)

問5 建築物の雷保護システムに関する用語として，「日本産業規格 (JIS)」上，関係のないものはどれか。

(1) 放電クランプ

(2) 等電位ボンディング

(3) 回転球体法

(4) メッシュ導体

解説

【解説】

放電クランプは，架空配電路に落雷や過電圧が生じた時に放電することで，電線やがいしを保護するものです。建築物の雷保護システムとは無関係です。

▶解答（1）

問6 自動火災報知設備のＰ型１級発信機に関する記述として，「消防法」上，定められていないものはどれか。

(1) 床面からの高さが0.8m以上1.5m以下の箇所に設けること。
(2) 各階ごとに，その階の各部分から一の発信機までの歩行距離が25m以下となるように設けること。
(3) 発信機の直近の箇所に赤色の表示灯を設けること。
(4) 火災信号の伝達に支障なく受信機との間で相互に電話連絡をすることができること。

解説

発信機は，人が押しボタンを押すことにより，手動で発信するものです。自動的に発信するのは感知器です。発信機は各階ごとに，その階の各部分から一の発信機までの歩行距離が50m以下となるように設けます。なお，地区音響装置（ベル）は直線距離で25m以下となるように設けます。

▶解答（2）

▶ 電車線・道路照明

問１ 道路照明における連続照明の設計要件に関する記述として，最も不適当なものはどれか。

(1) 道路条件に応じ十分な路面輝度にすること。
(2) 路面の輝度分布をできるだけ均一とすること。

(3) 照明からのグレアが十分抑制されていること。

(4) 曲線部では誘導効果を確保するため千鳥配列とすること。

解説

曲線部では千鳥配列ではなく，片側配列（外側）にします。 ▶解答（4）

第3章 関連分野

▶ 管

問1 図に示す換気方式の名称として，最も適当なものはどれか。

(1) 自然換気方式

(2) 第1換気方式

(3) 第2種換気方式

(4) 第3種換気方式

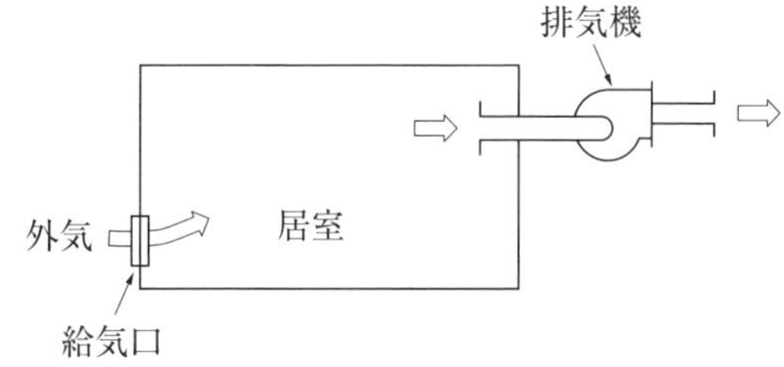

解説

給気口が外気をそのまま取り入れる構造で，排気は排気機を用いており，この方式は第3種換気方式です。

▶解答（4）

▶ 土木・鉄道

問1 支保工を用いた切梁式土留め（山留め）工法において，図に示す工法ア及び工法イの名称の組合せとして，正しいものはどれか。

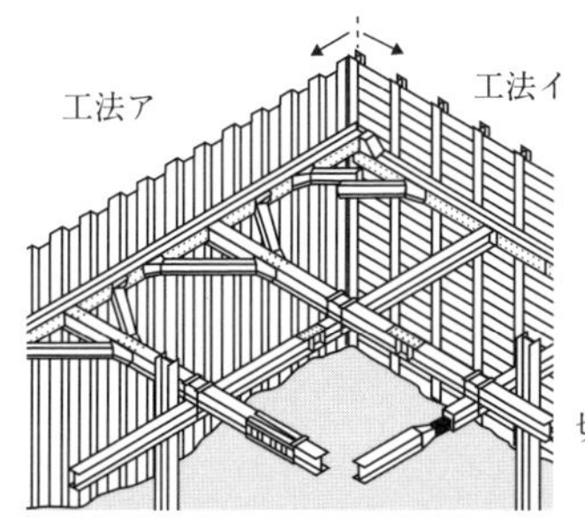

	工法ア	工法イ
(1)	連続地中壁工法	柱列壁工法
(2)	連続地中壁工法	親杭・横矢板工法
(3)	鋼矢板(シートパイル)工法	柱列壁工法
(4)	鋼矢板(シートパイル)工法	親杭・横矢板工法

解説

工法アは，鋼矢板を用いたシートパイル工法で，工法イは，H形鋼の親杭が打たれ，その間に横長の矢板を落とし込んでいるので，親杭横矢板工法です。

▶解答（4）

▶ 建築

問1 鉄筋コンクリート構造に関する記述として，最も不適当なものはどれか。

(1) 鉄筋に対するコンクリートのかぶり厚さとは，鉄筋表面からコンクリート表面までの最短距離をいう。
(2) 鉄筋とコンクリートの付着強度は，丸鋼より異形鉄筋のほうが大きい。
(3) コンクリートの中性化が鉄筋の位置まで達すると，鉄筋はさびやすくなる。
(4) 圧縮力に強い鉄筋と引張力に強いコンクリートの特性を，組み合わせたものである。

解説

コンクリートは，圧縮力に強いコンクリートと引張力に強い鉄筋の特性を，組み合わせたものです。

▶解答（4）

▶ 設計

問1 配電盤・制御盤・制御装置の文字記号と用語の組合せとして，「日本電機工業会規格(JEM)」上，誤っているものはどれか。

	文字記号	用語
(1)	MS	電磁開閉器
(2)	PGS	柱上真空開閉器
(3)	MCCB	配線用遮断器
(4)	ELCB	漏電遮断器

解説

PGSは柱上ガス開閉器です（G：ガス）。柱上真空開閉器はPVSです。(V：真空)。

▶解答（2）

第4章 施工管理

▶ 施工計画

問1 施工計画の策定にあたり，契約内容を確認するために必要な事項として，最も関係のないものはどれか。

(1) 工事請負契約書の確認

(2) 下請負人の経営内容の確認

(3) 現場説明書の確認

(4) 設計図の検討

解説

下請負人の経営内容の確認は関係が無いといえます。

▶解答（2）

問2 仮設計画に関する記述として，最も不適当なものはどれか。

(1) 仮設計画では，あらかじめ近隣の道路，周辺交通状況及び隣地の状況を調査する。

(2) 仮設計画の良否は，工程やその他の計画に影響を及ぼし，工事の品質に影響を与える。

(3) 仮設計画は，契約書及び設計図書に特別の定めがある場合を除き，発注者がその責任において定める。

(4) 仮設建物は，工事の進捗に伴う移動の多い場所には配置しない。

解説

仮設計画は，契約書及び設計図書に特別の定めがある場合を除き，受注者がその責任において定めます。

▶解答（3）

問3 建設工事における施工計画に関する記述として，最も不適当なものはどれか。

(1) 労務工程表は，必要な労務量を予測し工事を円滑に進めるために作成した。

(2) 安全衛生管理体制表は，災害防止活動を展開していくために作成した。

(3) 総合施工計画書は，現場担当者だけで検討することなく，会社内の組織を活用して作成した。

(4) 搬入計画書は，関連業者と打合せを行い，工期に支障のないように作成した。

(5) 総合工程表は，週間工程表を基に施工すべき作業内容を具体的に示して作成した。

解説

総合工程表を最初に作成し，それを基に月間工程表，更に具体的な週間工程表を作成します。

▶解答（5）

▶ 工程管理

問1 図に示す，工事現場における工事費と施工期間の関係を表すグラフに関する記述として，最も不適当なものはどれか。

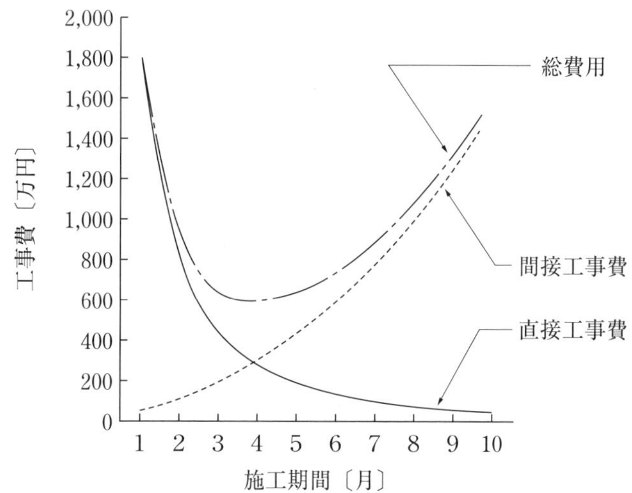

(1) 直接工事費は，材料費や労務費のことであり，施工期間を短くすると増加する。

(2) 間接工事費は，一般管理費や借地代等のことであり，施工期間を短くすると減少する。

(3) 施工期間3か月のときの総費用は，約300万円である。

(4) 施工期間4か月のときの総費用は，最小となる。

(5) 施工期間5か月のときの直接工事費は，約200万円である。

解説

施工期間3か月のときの総費用は，約610～620万円です。 ▶解答 (3)

問2 工程管理に関する記述として，最も不適当なものはどれか。

(1) 月間工程の管理は，毎週の工事進捗度を把握して行う。

(2) 総合工程表は，仮設工事を除く工事全体を大局的に把握するために作成する。
(3) 主要機器の手配は，承諾期間，製作期間，総合工程を考慮して行う。
(4) 施工完了予定日から所要時間を逆算して，各工事の開始日を設定する。

解説

総合工程表は，仮設工事も含めます。 ▶解答（2）

問3 建設工事において工程管理を行う場合，バーチャート工程表と比較した，ネットワーク工程表の特徴に関する記述として，最も不適当なものはどれか。

(1) 各作業の関連性を明確にするため，ネットワーク工程表を用いた。
(2) 計画出来高と実績出来高の比較を容易にするため，ネットワーク工程表を用いた。
(3) 各作業の余裕日数が容易に分かる，ネットワーク工程表を用いた。
(4) 重点的工程管理をすべき作業が容易に分かる，ネットワーク工程表を用いた。
(5) どの時点からもその後の工程が計算しやすい，ネットワーク工程表を用いた。

解説

ネットワーク工程表は，計画出来高と実績出来高の比較はできません。できるのは曲線式工程表（S字曲線）です。 ▶解答（2）

問4 図に示すネットワーク工程表において，クリティカルパスの日数（所要工期）として，正しいものはどれか。

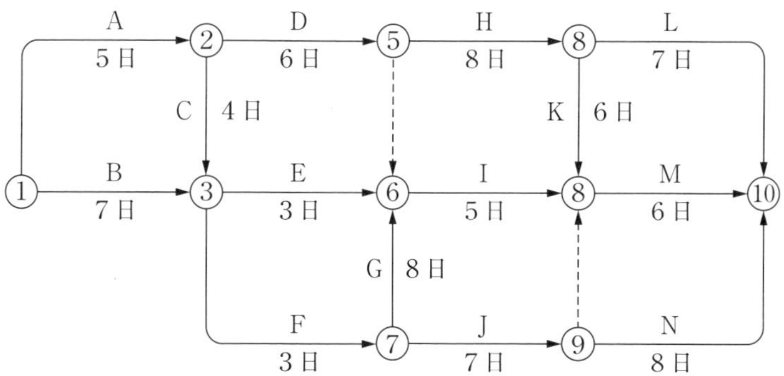

(1) 25日

(2) 27日

(3) 29日

(4) 31日

(5) 33日

解説

最早開始時刻を求めます。 ▶解答 (4)

問5 図に示すネットワーク工程表のクリティカルパスとして，正しいものはどれか。

ただし，○内の数字はイベント番号，アルファベットは作業名，日数は所要日数を示す。

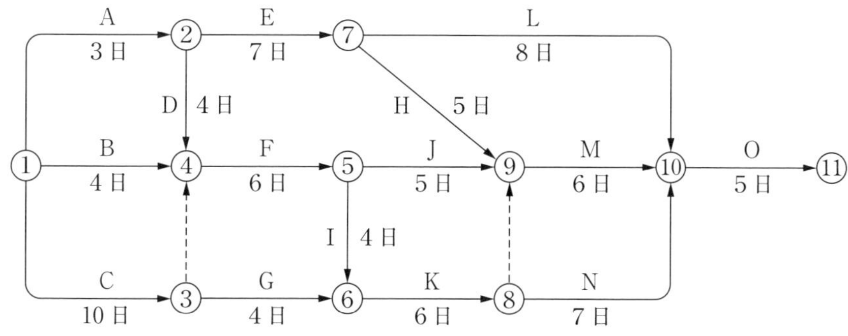

(1) ①→②→⑦→⑩→⑪

(2) ①→②→④→⑤→⑨→⑩→⑪

(3) ①→③→⑥→⑧→⑩→⑪

(4) ①→③→④→⑤→⑥→⑧→⑩→⑪

(5) ①→③→④→⑤→⑥→⑧→⑨→⑩→⑪

解説

最早開始時刻を求めます。(下図) ⑩→⑪は必ず通ります。⑩で33日かかった工事はN（⑧→⑩）。⑧で26日かかった工事はK（⑥→⑧）。⑥で20日かかった工事はI（⑤→⑥）。⑤で16日かかった工事はF（④→⑤）。
④で10日かかった工事はC（①→③→④）。

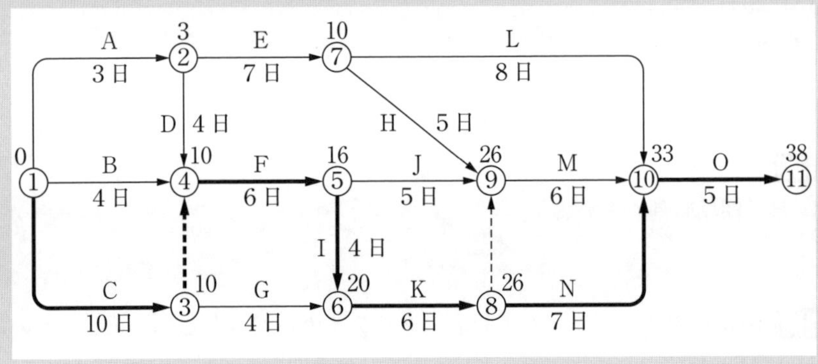

▶解答（4）

▶ 品質管理

問1 電気工事の試験や測定に使用する機器とその使用目的の組合せとして，不適当なものはどれか。

機器	使用目的
(1) 検電器	充電の有無の確認
(2) 検相器	三相動力回路の相順の確認
(3) 接地抵抗計	回路の絶縁抵抗値の測定

(4) 回路計(テスタ)　低圧回路の電圧値の測定

解説

接地抵抗計は，接地抵抗値を測定します。回路の絶縁抵抗値の測定は絶縁抵抗計です。

▶解答（3）

問2 絶縁抵抗測定に関する記述として，最も不適当なものはどれか。

(1) ケーブルの測定時には，長さに関係なく測定開始直後の指示値を測定値とした。
(2) 高圧ケーブルの各心線と大地間を，1000V の絶縁抵抗計で測定した。
(3) 200V 電動機用の電路と大地間を，500V の絶縁抵抗計で測定した。
(4) 測定前に絶縁抵抗計の接地端子（E）と線路端子（L）を短絡し，スイッチを入れて指針が0（ゼロ）であることを確認した。

解説

ケーブルの測定時には，測定開始直後の指示値でなく，数値が安定したものを測定値とします。

▶解答（1）

問3 品質管理活動における次の(ア)～(エ)の作業内容について，品質管理のPDCA(Plan，Do，Check，Action)の手順として，適当なものはどれか。

(ア) 不具合が出たら，原因を調べて処置する。
(イ) 標準どおりに作業を実施する。
(ウ) 品質を測定・試験し，結果を基準と比較し，確認する。
(エ) 品質の会社方針を決め，品質の仕様を決定する。

(1) （イ）→（ウ）→（ア）→（エ）

(2) （エ）→（ア）→（イ）→（ウ）

(3) （イ）→（エ）→（ア）→（ウ）

(4) （エ）→（イ）→（ウ）→（ア）

(5) （イ）→（ア）→（ウ）→（エ）

解説

（エ）品質の会社方針を決め，品質の仕様を決定します。(Plan) → （イ）標準どおりに作業を実施します。(Do) → （ウ）品質を測定・試験し，結果を基準と比較し，確認します。(Check) → （ア）不具合が出たら，原因を調べて処置します。(Action)

▶解答 (4)

問4 図に示す品質管理に関するヒストグラムから読み取れる記述として，最も不適当なものはどれか。

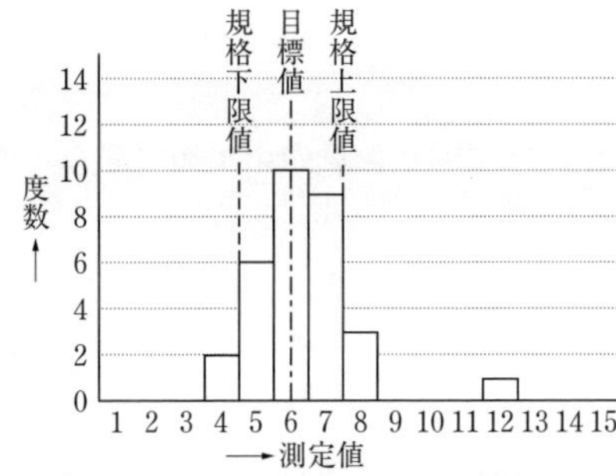

測定値	1	2	3	4	5	6	7	8	9	10	11	12	13	14	15
度数	0	0	0	2	6	10	9	3	0	0	0	1	0	0	0

(1) 図のヒストグラムの形は，離れ小島型である。

(2) 測定値の平均は8.0である。

(3) 測定値の総度数は31である。

(4) 測定値の12は，測定に誤りがないかなどを調べる必要がある。

(5) 規格値を外れている測定値がある。

解説

$(4\times2+5\times6+6\times10+7\times9+8\times3+12\times1)\div31=6.35\cdots$

▶解答 (2)

問5 図に示す電気工事の特性要因図において，ア，イ，ウに記載されるべき主な要因の組合せとして，適当なものはどれか。

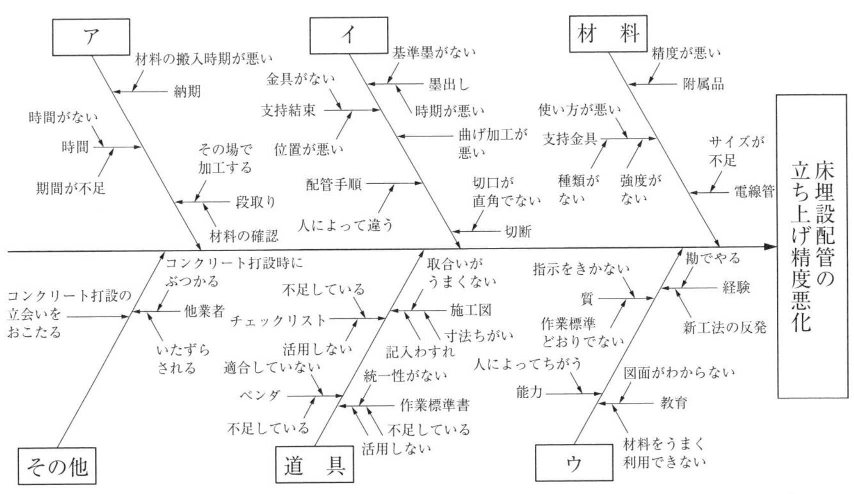

	ア	イ	ウ
(1)	工程	施工	作業者
(2)	工程	搬入	検査
(3)	設計	施工	検査
(4)	設計	搬入	作業者
(5)	設計	施工	作業者

解説

アは，時間，納期，段取りという用語から「工程」です。イは，支持結束，配管手順等から「施工」です。ウは，経験，質，能力などから「作業者」です。

▶解答（1）

▶ 安全管理

問1 墜落等による危険の防止に関する記述として，「労働安全衛生法」上，誤っているものはどれか。

(1) 作業床の高さが1.8mなので，床の端の手すりを省略した。
(2) 屋根上での作業の踏み抜き防止のため，幅が30cmの歩み板を設けた。
(3) 作業床の高さが1.8mなので，昇降設備を省略した。
(4) 狭い場所なので，幅が30cmの移動はしごを設けた。

解説

作業床の高さが1.5mをこえたら，昇降するための設備を設けます。

▶解答 (3)

問2 高さが2m以上の箇所で作業を行う場合の措置として，「労働安全衛生法」上，誤っているものはどれか。

(1) 墜落防止のために，作業床の開口部の周囲に囲いを設けた。
(2) 大雨のため危険が予想されたので，作業員に要求性能墜落制止用器具(安全帯)を着用させて作業に従事させた。
(3) 作業を安全に行うために仮設照明を設け，作業に必要な照度を確保した。
(4) 作業員が安全に昇降するための設備を設けて作業に従事させた。

解説

大雨のため危険が予想される場合，作業員に要求性能墜落制止用器具(安全帯)を着用させても作業に従事させることはできません。 ▶解答 (2)

問3 ガス溶接等の業務に使用する溶解アセチレンの容器の取扱いに関する記述として，「労働安全衛生法」上，不適当なものはどれか。

(1) 気密性のある場所に貯蔵すること。
(2) 使用前又は使用中の容器とこれら以外の容器との区別を明らかにしておくこと。
(3) 容器の温度を40 ℃以下に保つこと。
(4) 運搬するときは，キャップを施すこと。

解説

溶解アセチレンの容器は，気密性のある場所に貯蔵することはできません。

▶解答（1）

問4 作業主任者を選任すべき作業として，「労働安全衛生法」上，定められていないものはどれか。

(1) 土止め支保工の切りばりの取付け作業
(2) アセチレン溶接装置を用いて行う金属の溶接作業
(3) 酸素欠乏危険場所における作業
(4) 高圧活線近接作業

解説

高圧活線近接作業は作業主任者を選任すべき作業に該当しません。

▶解答（4）

▶ 工事施工

問1 高低圧架空配電線路の施工に関する記述として，最も不適当なものはどれか。

(1) 長さ15mのA種鉄筋コンクリート柱は，根入れの深さを2mとした。
(2) 支線の玉がいしは，支線が断線したときに地表上2.5m以上となる位置に取付けた。
(3) 高圧架空電線の張力のかかる接続箇所には，圧縮スリーブを使用した。
(4) 高圧架空電線の引留め箇所には，高圧耐張がいしを使用した。

解説

長さ15mのコンクリート柱の根入れの深さは次の式で計算します。

$15\times1/6=2.5$m

▶解答（1）

問2 金属管配線に関する記述として,「内線規程」上, 不適当なものはどれか。

(1) アウトレットボックス間の金属管に, 直角の屈曲を4箇所設けた。
(2) 水気のある場所に施設する金属管配線に, 絶縁電線を使用した。
(3) 金属管の太さが31mmの管の内側の曲げ半径を, 管内径の6倍とした。
(4) 強電流回路の電線と弱電流回路の電線を同一ボックスに収めるので, 金属製の隔壁を施設し, その隔壁にC種接地工事を施した。

解説

アウトレットボックス間の金属管に, 直角の屈曲は3箇所以内とします。

▶解答 (1)

問3 ライティングダクト配線の記述として,「内線規程」上, 不適当なものはどれか。

(1) ライティングダクトの終端部は, エンドキャップを取り付けて閉そくした。
(2) ライティングダクトを点検できる隠ぺい場所に取り付けた。
(3) ライティングダクトは堅固に取り付け, その支持点間の距離を2mとした。
(4) ライティングダクトの開口部を上向きに取り付け, ほこりが入らないようにカバーを取り付けた。

解説

ライティングダクトの開口部を上向きに取り付けることはできません。

▶解答 (4)

▶ 建設業法

問1 建設業の許可に関する記述として，「建設業法」上，誤っているものはどれか。

(1) 建設業の許可は，一般建設業と特定建設業の別に区分して与えられる。
(2) 電気工事業と建築工事業の許可を受けた建設業者は，一の営業所において両方の営業を行うことができる。
(3) 建設業を営もうとする者は，一の都道府県の区域内にのみ営業所を設けて営業をしようとする場合は，国土交通大臣の許可を受けなければならない。
(4) 建設業を営もうとする者は，政令で定める軽微な建設工事のみを請け負う者を除き，建設業法に基づく許可を受けなければならない。

解説

建設業を営もうとする者は，一の都道府県の区域内にのみ営業所を設けて営業をしようとする場合は，都道府県知事の許可を受けます。 ▶解答（3）

問2 建設工事の現場に置く主任技術者又は監理技術者に関する記述として，「建設業法」上誤っているものはどれか。

(1) 発注者から直接電気工事を請け負った特定建設業者は，請け負った工事について，下請契約を行わず自ら施工する場合においては，監理技術者を置かなければならない。
(2) 2級電気工事施工管理技士の資格を有する者は，電気工事の主任技術者になることができる。
(3) 公共性のある施設に関する重要な建設工事で政令で定めるものを請け負った場合，その現場に置く主任技術者は，専任の者でなければならない。

(4) 主任技術者及び監理技術者は，当該建設工事の施工計画の作成，工程管理，品質管理その他の技術上の管理を行わなければならない。

解説

発注者から直接電気工事を請け負った特定建設業者は，請け負った工事について，下請契約を行わず自ら施工する場合においては，主任技術者を置きます。

▶解答（1）

▶ 電気関係法規

問1 電気工作物として,「電気事業法」上，定められていないものはどれか。

(1) 建築物に設置する高圧受電設備
(2) 火力発電のために設置するボイラ
(3) 水力発電のための貯水池及び水路
(4) 電気鉄道の車両に設置する電気設備

解説

電気鉄道の車両に設置する電気設備は，電気工作物に該当しません。

▶解答（4）

問2 事業用電気工作物について，第三種電気主任技術者免状の交付を受けている者が，保安の監督をすることができる電圧の範囲として,「電気事業法」上，定められているものはどれか。

ただし，出力5,000kW以上の発電所は除くものとする。

(1) 15,000V未満　(2) 30,000V未満
(3) 50,000V未満　(4) 170,000V未満

解説

第三種電気主任技術者免状は，50,000V 未満です。 ▶解答（3）

問3 特定電気用品以外の電気用品に表示する記号として，「電気用品安全法」上，正しいものはどれか。

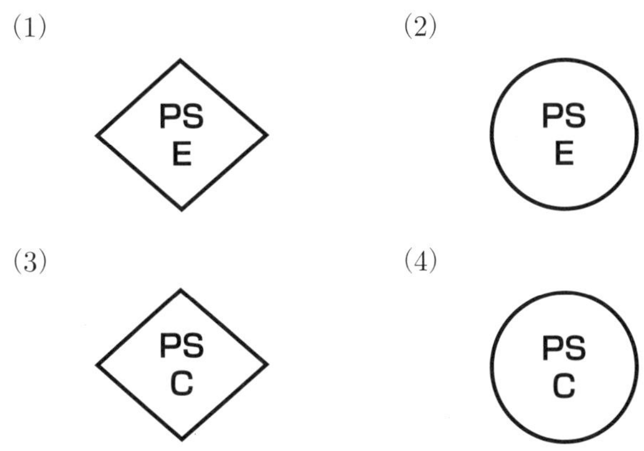

解説

特定電気用品は1のマークで，特定電気用品以外の電気用品は2のマークです。 ▶解答（2）

問4 電気工事士等に関する記述として，「電気工事士法」上，誤っているものはどれか。

(1) 第一種電気工事士は，事業用電気工作物に係るすべての電気工事の作業に従事することができる。

(2) 第一種電気工事士又は第二種電気工事士でなければ，一般用電気工作物に係る電気工事の作業に従事してはならない。

(3) 認定電気工事従事者は，自家用電気工作物に係る工事のうち省令で定める簡易電気工事の作業に従事することができる。

(4) 特種電気工事資格者でなければ，自家用電気工作物に係る工事のうち省令で定める特殊電気工事の作業に従事してはならない。

解説

第一種電気工事士は，500kW 未満の電気工事の作業に従事することができます。また，特殊電気工事に従事することはできません。 ▶解答（1）

問5 登録電気工事業者が掲げなければならない標識に記載すべき事項として，「電気工事業の業務の適正化に関する法律」上，誤っているものはどれか。

(1) 登録の年月日及び登録番号
(2) 氏名又は名称及び法人にあっては，その代表者の氏名
(3) 営業所の業務に係る電気工事の種類
(4) 営業所の所在地

解説

営業所の所在地は標識に記載しません。 ▶解答（4）

問6 電気工事業者が営業所ごとに備える帳簿において，電気工事ごとに記載しなければならない事項として，「電気工事業の業務の適正化に関する法律」上，定められていないものはどれか。

(1) 注文者の氏名または名称および住所
(2) 電気工事士免状の種類および交付番号
(3) 電気工事の種類および施工場所
(4) 施工年月日

解説

電気工事士免状の種類および交付番号は不要です。そのほか，営業所の名称および所在の場所の記載も不要です。 ▶解答（2）

▶ 建築関係法規

問1 特殊建築物として,「建築基準法」上,定められていないものはどれか。

(1) 体育館　　(2) 旅館
(3) 百貨店　　(4) 事務所

解説

事務所は特殊建築物ではありません。 ▶解答 (4)

問2 建築物の主要構造部として,「建築基準法」上,定められていないものはどれか。

(1) 壁　　(2) 屋根
(3) 階段　　(4) 基礎ぐい

解説

壁,屋根,階段(ただし,屋外階段は除く)は,主要構造部に該当しますが,基礎ぐいは該当しません。 ▶解答 (4)

▶ 労働関係法規

問1 建設業における安全管理者に関する記述として,「労働安全衛生法」上,定められていないものはどれか。

(1) 事業者は,安全管理者を選任すべき事由が発生した日から30日以内に選任しなければならない。
(2) 事業者は,常時使用する労働者が50人以上となる事業場には,安全管理者を選任しなければならない。
(3) 事業者は,安全管理者を選任したときは,当該事業場の所轄労働基準監督署長に報告書を提出しなければならない。

(4) 事業者は，安全管理者に，労働者の危険を防止するための措置に関する技術的事項を管理させなければならない。

解説

事業者は，安全管理者を選任すべき事由が発生した日から14日以内に選任します。

▶解答（1）

問2 事業者が労働者に安全衛生教育を行わなければならない場合として，「労働安全衛生法」上，定められていないものはどれか。

(1) 労働者を研削といしの取替えの業務につかせるとき
(2) 労働災害が発生したとき
(3) 労働者の作業内容を変更したとき
(4) 労働者を高圧の充電電路の操作の業務につかせるとき

解説

労働災害の発生は，事業者が労働者に安全衛生教育を行わなければならない場合に該当しません。

▶解答（2）

問3 労働者の健康管理等に関する記述として，「労働安全衛生法」上，定められていないものはどれか。

(1) 事業者は，健康診断の結果に基づき，健康診断個人票を作成して，これを5年間保存しなければならない。

(2) 事業者は，常時10人以上50人未満の労働者を使用する事業場には，産業医を選任し，その者に労働者の健康管理等を行わせなければならない。

(3) 事業者は，常時使用する労働者に対し，医師による定期健康診断を行う場合は，既往歴及び業務歴の調査を行わなければならない。

(4) 事業者は，中高年齢者については，心身の条件に応じて適正な配置を行なうように努めなければならない。

解説

事業者は，常時50人以上の労働者を使用する事業場には，産業医を選任し，その者に労働者の健康管理等を行わせます。 ▶解答（2）

問4 労働時間，休憩時間に関する次の記述において，［　　］に当てはまる語句の組合せとして，「労働基準法」上，正しいものはどれか。

「使用者は，労働時間が［ ア ］を超える場合においては少なくとも［ イ ］の休憩時間を労働時間の途中に与えなければならない。」

	ア	イ
(1)	6時間	30分
(2)	6時間	45分
(3)	8時間	30分
(4)	8時間	45分

解説

使用者は，労働時間が6時間を超える場合においては少なくとも45分の休憩時間を労働時間の途中に与えます。労働時間が8時間を超える場合においては少なくとも60分の休憩時間を労働時間の途中に与えます。

▶解答（2）

▶ 消防法

問1 消防用設備等の設置に係る工事において，甲種消防設備士でなければ行ってはならない工事として，「消防法」上，定められていないものはどれか。

ただし，電源，水源及び配管の部分を除くものとする。

(1) 非常用の照明装置の設置に係る工事
(2) 不活性ガス消火設備の設置に係る工事
(3) 屋外消火栓設備の設置に係る工事
(4) 緩降機の設置に係る工事

解説

非常用の照明装置の設置に係る工事は電気工事であり，消防設備士の行う工事ではありません。

▶解答 (1)

問2 消防の用に供する設備のうち，警報設備として，「消防法」上，定められていないものはどれか。

(1) 自動火災報知設備
(2) 自動式サイレン
(3) 漏電火災警報器
(4) 防災無線システム

解説

消防の用に供する設備は，消火設備，警報設備，避難設備の3つです。警報設備の中には，自動火災報知設備，自動式サイレン，漏電火災警報器，ガス漏れ火災警報設備などがありますが，防災無線システムは該当しません。

▶解答 (4)

▶ その他法令

問1 建設工事に伴って生じたもののうち，産業廃棄物として，「廃棄物の処理及び清掃に関する法律」上，定められていないものはどれか。

(1) 廃プラスチック類　(2) ガラスくず
(3) 建設発生土　(4) 金属くず

解説

建設発生土は廃棄物に該当しません。 ▶解答（3）

問2 道路の占用許可申請書に記載する事項として，「道路法」上，定められていないものはどれか。

(1) 工事の時期
(2) 道路の復旧方法
(3) 工作物，物件又は施設の構造
(4) 工作物，物件又は施設の維持管理方法

解説

工作物，物件又は施設の維持管理方法については，道路の占用許可申請書に記載する事項にありません。 ▶解答（4）

問3 分別解体等及び再資源化等を促進するため，特定建設資材として，「建設工事に係る資材の再資源化等に関する法律」上，定められていないものはどれか。

(1) 電線
(2) アスファルト・コンクリート
(3) 木材
(4) コンクリート

解説

特定建設資材に該当するのは，①木材　②コンクリート　③アスファルト・コンクリート　④コンクリート及び鉄からなるもの　の4項目であり，電線は該当しません。 ▶解答（1）

第二次検定

第1章

施工経験記述

第1章  施工経験記述

CASE 1 記述の基本

まとめ & 丸暗記　この節の学習内容とまとめ

□ 施工管理の経験

次の経験は，電気工事の施工管理に関する経験として記述できる

①施工管理（請負者の立場での現場管理業務）
②設計監理（設計者の立場での工事監理業務）
③施工監督（発注者の立場での工事監理業務）

□ 出題内容

施工計画……仮設，資材，労務等の計画および現場組織などの組織編成に関すること。安全管理，工程管理，品質管理の計画に関すること

工程管理……施工計画に基づき，着工から完成に至るまでの合理的な工程を決定し，この工程を時間の面から管理するもの
　他業者と調整の取れた工程表の作成，適切な工程速度とし，工期内に順調に完成するように管理すること

品質管理……資材，部品の品質の維持および寸法や精度が法令や設計図書に合致し，目的の機能が十分得られるよう管理すること。

安全管理……現場に従事する現場作業員等の労働災害を防止することや，現場付近住民，通行人等の公衆災害の防止に関すること

□ 記述の基本事項

手書きで文章を書くための基本的な留意点として，

①誤字のないこと
②ていねいに書く
③専門用語や一般的に使う語句は漢字で書く

電気工事と出題パターン

1 施工経験記述

施工経験記述は，施工管理技士になろうとしている人が，各自の施工経験（現場経験）を，質問内容に対して記述するものです。問題は大きく2つ（1-1と1-2）に分かれています。

1-1では，①工事名，②工事場所，③電気工事の概要，④工期，⑤この電気工事でのあなたの立場，⑥あなたが担当した業務の内容について要領よく記載します。

1-2は，年度により出題内容が異なりますが，工程管理と安全管理がほぼ交互に出題される傾向があります。

記述では，工程管理あるいは安全管理について「何に留意して行ったか」「留意した理由は何か」「どのような処置，対策をとったのか」を記述します。

施工経験記述は二次検定試験の中心をなすもので，的確な表現力，具体的な記述[※1]が要求されます。

2 どんな電気工事を選ぶか

選ぶ工事は言うまでもなく「電気工事[※2]」です。

電話交換機，消防用設備，通信等の工事は，たとえ電源工事があっても弱電が主体なので避けたほうがよいでしょう。出題者の意図に沿った解答が容易に導き出せ，順調に完成した工事体験であることが重要です。

工事は次の3つを考慮して選びます。

※1
具体的な記述
どのような現場にも共通する内容の記述でなく，その現場特有のオリジナリティのあるものが望まれます。

※2
電気工事
請負った工事に電気工事以外が含まれていた場合，電気工事が過半のものを選ぶようにします。

①ある程度の工事規模

小規模な工事では，「特に留意した事項・理由」「具体的な処置または対策」に対する適切な解答を複数挙げるのは難しいことがあります。

②他者との調整をはかりながら進める工事

建築工事，管工事など，他の工事と同時並行して行ったものは，電気単独工事より工程管理は複雑となりますが，留意事項も多く，※3**解答の幅が広がる可能性があります。**

③最近経験した工事

あまり古いものは，施工技術の進歩からみても印象がよくないので，※4**比較的新しい工事から選びましょう。**

経験した工事が多数ある場合は，その中から問題解答にふさわしい工事を選びます。

3 出題パターン

1-1と1-2の2つのパートから成り，1-1は経験した※5**工事の概要説明**です。1-2は，年度により多少異なりますが，**工程管理**と**安全管理**がほぼ隔年で出題されています。いずれも**具体的記述**が要求されます。丁寧に記述しましょう。

●工程管理

施工計画に基づき，着工から完成に至るまで合理的な工程を決定し，遅延することなく完成することです。工程を時間の面から管理します。

●安全管理

現場に従事する現場作業員等の※6**労働災害**を防止することや，現場付近の住民，通行人等の公衆災害の防止に関する管理のことです。

●品質管理

資材，部品の品質の維持および寸法や精度が法令や設計図書に合致し，目的の機能が十分得られるよう管理することです。

※令和3年度以前，品質管理の出題はありません。

①過去の出題例

あなたが経験した電気工事について，次の問に答えなさい。

1-1　経験した工事の次の事項について記述しなさい。

(1)　工事名

(2)　工事場所

(3)　電気工事の概要

(4)　工期

(5)　この電気工事でのあなたの立場

(6)　あなたが担当した業務の内容

1-2　上記1-1の工事の現場において，安全管理上あなたが留意した事項を2項目あげ，各項目についてその理由と，あなたがとった処置または対策を具体的に記述しなさい。

なお，保護帽の着用のみまたは安全帯（要求性能墜落制止用器具）の着用のみの記述については配点しない。

4　1-1の解答例

①工事名

工事名は，原則として契約書に記載されたものをそのままに書きます。建物名や施工場所などの名称が付いているものは，その**固有名詞**も忘れずに書きます。

【例1】大澤OA機器販売（株）本社ビル新築電気設備工事

【例2】青山グランドマンション屋外灯設置工事

【例3】船場センタービル改修工事（電気設備工事）

※3

解答の幅が広がる

電気の単独工事でも留意事項が多く，解答に困らないものは，それを記述して問題ありません。

※4

比較的新しい工事

できれば，10年程度以内から選ぶようにしましょう。ただし，現在進行中の工事は記述できませんので，注意してください。

※5

工事の概要説明

このような工事を経験しました，という自己紹介部分ですから，丁寧に記述しましょう。

※6

労働災害

労働災害と公衆災害はきちんと区分しておきましょう。

【例3】は，工事名からは電気工事が含まれるのか不明なので，電気設備工事であることがわかるように（　　）書きで補足するとよいでしょう。

②工事場所

工事を施工した場所を，**都道府県名から**書きます。番地まで覚えていれば書きますが，不確かなときは番地の前までは書くようにします。

【例1】東京都練馬区大泉町○丁目○番地

→一般的な記述です。

【例2】愛知県名古屋市中村区○－○　ほか2か所

→施工箇所の所在地が**複数ある場合**です。

【例3】宮城県仙台市青葉区○丁目地内～○丁目地内

→送配電線工事など施工エリアが**広範囲**の場合です。

③電気工事の概要

解答は**箇条書き**[※7]がよいでしょう。表記すべき内容は次のとおりです。

①建物概要（用途，構造，階数など簡単に）

②電気工事の種類

③**主要機器の仕様**

※特に③は詳しく書きます。電気工事以外の機器等は記述しないようにします。

【例1】新築RC造5階建て事務所ビルの電気設備工事一式

三相変圧器　75kV・A　1台　単相変圧器　100kV・A　1台

高圧期中負荷開閉器300A　1台　ケーブルCVT38□－3C　約35m　ほか

【例2】既存共同住宅（RC造6階建て）敷地内の屋外灯およびケーブル更新工事等

水銀灯200W×5台　ケーブルCV8□－3C　約150m　共用分電盤（ELB50A×1　MCCB20A×8）1面

④工期

工事着工年月と完成[※8]**年月**を記入します。平成か令和の新しい工事を選びます。

【例1】令和4年7月～10月

※R4.7～10のような省略形の表記は避けましょう。

【例2】2022年11月～2023年3月

⑤上記工事でのあなたの立場

●発注者の場合

監督員（監督職員），主任監督員，工事事務所所長，工事監理者などを記述します。

【例】工事監理者（設計事務所所員）

●請負者の場合

現場代理人，現場技術員，現場主任など，その工事現場での立場を表したものを記述します。

作業員や作業主任者は，施工そのものに重点が置かれ，施工管理ではないので，書かないでください。

また，工事課長，工事第二係長といった会社での職名も不適当です。

【例1】現場代理人

【例2】元請負の現場主任

⑥あなたが担当した業務の内容

それぞれの立場から，その工事に直接的に関わった[※9]ことがわかるように書きます。

施工でなく，施工管理であることが重要です。

【例1】施工図，工程表の作成および電気工事全体の施工管理を実施。

【例2】工事写真撮影，資機材受入検査立ち合い等，現場主任として現場代理人を補佐。

【例3】工事の進捗度管理，安全管理等を実施。

・一般財団法人　建設業振興基金　電気試験部
（令和6年7月10日）発表
「記述試験に関し，与条件を設定して出題する。」

※7
箇条書き
長文で書くと，要点がまとまりにくく，採点者も読みづらくなるおそれがあります。

※8
完成
既に完成して引渡しをしている工事であることが要件です。

※9
直接的に関わった
そのほかに，工期のほぼ全般にわたって中心的役割を果たしたことがわかるように書きます。

第1章  施工経験記述

CASE 2

合格答案の書き方

まとめ & 丸暗記　この節の学習内容とまとめ

□　減点答案

①題意に適さない解答

【例】安全管理の質問に対して，工程管理のことを記述する。

②誤解される表現

【例】資材が盗難にあったので，資材の保管には十分配慮した。

③社会通念上好ましくない内容

【例】工期が間に合わないので，突貫工事を行った。

□　合格答案（安全管理）

理由と留意した事項を記述した例です。

①○○作業（工事）が○mの高さとなるため，高所からの墜落災害を防止すること。

②重量機器（○○）搬入時，クレーンを使用するため，転倒事故防止を図ること。

□　合格答案（工程管理）

理由として記述可能です。

①台風○号の直撃を受け，長期にわたり屋外工事ができず……

②内装業者の天井ボード張りと，照明器具取付工事が重なるため……

③施設が稼働したなかでの改修工事で，作業時間に制約があり……

□　合格答案（品質管理）

留意する事項の例は次のとおりです。

①保守管理を容易にするため，機器廻りの所定の空間を確保すること。

②地震時において，重量機器（○○）が移動，転倒しないように施工すること。

減点答案と合格答案

1 文章作成のポイント

①基本事項

手書きで文章を書くための基本的な留意点は，次のとおりです。

- シャープペンシル，鉛筆の芯の濃さはHB[※1]またはBがよい
- 誤字，脱字，当て字のないこと
- 下手でも丁寧に書く
- 専門用語[※2]を使う
- 専門用語や一般的に使う語句は漢字で書く

【例】せっち→接地，かんし員→監視員，
ほうち→報知

②話しことばは用いない

話しことばや，流行的なことばは，文章にすると軽薄になるので使わないようにします。次の＿＿の部分が不適切です。

【悪い例】

建築屋さんに頼んで，現場を通りかかった人とかが危なくないように囲いを設けたりした。

【良い例】

元請けの現場代理人に依頼し，通行人の安全に配慮した安全コーンによる囲いを設けた。

「……とか」，「……したり」は話しことばです。

また，「危なくないように」は否定形で，「安全」ということばを使うほうが適切です。

※1

HBまたはB

シャープペンシルの場合，芯の太さは0.5mmがよいでしょう。薄い文字は読みにくいので，注意です。

※2

専門用語

電気工事の施工管理に携わる人なら知っているようなことばです。ただし，商品名などは避けた方が無難です。

③キーワード[※3]を入れる

キーワードとは，その文の鍵（キー）を握ることば（ワード）です。専門用語だけでなく，内容をより正確，具体的に伝えることばです。

キーワードを入れるだけで，メリハリのある正確で具体的な文になります。～～部分がキーワードです。

【例1】現場近くを通る人の安全に配慮した。

【例2】幅90cmの歩行者用通路を設け，歩行者の安全誘導に努めた。

「90cm」，「歩行者用通路」という，数値や用語を加えただけで具体性が増します。

④簡潔な表現

簡潔とは，的を射ており明瞭なことをいいます。

くどい表現，同じことばの繰り返し，意味がいくつかにとれるあいまいなことばは使わず，明快で主体性のある表現を心がけます。

「○○し，××し，△△した。」「○○なので，××なので，△△した。」は悪い例となります。

【悪い例】

● 社内規定により，絶縁の良否を調べるための低圧回路の絶縁抵抗値が10MΩ以上であることを確認するため，絶縁抵抗計を用いて絶縁抵抗を測定した。

【良い例】

● 絶縁抵抗計にて，低圧回路の絶縁抵抗値が10MΩ以上であることを確認した。(数値は社内規定)

悪い例では，「絶縁」ということばが多過ぎます。1つの文では，同語の使用は2回までとしましょう。

⑤文の長さを調節する

以上述べた基本に従って，題意に即した文をつくり，解答用紙のスペースがどのくらいあるかによって，長さを調整します。

● 文を長くしたいとき

【例1】危険作業を明示した。

【例2】ホールの天井が4mなので，朝のTBMにおいて，墜落災害の危険性を明示した。

危険作業や場所を記載すると，具体的で長い文になります。

● 文を短くしたいとき

読み返して無駄と思われる箇所を削除します。ただし，削除したことによって，前後の繋がりがおかしくならないよう注意する必要があります。

解答スペースの80%以上は埋めるように記述します。※空白の行はつくらない。[※4]

2 どこが減点されるか

①悪い解答

以下の3つには特に留意しましょう。

● 題意に適さない

【例1】安全管理のことをきいているのに工程管理のことを書く。

【例2】労働災害のことをきいているのに，公衆災害のことを書く。

【例3】墜落災害[※5]をきいているのに，落下災害[※6]を書く。

● 誤解される表現

【例1】資材が盗難にあったので，保管には十分配慮した。

他の現場で盗難にあったので，この現場ではあわないように注意したというつもりでも，そう解釈されません。

【例2】低所からの墜落災害に留意した。

「高所」の間違いでは？と思われてしまいます。

※3

キーワード

やたらと文に入れ込まないことです。

※4

空白の行はつくらない

欄外に長々と記述することもよくありません。

※5

墜落災害

高所から人が落ちて被る災害です。

※6

落下災害

高所から物が落ちて体の一部に当たる災害です。

● **社会通念上好ましくない**

【例】深夜,休日作業の突貫工事を行い,工期内完了した。

突貫工事という用語は，やむなく行うものであり，工程管理が順調にいかなかったことを自ら露呈しており，使用してはいけない用語です。

②減点答案

ここでは減点答案をもとにポイントを示しますので，どこが減点対象なのか確認してください。

問題1

工事の現場において，安全管理上あなたが留意した事項についてその理由と，あなたがとった処置または対策を具体的に記述しなさい。

×答案

①留意した事項とその理由

高天井での照明器具取付け工事があるので，脚立を使用したときそこ

→どのくらいの高さ？

から作業員が落ちる落下災害に留意した。

→墜落災害

②とった処置または対策

脚立の天板に乗って作業する場合は，ワイヤロープを張り，墜落制止

→法令違反で，採点されません

用器具を結び，作業者の安全を確保した。

問題2

工事の現場において，工程管理上あなたが留意した事項についてその理由と，あなたがとった処置または対策を具体的に記述しなさい。

×答案

①留意した事項とその理由

他業者との工程調整がうまくいかず，配筋が遅れ，それにより配管の

→何の業者？　　　　→どのように？

遅れが見込まれたので，コンクリート打設が遅れない

→自分の工事以外の記述は不要

ように留意した。

②とった処置または対策

時間のかかる作業を減らし，施工能率の上がる材料

→どんな作業？　　　　→どんな材料？

を使い，納入時の材料チェック，納品後の適正な

保管等に留意したため，社内検査においても手直し

→工程管理というより品質管理？

もなく，予想以上の工期短縮となり，問題なく工事

→具体的に何日？

が完了できた。

1つの文[※7]が長いです。(98文字) 2文に分けましょう。

3 合格答案の要点

①安全管理

理由と留意した事項を記述した例です。

・○○[※8]作業（工事）が○mの高さとなるため，高所からの墜落災害を防止すること。

・重量機器（○○）搬入時，クレーンを使用するため，転倒事故防止をはかること。

・○○作業が地下二重スラブ内での酸素欠乏危険作業[※9]のため，作業者の安全を確保すること。

※7
文が長い
一般に，1つの文が70文字を超えると理解するのに時間がかかり読みづらくなると言われています。

※8
○○作業
具体的な作業名を記述してください。

※9
酸素欠乏危険作業
酸素濃度が18%未満となる場所での作業で，事業者は酸素欠乏危険作業主任者を選任します。

【例】職員，外来者の安全配慮

●留意した事項

職員，外来者等への安全に配慮する。

●理由

工事範囲の一部が既存建物内であり，また敷地，作業スペースが狭いため。

●処置または対策

停電作業，騒音振動，粉塵の出る作業は極力休館日に行い，配管等の長ものや機器類その他重量物の搬入は，ガードマンを配置し，執務の始まる1時間前までに完了させた。

②工程管理

次のような例が，理由[※10]として記述可能です。

●例年を上回る大雨が長く続き……。

●台風の直撃を受け，長期にわたり屋外灯設置工事ができず……。

●建築方の防水工事の工程が厳しく……。

●管工事業者と受水槽廻りの工事で輻輳（ふくそう）するため……。

●施設が稼働したなかでの工事であり，作業時間に制約があり……。

●工事中，施主の間仕切り変更の要望が2回あり……。

③品質管理

材料の搬入時のチェック，施工時，完成時の養生，品質を上げるために行ったことなどを，具体的に記述します。

留意する事項の例は次のとおりです。

①保守管理を容易にするため，機器廻りの**所定の空間を確保**すること。

②地震時において，**重量機器**（○○）が移動，転倒しないように施工すること。

※出題された場合，資材，部品の品質の維持および寸法や精度が法令や設計図書に合致し，目的の機能が十分得られるよう管理する内容等を記述すればよいでしょう。

4 あなたの現場をチェック

※10
理由
設計上の不備については，それで契約している以上，理由としては記述できません。また，当初から工期が短いことも，契約後の特別な事情がない限り理由とできません。

①現場チェックリスト

記述する内容を見つけ出すためのチェックリストです。

次の10項目のうち，あなたが工事現場で経験した内容に当てはまるものに○をつけてみましょう。

	項目	記述できる例	種別
1	高所作業があった	→ 墜落災害の防止 （胴綱，足場，脚立）	安全管理
		→ 作業の効率化 （手戻り防止）	工程管理
2	狭い場所での作業があった	→ 怪我の防止 （ヘルメット，着衣）	安全管理
		→ 酸欠防止 （送風機，換気）	安全管理
3	改修工事であった	→ 職員の安全 （資機材搬入時の安全）	安全管理
		→ 工程調整 （工事制限）	工程管理
4	現場周辺は人通りが多かった	→ 通行人の安全 （工事車両，監視人）	安全管理
5	他業者との同時作業があった	→ 工程調整 （作業の重なり）	工程管理
6	重機を使用する作業があった	→ 安全確認 （クレーン，監視人）	安全管理
7	工期は短かった	→ 手戻り防止 （資材納期厳守）	工程管理
8	下請け業者を使った	→ 施工能力 （TBM，作業確認）	工程管理

9	天候が不順であった	→ 工程調整(フォローアップ)	工程管理
10	設計変更があった	→ 連絡調整(購入先変更)	工程管理

たとえば1. 高所作業があった場合,「墜落災害の防止」や「作業の効率化」が施工管理上重要です。

チャレンジ問題！

問1　難　**中**　易

※1-1省略

1-2　工事の現場において，工程管理上あなたが留意した事項を2項目あげ，各項目についてその理由と，あなたがとった処置または対策を具体的に記述しなさい。

解　説

1-2の解答例を記載します。

項目1

①留意点とその理由	管工事業者と機械室内で作業が重なるため，電気工事の施工で手待ちとならないよう留意した。
②対策	・管工事業者の空調機ダクト工事と，当方のラック工事，ケーブル敷設の施工順序を打ち合わせ，バーチャート工程表を作成し，節目ごとに進捗状況を確認し合った。 ・共通の仮設足場を組むことで，狭い機械室内の施工性をよくし，組立撤去にかかる時間の短縮をはかった。

項目2

①留意点とその理由	施主から，直付けから埋込照明への機種変更の要望があり，工程が遅延するおそれがあったが，工期内に完了すること。
②対策	・メーカに納品ストップをかけ，施主に早急に具体的な型番を決めてもらい，手配し直した。 ・天井石こうボードの切り込みを，急きょ内装仕上げ業者に依頼した。

第二次検定

第2章

施工

第2章  施工

CASE 1 管理の用語

まとめ & 丸暗記　この節の学習内容とまとめ

□ 現場内資材管理
①品質，性能を損なうことのないように，適切な養生を行う
②使用時に取り出しやすいよう，整理整頓して保管する

□ 機器の取付け
①重量機器は原則床置きとし，アンカーボルトにて堅固に固定する
②点検や修理時のスペースを考慮して，取り付け位置を決める

□ 電動機への配管配線
①電動機の電源接続には，接続端子を用いて確実に締め付ける
②電線管の曲げが伴う部分は可とう性のある金属管を用い，電動機の振動にも対応できるようにする

□ 波付硬質合成樹脂管（FEP）の地中埋設
①FEPの底部は，砂利，砕石などで傷を付けないように，良質土か砂を均一に敷き均す
②ケーブルが挿入しやすいように，管路はなるべく平たんに敷設する

□ 感電災害の防止対策
①充電部と接近した作業を行うときは，常に検電器にて検電する
②停電作業時，開路した開閉器には操作禁止の表示をする

□ 墜落災害防止対策
①高所作業では，作業床の幅，床材間のすき間，手すり高さなどが法令通りであること
②高所作業では，墜落制止用器具を装着し，固定する設備も設置する

品質管理・安全管理

1 品質管理の用語（資機材）

それぞれの記述例を次に示します。

①機器の搬入

施工管理上の留意点については，次のとおりです。

- 注文書と照合し，仕様，数量等を確認後，所定の機器材置場等へ納入する。
- 大型機器等は，搬入路の確保，クレーン等揚重方法，分割搬入するかなどを検討する。

②資材の受入検査

資材を現場に搬入したら現場受入検査[※1]を行います。確認する内容は次のとおりです。

- 品名，数量，寸法等が注文書通りか確認する。
- 製品に傷，錆などの損傷がないか等を確認する。

③現場内資材管理

現場受入検査で合格となった材料，機器は，使用するまで現場内の資材置場[※2]に保管します。その際の留意点は次のとおりです。

- 品質，性能を損なうことのないように，適切な養生を行う。
- 使用時に取り出しやすいよう，整理整頓して保管する。

2 施工品質の用語

①機器の取付け

機器の取付けについての留意点は次のとおりです。

※1
現場受入検査
現場管理の担当者が立会いのもと確認します。特別注文品など，工場検査で指摘した手直し事項が，正しく直されているかもチェックします。

※2
資材置場
資材の搬入は，必要最小限を旨とします。盗難予防と資材の劣化を考慮し，長期間保管しないことも重要です。

- 重量機器は，地震時の転倒を防止するため，十分な耐力を持つアンカーボルトで固定する。
- 地震時の水平方向への変位を防止するため，一定のクリアランス[※3]を設けて耐震ストッパを設置する。

②分電盤の取付け

分電盤の取付けに際しては，堅固に取り付けることはもとより，設置場所の適否も重要な留意点となります。

- 高温多湿等の場所の設置は避け，操作しやすい場所に設置する。
- 屋外に設置するものは，パッキン等で防水したものとし，施錠できるものとする。

③盤への電線の接続

分電盤，制御盤等へ電線を接続する場合，次の留意点があります。

- 電線の被覆をねじでかまないようにし，心線はかたく絞め付ける。
- 電線が密集するので，結束バンドなどを用いて整然と配線する。

④電動機への配管配線

機械室などの電動機は，一般に床から20cm程度上がった基礎上に設置されるので，立ち上げ配管から電動機電源端子までの留意点を記述します。

- 電動機の電源接続には，接続端子を用いて確実に締め付ける。
- 電線管の曲げが伴う部分は可とう性[※4]のある金属管を用い，電動機の振動にも対応できるようにする。

⑤波付硬質合成樹脂管（FEP）の地中埋設

FEPは合成樹脂管のため傷つきやすいこと，可とう性のある配管のため，施工性はよいが，ケーブル挿入時の施工性なども考慮します。

- FEPの底部は，砂利，砕石などで傷を付けないように，良質土か砂を均一に敷き均す。
- ケーブルが挿入しやすいように，管路はなるべく平たんに敷設する。

⑥工具の取扱い

工具の取扱いは，施工品質にかかわるものであり，また，安全にも関係するテーマでもあります。ここでは，電動工具の取扱いについての留意点を記載します。

- 電動工具の場合，ケーブルの損傷，漏電のないことを確認する。
- 回転工具の場合，手袋をすることによる巻き込まれ災害に留意する。

⑦低圧分岐回路の試験

絶縁抵抗値測定は必須でしょう。

- 各電線の絶縁抵抗値を測定し，仕様書等で定められた規定の数値[※5]以上であることを確認する。
- コンセント回路は，電圧と極性[※6]を確認する。

3 安全管理の用語（災害防止）

①感電災害の防止対策

- 充電部と接近した作業を行うときは，常に検電器にて検電する。
- 停電作業時，開路した開閉器には操作禁止の表示をし，分電盤の扉は施錠しておく。

②墜落災害防止対策

- 高所作業では，作業床の幅，床材間のすき間，手すり高さなどが法令通りであること。
- 高所作業では，墜落制止用器具を装着し，それを固定する設備も設置する。

③飛来・落下災害の防止対策

- 3m以上の高所から物体を投下するときは，適当な投下設備を設け，監視人を置く等の措置をする。
- 養生ネット，防護棚[※7]等の防護設備を設ける。

④酸素欠乏危険場所[※8]での危険防止対策

- 酸素欠乏危険場所での作業は，十分な換気をする。
- 酸素濃度計にて18%未満でないこと[※9]を確認する。

※3
クリアランス
距離，寸法です。

※4
可とう性のある金属管
第二種可とう性金属管（プリカチューブ）です。

※5
規定の数値
電気設備技術基準に定めた数値以上のものを，仕様書等で定めている場合があります。

※6
極性
コンセントの差込口の短い方が+で，長い方が−となっているかの確認です。

※7
防護棚
通称，朝顔です。

※8
酸素欠乏危険場所
マンホール内，地下ピット内の作業などが該当します。

※9
18%未満でないこと
労働安全衛生法に規定された数値です。
なお，大気中の酸素濃度は21%程度です。

⑤高所作業車での危険防止対策

- 作業開始前に，制動装置や操作装置等の機能が正常に動作するか点検を行う。
- アウトリガー最大限張出し，軟弱地盤の場合は鉄板敷きなどを行う。

4 安全活動

①安全パトロール

- 建設現場の安全を確保するための，組織的な巡回をいう。
- 足場，作業床，資機材の保管状況，不安全行動の有無などをチェックする。

②安全施工サイクル

- 工事現場において，毎作業日，毎週，毎月の計画を立て安全管理活動を行うこと。
- 毎作業日の安全朝礼，毎週の週末一斉片付け，月例安全集会などの活動である。

③KYK（危険予知活動）

- イラストなどにより，その作業に潜む危険を話し合う。
- 危険を事前に予知して，その対策をする。

④TBM（ツールボックスミーティング）

- 作業者たちが道具箱（ツールボックス）の周りに集まり，その日の打ち合わせ（ミーティング）をすることが語源である。
- ヒヤリハット[※10]の報告など，作業を安全に行うための打ち合わせをいう。

⑤4S運動

- 整理，整頓，清潔，清掃の4つをいう。
- この4つを行うことにより，建設現場を快適で安全な職場とする。

⑥新規入場者教育

- 新たに現場に入場した者や作業内容を変更した者に対して行う安全衛生教育をいう。
- 点検，作業手順，整理整頓[※11]，清潔の保持，緊急時の応急措置，退避等について教育する。

※10
ヒヤリハット
ケガにはならず，ひやりとした，はっとしたことです。

※11
整理整頓
必要なものを，取り出しやすいように保管します。

チャレンジ問題！

問1

難	中	易

安全管理に関する次の語句の中から2つを選び，番号と語句を記入のうえ，それぞれの内容について2つ具体的に記述しなさい。

(1) 危険予知活動（KYK）
(2) 安全施工サイクル
(3) 新規入場者教育
(4) 酸素欠乏危険場所での危険防止対策
(5) 高所作業車での危険防止対策
(6) 感電災害の防止対策

解答例

テキストの説明のとおりです。

第2章  施工

CASE 2 高圧受電設備

まとめ & 丸暗記 この節の学習内容とまとめ

□ 高圧受電設備の単線結線図

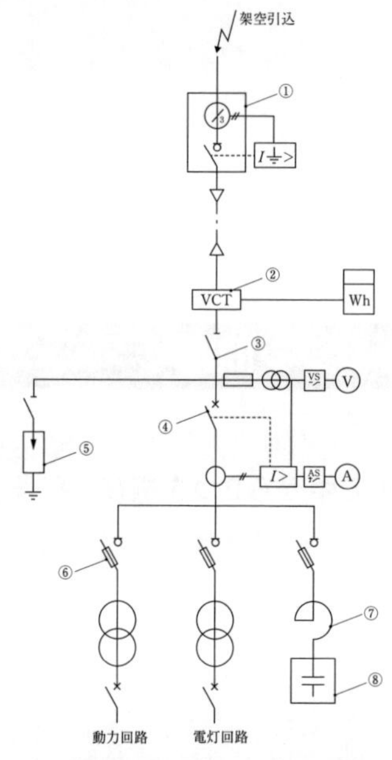

番号	記号	番号	記号
①	PAS	⑤	LA
②	VCT	⑥	PF付きLBS
③	DS	⑦	SR
④	CB	⑧	SC

単線結線図

1 単線結線図

高圧受電設備の単線結線図[※1]です。

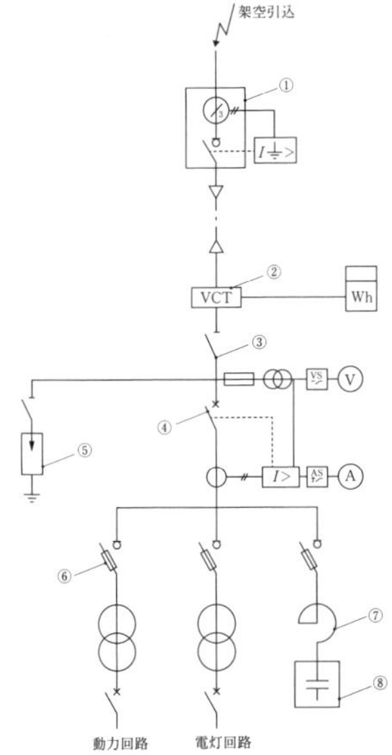

番号	記号	名称
①	PAS	高圧気中交流負荷開閉器
②	VCT	電力需給用計器用変成器
③	DS	断路器
④	CB	高圧交流遮断器
⑤	LA	避雷器
⑥	PF付きLBS	限流ヒューズ付き高圧交流負荷開閉器
⑦	SR	直列リアクトル
⑧	SC	高圧進相コンデンサ

※1

単線結線図

高圧受変電設備の系統を，1本の線で表した図です。各高圧機器については一次検定試験でもよく出題される部分ですが，二次検定試験では，このような単線図に関する問題が出題されます。機器の図記号，記号名称，機能について，覚えましょう。

高圧機器の一覧については，P100を参照してください。

チャレンジ問題！

問1

難　中　易

一般送配電事業者から供給を受ける図に示す高圧受電設備の単線結線図について次の問に答えなさい。

(1) アに示す機器の名称または略称を記入しなさい。

(2) アに示す機器の機能を記述しなさい。

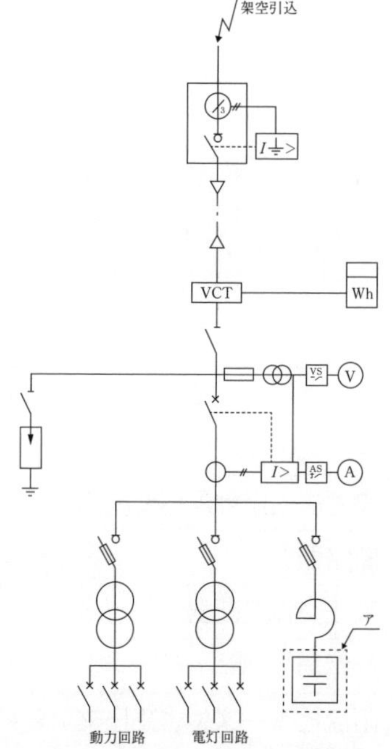

解答例

(1) 高圧進相コンデンサ（またはSC）

(2) 需要設備の力率を改善し，電力損失を軽減する。

第二次検定

第３章

電気用語

第3章  電気用語

CASE 1 用語と解答例

まとめ & 丸暗記 この節の学習内容とまとめ

- □ 発電・送電・配電の頻出用語
  太陽光発電　風力発電　揚水式発電
  架空送電線のたるみ　配電線路のバランサ
- □ 構内設備の頻出用語
  A種接地工事　D種接地工事
  変圧器のコンサベータ　単相変圧器のV結線
  電線の許容電流　スターデルタ始動方式
  電力設備の需要率
- □ 機器・材料の頻出用語
  光ファイバケーブル　UTPケーブル　EM（エコ）電線
  波付硬質合成樹脂管（FEP）　金属製可とう電線管
  合成樹脂製可とう電線管（PF管・CD管）　ライティングダクト
  メタルハライドランプ　LED照明
  漏電遮断器（ELB）　VVFケーブルの差込形電線コネクタ
- □ 火災報知設備
  差動式スポット型感知器　定温式スポット型感知器
- □ 鉄道・道路
  電気鉄道のき電線　電気鉄道のボンド　自動列車制御装置（ATC）
  超音波式車両感知器　ループコイル式車両感知器
- □ 試験
  接地抵抗試験

解答例

1 発電

電気用語に関して技術的な内容[※1]の記述例を次に示します。

①太陽光発電システム

- 太陽の光エネルギーを電気エネルギーに変える，太陽電池システムをいう。
- 太陽電池はシリコンの単結晶，多結晶，アモルファスがあり，交直変換装置，系統連系保護装置などで構成される。

②風力発電

- 一般に10m以上の高さ，風速5m/s程度の風速が必要で，日本では沿岸地など一部の地域に限られる。
- 風力のエネルギー$\boldsymbol{E}$は，受風面積をS，風速をvとすると，$\boldsymbol{E} \propto \boldsymbol{S}\mathrm{v}^3$であり，風速が大きく影響する。

③揚水式発電

- 河川の上流に貯水池を設け，深夜など電力需要の少ないときや豊水期[※2]に，余剰電力で上池に貯水しておき，ピーク負荷時[※3]に発電する方式をいう。
- 一般に，ポンプと水車，発電機と電動機を兼用した，同期発電電動機が用いられる。

2 送電・配電

①架空送電線のたるみ

- 架空送電線は，温度による伸縮があるため，地上からの必要な高さを確保したうえで，適度なたるみを

※1
技術的な内容
技術的な内容とは，施工上の留意点，選定上の留意点，動作原理，発生原理，定義，目的，用途，方式，方法，特徴，対策などをいいます。

※2
豊水期
河川の水量が豊富にある時期のことです。

※3
ピーク負荷時
負荷（使用する電気製品）が，最大となる時間帯のことです。

とることが必要である。

- たるみ$D=WS^2/8T$〔m〕で表せる。

3 架空地線

①架空地線

- 架空送電線や開放型受変電設備等の上部に張った電線で，落雷時の異常電圧を受け止め，大地に放電する。
- 通信線への誘導障害対策としても効果があり，架空地線の遮へい角は小さいほどよい。

4 受変電設備

①単相変圧器のＶ結線

- 単相変圧器[※4]２台を用いてＶ結線すると，三相電源が供給できる。
- 単相変圧器１台の容量をＰ〔kV・A〕とすると，２台で$\sqrt{3}P$〔kV・A〕が供給でき，１台の利用率は約87％である。

5 照明

①LED照明

- 電圧をかけると光を発する半導体素子である，発光ダイオードを用いた照明である。
- 寿命は約40,000時間であり，白熱電球の40倍ある。省エネルギーでもあり，普及[※5]が期待される。

6 電線・ケーブル

①光ファイバケーブル

- 光通信の伝送に使用する伝送媒体で，保護被覆を施したもの。

- 光を通すコアと，光を反射するクラッドからなり，光はコアとクラッドの間を反射しながら進む。伝送容量が大きい等の利点が多い。

②UTPケーブル

- 非シールドの何対かの絶縁線を，ビニルチューブで覆ったツイストペアケーブルのこと。
- 非シールドのためノイズに弱く，電磁誘導障害[※6]を受けやすいので，電源ケーブルから十分な離隔をとる。

7 電線管類

①波付硬質合成樹脂管（FEP）

- 地中埋設用ケーブルの保護に用いられる。可とう性に優れ，軽量，長尺であり，施工性がよい。
- 管の表面は波付けされており，延線時の接触抵抗（摩擦抵抗）が少なく，通線が容易である。

②ライティングダクト

- 絶縁物で支持した導体を金属製または合成樹脂製のダクトに入れ，下向きに取り付けたもの。
- ダクトの範囲内であれば，照明装置やコンセント電源を自由に接続可能である。

8 材料・器具

①漏電遮断器（ELB）

- 正常の電気回路以外の箇所に漏れ電流が流れたとき，その回路を遮断する機能を持った低圧用遮断器。
- 感電や電気火災となるのを防ぐ。地絡保護のほか，過電流，短絡保護を組み合わせたものもある。

※4
単相変圧器2台
単相変圧器3台をΔ結線すると，三相電源3Pが出力できます。

※5
普及が期待
トンネル照明などは，発光効率の良いナトリウムランプが使用されてきましたが，近年，交換間隔の長いLEDも設置されています。

※6
電磁誘導障害
強電流電線によって，通信線はノイズが発生しやすくなります。

②VVFケーブルの差込形コネクタ

- 樹脂製の外装の中に金属製のスプリングが入っており，スプリングで電線をはさんで固定する構造になっている。
- 差し込みコネクタの穴に，VVFケーブルの芯線を1本ずつ先端まで挿入するだけで接続でき，リングスリーブより簡単で，※7省力化がはかれる。

9 火災報知設備

①差動式スポット型感知器

- 自動火災報知設備を構成する機器の1つで，消防法により室の面積により設置個数が決められる。
- 一定時間に※8急激な温度上昇があると，感熱室のダイヤフラムを膨張させ接点を構成。火災警報を受信機に出す。

②定温式スポット型感知器

- 感知器設置部分の温度が一定以上になったときに作動する感知器である。
- 湯沸室，台所など温度変化の激しい場所や水蒸気，可燃性ガス等が発生する場所で使用される。

10 鉄道・道路

①電気鉄道のき電方式

- 交流電化区間において，変電所から出力された交流電圧を架線とレールの間に直接印加して列車の運転を行う直接き電方式がある。
- 静電誘導等の抑制対策を施したATき電方式，BTき電方式，同軸ケーブルき電方式とよばれるき電方式もある。

②超音波式車両感知器

- 送受器から路面に向かって超音波パルスを周期的に発射し，通過車両の検出を行う。
- 設置工事，保守が簡単で，耐久性もあり多く用いられている。

③ループコイル式車両感知器

- 矩形のループコイルを道路面下に埋め込み，インダクタンスの変化[※9]を検出して車両の通過を感知する。
- インダクタンスの立ち上り変化や，その持続時間を読み取って車両台数をカウントする。

11 試験

①絶縁抵抗試験

- 絶縁抵抗計（メガー）を使い，低圧電路が規定の絶縁抵抗値以上かを判定する。
- 配線用遮断器で区切ることができる電路ごとに，電線相互，電線と大地間の抵抗値を測定する。

12 その他

①A種接地工事

- 異常電圧の防止や対地電圧の低減をはかる工事で，接地抵抗値は10Ω以下とする。
- 高圧，特別高圧機器の鉄台や金属製外箱，避雷器，特別高圧用計器用変成器の二次側などに施す。

②D種接地工事

- 人が触れても感電しないように，アース線を電気機器と接続し，銅棒や銅板を地中に埋設する。
- 300V以下の金属箱に施す。接地抵抗値は原則として100Ω以下とする。

③電線の許容電流

- 絶縁電線やケーブルなどに流すことのできる最大の電流で，安全電流ともいう。
- 導体に電流を通じると抵抗損[※10]により，発熱する。こ

※7
省力化
テープ巻きも不要です。

※8
急激な温度上昇
電気ヒータのような，緩やかな温度上昇では，作動しません。

※9
インダクタンスの変化
自動車は金属でできているので，何重にも巻いたループ状のコイルの上を通過すると，インダクタンスが変化して，台数をカウントできます。

※10
抵抗損
ジュール熱として発熱します。

れが電線の絶縁物等の劣化原因となる。

④スターデルタ始動方式

- 電動機の始動電流をおさえるため，始動時にスター結線とし，全負荷速度付近になってデルタ結線に切り替える始動方式。
- かご形誘導電動機の，5.5～15kW程度のものに多用される。

⑤力率改善

- 一般に負荷は遅れであり，電力用コンデンサを並列に接続する。
- 電力系統では力率を100％に近づけることが求められる。

チャレンジ問題！

問1 難 **中** 易

電気工事に関する次の用語の中から3つ選び，番号と用語を記入のうえ，技術的な内容を，それぞれについて2つ具体的に記述しなさい。

ただし，技術的な内容とは，施工上の留意点，選定上の留意点，動作原理，発生原理，定義，目的，用途，方式，方法，特徴，対策などをいう。

(1) 風力発電
(2) 架空送電線のたるみ
(3) スターデルタ始動
(4) VVFケーブルの差込形のコネクタ
(5) 定温式スポット型感知器
(6) 電気鉄道のき電方式
(7) 超音波式車両感知器
(8) 電線の許容電流
(9) A種接地工事

解答例

テキストの解説を参照してください。

第二次検定

第4章

知識問題

第4章  知識問題

CASE 1

計算問題・法規問題

まとめ & 丸暗記　この節の学習内容とまとめ

□ オームの法則

$$I = V/R$$　　$$I = V/Z$$

□ キルヒホッフの法則

①第1法則

ある点に流入する電流＝流出する電流

$$I_1 + I_3 = I_2 + I_4$$

②第2法則

$$R_1 I_1 + R_2 I_2 - R_3 I_3 = E_1 - E_3$$

□ 建設業者は，建設工事の注文者から請求があったときは，請負契約が成立するまでの間に，建設工事の見積書を提示しなければならない。

□ 元請負人は，その請け負った建設工事を施工するために必要な工程の細目，作業方法その他元請負人において定めるべき事項を定めようとするときは，あらかじめ，下請負人の意見をきかなければならない。

□ 事業者は，労働者を雇い入れたときは，当該労働者に対し，厚生労働省令で定めるところにより，その従事する業務に関する安全または衛生のための教育を行わなければならない。

□ この法律は，電気工事の作業に従事する者の資格及び義務を定め，もって電気工事の欠陥による災害の発生の防止に寄与することを目的とする。

計算・法規

1 直流回路網の計算

例題

図に示す直流回路網における起電力 E〔V〕の値を求めなさい。

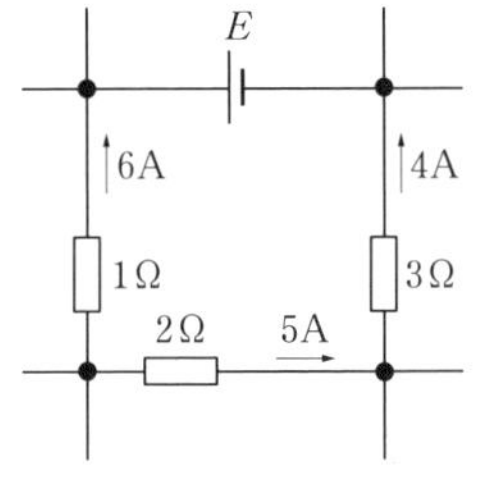

解説

キルヒホッフの第2法則より[※1]，

$E = -6 \times 1 + 5 \times 2 + 4 \times 3 = 16$〔V〕

2 変圧器の計算

例題

図に示す配電線路の変圧器の一次電流 I_1〔A〕の値を求めなさい。

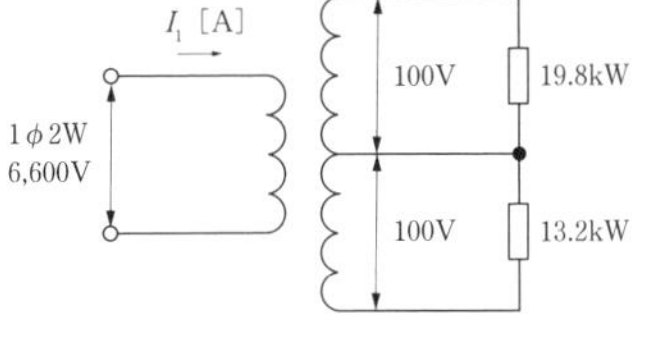

ただし，負荷はすべて抵抗負荷であり，変圧器と配電線路の損失及び変圧器の励磁電流は無視する。

解説

一次側と二次側の電力[※2]は等しくなります。

$6.6 \times I_1 = 19.8 + 13.2$ より，$I_1 = 5$〔A〕

※1

キルヒホッフの第2法則

第1法則は，「ある点に流入する電流と，流出する電流は等しい。」です。第二法則は，「閉回路において，電圧降下の和は起電力の大きさに等しい。」です。当問題は，閉回路があり1つの起電力を求める問題なので，第二法則だけで解けます。

※2

電力

理想変圧器では，$P_1V_1 = P_2V_2$が成り立ちます。

二次側の負荷がkW表示されているので，そのまま加算します。

3 建設業法

試験に多出している条文です。

- 建設業者は，建設工事の注文者から請求があったときは，請負契約が成立するまでの間に，建設工事の見積書を提示しなければならない。
- 建設業者は，建設工事の担い手の育成および確保その他の施工技術の確保に努めなければならない。
- 元請負人は，その請け負った建設工事を施工するために必要な工程の細目，作業方法その他元請負人において定めるべき事項を定めようとするときは，あらかじめ，下請負人[※3]の意見をきかなければならない。
- 元請負人は，下請負人からその請け負った建設工事が完成した旨の通知を受けたときは，当該通知を受けた日から20日以内で，かつ，できる限り短い期間内に，その完成を確認するための検査を完了しなければならない。

4 労働安全衛生法

- 事業者は，単にこの法律で定める労働災害[※4]の防止のための最低基準を守るだけでなく，快適な職場環境の実現と労働条件の改善を通じて職場における労働者の安全と健康を確保するようにしなければならない。また，事業者は，国が実施する労働災害の防止に関する施策に協力するようにしなければならない。
- 事業者は，労働者を雇い入れたときは，当該労働者に対し，厚生労働省令で定めるところにより，その従事する業務に関する安全または衛生のための教育を行わなければならない。
- 事業者は，労働災害を防止するための管理を必要とする作業で，政令で定めるものについては，都道府県労働局長の免許を受けた者または都道府県労働局長の登録を受けた者が行う技能講習[※5]を修了した者のうちから，厚生労働省令で定めるところにより，当該作業の区分に応じて，作業主任者を選任し，その者に当該作業に従事する労働者の指揮その他の厚生労働省令で定める事項を行わせなければならない。

5 電気工事士法

- この法律は，電気工事の作業に従事する者の資格および義務を定め，もって電気工事の欠陥による災害の発生の防止に寄与することを目的とする。
- 「電気工事」とは，一般用電気工作物または自家用電気工作物を設置し，または変更する工事をいう。ただし，政令で定める軽微な工事を除く。
- 第一種電気工事士は，経済産業省令で定めるやむを得ない事由がある場合を除き，第一種電気工事士免状の交付を受けた日から5年以内に，経済産業省令で定めるところにより，経済産業大臣の指定する者が行う自家用電気工作物の保安に関する講習を受けなければならない。当該講習を受けた日以降についても，同様とする。

※3
下請負人
発注者，注文者，設計者の意見ではありません

※4
労働災害
第三者災害，公衆災害ではありません。

※5
技能講習
特別講習，安全講習ではありません。

チャレンジ問題！

問1　難　**中**　易

建設業者等の責務に関する次の記述の［　　］に当てはまる語句として，「建設業法」上，定められているものはそれぞれどれか。

「建設業者は，建設工事の担い手の［　ア　］及び確保その他の［　イ　］技術の確保に努めなければならない。」

ア　①　開拓　②　発掘　③　採用　④　育成
イ　①　設計　②　施工　③　新規　④　監理

解説

建設業者は，建設工事の担い手の育成および確保その他の施工技術の確保に努めなければなりません。

解答　ア ④　イ ②

第二次検定

練習問題

令和6年以降の電気工事施工管理技術検定試験問題の見直しについて
―第二次検定 経験記述に係る問題【問題1】―

（現行）受検者の経験した工事概要を記述し，受検者の経験・知識に基づき，施工管理上の課題や対策等を解答する。

（見直し）与条件を設定した電気工事に対し，受検者の経験・知識に基づき，施工管理上の課題や対策等を解答する。

練習問題（第二次検定）

第1章 施工経験記述

▶ 記述の基本・合格答案の書き方

問1 あなたが経験した電気工事について，次の問に答えなさい。

〔1-1〕経験した電気工事について，次の事項を記述しなさい。

(1) 工事名
(2) 工事場所
(3) 電気工事の概要
(4) 工期
(5) この電気工事でのあなたの立場
(6) あなたが担当した業務の内容

〔1-2〕上記の電気工事の現場において，安全管理上，あなたが留意した事項とその理由を2つあげ，あなたがとった対策又は処置を留意した事項ごとに具体的に記述しなさい。
ただし，対策又は処置の内容は重複しないこと。
なお，次のいずれか又は両方の記述については配点しない。
・保護帽の単なる着用のみの記述
・要求性能墜落制止用器具の単なる着用のみの記述

解答案

〔1-1〕

(1) 工事名
〇〇市立〇〇中学校体育館改修工事（照明設備改修含む）

(2) 工事場所
〇〇県〇〇市〇〇町２丁目

(3) 電気工事の概要

体育館天井と付属室の照明器具更新工事及び屋外灯の設置工事。

LED40W2灯用○○台，水銀灯200W○○台，CVケーブル8mm^{2}約○○m

FEP50 φ○○mほか

(4) 工期

令和5年7月～8月

(5) この電気工事でのあなたの立場

現場代理人

(6) あなたが担当した業務の内容

施工計画の作成，工程管理，安全管理，品質管理等。

〔1-2〕

（事例1）

留意事項

屋外掘削箇所にFEPの布設及びケーブル引入れに際し作業員が，重機による挟まれる災害を防止すること。

理由

同時期に別業者（土木工事業者）のバックホーが稼働していたため。

対策又は処置

作業開始前に，土木工事会社の責任者及び重機オペレーターと作業範囲を確認し合い，危険と思われる場所には移動用の安全柵を設置した。

（事例2）

留意事項

体育館の照明器具更新作業時に，墜落災害を防止すること。

理由

ローリングタワーを使用しての作業となり，高所から作業員が墜落する危険があるため。

対策又は処置

墜落制止用器具の装着はもとより，乗ったままの移動の禁止，体の乗り出しの禁止のほか，作業時は車輪ストッパーを確実に行うなどを徹底した。

▶ 管理の用語

問1 次の問に答えなさい。

〔1-1〕電気工事に関する次の語句の中から2つ選び，番号と語句を記入のうえ，施工管理上留意すべき内容を，それぞれについて2つ具体的に記述しなさい。

1. 工具の取扱い
2. 機器の搬入
3. 分電盤の取付け
4. ケーブルラックの施工
5. 電動機への配管配線
6. 引込口の防水処理

解答案

1．工具の取扱い

①電動工具の場合，ケーブルの損傷，漏電のないことを確認する。

②回転工具の場合，手袋をすることによる巻き込まれ災害に留意する。

2．機器の搬入

①注文書と照合し，仕様，数量等を確認後，所定の機器材置場等へ納入する。

②大型機器等は，搬入路の確保，クレーン等揚重方法，分割搬入するかなどを検討する。

3．分電盤の取付け

①高温多湿，粉じんの多い場所の設置は避け，操作しやすい場所に設置する。

②屋外に設置するものは，パッキン等で防水したものとし，施錠できるものとする。

4．ケーブルラックの施工

•ケーブルラックが防火区画の壁等を貫通する場合は，貫通部に不燃材を充てんする。

•ケーブルラックの接続部分は，ノンボンド工法を除き，ボンド線にてD種接地工事を施す。

5．電動機への配管配線

①電動機の電源接続には，接続端子を用いて確実に締め付ける。

②電線管の曲げが伴う部分は可とう性のある金属管を用い，電動機の振動にも対応できるようにする。

6．引込口の防水処理
①配管は雨水の浸入がないように下向きに取付ける。
②ケーブルと配管の隙間は耐候性のあるシール材を充てんする。

問2 次の問に答えなさい。

〔2-1〕安全管理に関する次の語句の中から2つ選び，番号と語句を記入のうえ，それぞれの内容について2つ具体的に記述しなさい。

1. 安全パトロール
2. ツールボックスミーティング（TBM）
3. 飛来落下災害の防止対策
4. 墜落災害の防止対策
5. 感電災害の防止対策
6. 新規入場者教育

解答案

1．安全パトロール
①安全委員会，安全担当者をはじめ，企業内安全管理担当などが，各設備の安全性や，作業員が不安全行動をしていないか現場を視察すること。
②定期的に実施し，安全でない箇所等があれば各団体，組織が協力して改善する。

2．ツールボックスミーティング（TBM）
①作業者たちが道具箱（ﾂｰﾙﾎﾞｯｸｽ）の周りに集まり，その日の打ち合わせ（ﾐｰﾃｨﾝｸﾞ）をすることが語源である。
②ヒヤリハットの報告など，作業を安全に行うための打ち合わせをいう。

3．飛来落下災害の防止対策
①3m以上の高所から物体を投下するときは，適当な投下設備を設け，監視人を置く等の措置をする。
②養生ネット，防護棚等の防護設備を設ける。

4．墜落災害の防止対策
①高所作業では，作業床の幅，床材間のすき間，手すり高さなどが法令通りであること。
②高所作業では，墜落制止用器具を装着し，固定する設備も設置する。

5．感電災害の防止対策
①充電部と接近した作業を行うときは，常に検電器にて検電する。
②停電作業時，開路した開閉器には操作禁止の表示をする。

6．新規入場者教育

①新たに現場に入場した者や作業内容を変更した者に対して行う安全衛生教育をいう。

②点検，作業手順，整理整頓，清潔の保持，緊急時の応急措置，退避等について教育する。

▶ 高圧受電設備

問1 一般送配電事業者から供給を受ける，図に示す高圧受電設備の単線結線図について，次の問に答えなさい。

(1) アに示す機器の名称又は略称を記入しなさい。

(2) アに示す機器の機能を記述しなさい。

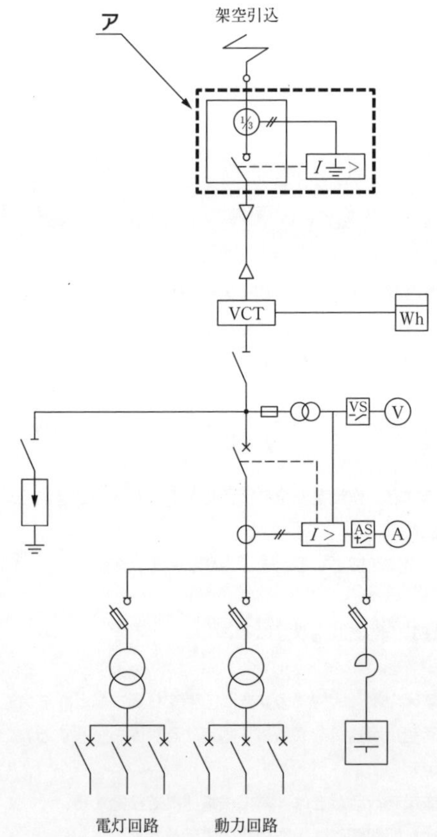

解答案

（1）地絡継電装置付き高圧交流負荷開閉器　または　GR付きPAS

（2）自家用電気工作物の責任分解点に設置し，地絡事故時に零相変流器と地絡継電器により開路する。

第3章 電気用語

▶ 用語と解答例

問1 電気工事に関する次の用語の中から3つ選び，番号と用語を記入のうえ，技術的な内容を，それぞれについて2つ具体的に記述しなさい。
ただし，技術的な内容とは，施工上の留意点，選定上の留意点，動作原理，発生原理，定義，目的，用途，方式，方法，特徴，対策などをいう。

1. 風力発電
2. 架空送配電線路の耐塩対策
3. 三相誘導電動機の始動方式
4. 屋内配線用差込形電線コネクタ
5. 光ファイバーケーブル
6. 自動列車制御装置(ATC)
7. 道路の照明方式(トンネル照明を除く)
8. 接地抵抗試験
9. 電線の許容電流

解答案

1．風力発電

①一般に10m以上の高さ，風速5m/s程度の風速が必要で，日本では沿岸地など一部の地域に限られる。

②風力のエネルギーEは，受風面積をS，風速をvとすると，$E \propto Sv^3$であり，風速が大きく影響する。

2．架空送配電線路の耐塩対策

①長幹がいしや多溝がいしを用いて沿面距離を長くする。

②がいし表面にシリコンパウンドを塗布する。

3．三相誘導電動機の始動方式

①3.75kW以下程度の小出力の電動機は，一般に全電圧始動（直入れ始動）が採用される。

②一般にスター・デルタ始動は，5.5kW以上の電動機に用いられ，スター結線時は始動電流，始動トルクとも1/3になる。

4．屋内配線用差込形電線コネクタ

①樹脂製の外装の中に金属製のスプリングが入っており，スプリングで電線をはさんで固定する構造になっている。

②差し込みコネクタの穴に，電線を1本ずつ先端まで挿入するだけで接続でき，リングスリーブより簡単で，省力化が図れる。

5．光ファイバーケーブル

①光通信に用いられるケーブルで，コアとクラッドからなり，屈折率の違いにより光信号がコア内を通過する。

②光の通り方に違いによりマルチモードとシングルモードがあり，シングルモードの方が伝送損失が少なく，遠距離通信に適している。

6．自動列車制御装置(ATC)

①列車運転の安全を確保するため，先行列車や進路の条件に従って速度の調節などを電子装置により自動的に行なうもの。

②制限速度を運転士に現示で表示しながら，一定の速度を超えた場合に自動的にブレーキを制御して速度を落とすシステムである。

7．道路の照明方式(トンネル照明を除く)

①ポール方式が一般的に採用されており，片側配列，千鳥配列，向合せ配列がある。

②交通量が少なく，道幅の狭い道路では片側配列が多く，均斉度は良くない。

8．接地抵抗試験

①接地極を切り離してE端子に接続し，補助接地極P，Cは，E，P，Cの順で，10m間隔で直線状に打ち込む。

②接地抵抗計のダイアルゲージを指針が0となる所まで回し，そのときの値が接地抵抗値である。

9．電線の許容電流

①電線に最大限流すことのできる電流をいう。

②電線種類，太さ，配管に収納する本数，周囲温度などにより変わる。

▶ 計算問題・法規問題

問1 次の問に答えなさい。

〔1-1〕図に示すＲＬＣ直列回路に交流電圧を加えたとき，X_Lの両端の電圧V_L〔V〕として，最も適当なものはどれか。

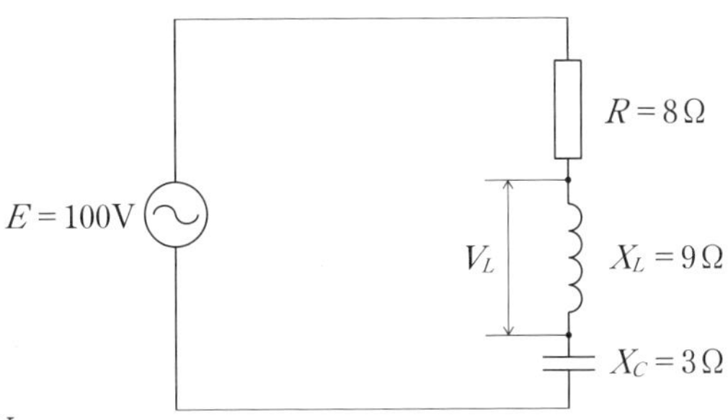

(1) 30V

(2) 45V

(3) 60V

(4) 90V

解説

インピーダンスをZとすると，$Z^2=R^2+(X_L-X_C)^2$　これに数値を代入すると，$Z^2=8^2+(9-3)^2$ これより，$Z=10\,\Omega$になります。

回路を流れる電流$I=E/Z=100/10=10$A　$V_L=I\cdot X_L=10\times 9=90$V

▶解答 (4)

〔1-2〕出力450kWで運転している変圧器がある。そのときの無負荷損は20kW, 負荷損は30kWであった。このときの変圧器の効率〔%〕として，正しいものはどれか。

ただし，無負荷損，負荷損以外の損失はないものとし，小数第一位を四捨五入する。

① 90%　② 93%　③ 94%　④ 96%

解説

損失＝無負荷村＋負荷損＝20＋30＝50kW

入力＝出力＋損失＝450＋50＝500kW

効率＝出力／入力＝450/500＝0.9＝90%

▶解答 ①

問2 「建設業法」,「労働安全衛生法」又は「電気工事士法」に関する次の問に答えなさい。

〔2-1〕建設工事の請負契約に関する次の記述の[　　]に当てはまる語句として,「建設業法」上，定められているものはそれぞれどれか。

「建設業者は，建設工事の[　ア　]から請求があったときは，請負契約が成立するまでの間に，建設工事の[　イ　]を交付しなければならない。」

ア ① 下請負人　② 設計者　③ 注文者
④ 発注者

イ ① 見積書　② 注文書　③ 契約書
④ 請求書

解説

建設業者は，建設工事の注文者から請求があったときは，請負契約が成立するまでの間に，建設工事の見積書を交付します。請負契約が成立してからではありません。

▶解答 ア ③　イ ①

〔2-2〕労働者の危険等を防止するため，事業者等の講ずべき措置等に関する次の記述の[　　]に当てはまる語句として,「労働安全衛生法」上，定められているものはそれぞれどれか。

「事業者は，[　ア　]の発生の急迫した危険があるときは，直ちに作業を中止し，労働者を[　イ　]から退避させる等必要な措置を講じなければならない。」

ア　①　酸素欠乏　②　火災　③労働災害　④　感電
イ　①　事業場　②　電気工作物　③　現地　④　作業場

解説

事業者は，労働災害の発生の急迫した危険があるときは，直ちに作業を中止し，労働者を作業場から退避させる等必要な措置を講じます。

▶解答 ア ③　イ ④

〔2-3〕電気工事士免状に関する次の記述の[　]に当てはまる語句として，「電気工事士法」上，定められているものはそれぞれどれか。

「第一種電気工事士免状は，次の各号の一に該当する者でなければ，その交付を受けることができない。

一　第一種電気工事士試験に合格し，かつ，経済産業省で定める電気に関する[　ア　]に関し経済産業省令で定める[　イ　]の経験を有する者
二　省略

ア　①　作業　②　工事　③　技術　④　知識
イ　①　実務　②　施工　③　管理　④　保安

解説

第一種電気工事士免状が交付される要件の一つは，試験に合格し，かつ，経済産業省で定める電気に関する工事に関し経済産業省令で定める実務の経験を有する者です。

▶解答 ア ②　イ ①

索　引

あ行

か行

さ行

た行

な行

は行

ま行

や行

ら行

わ行

英数字

●関根康明

一級建築士事務所SEEDO（SEkine Engineering Design Office）代表。株式会社SEEDO代表取締役。事務所ビル，学校，公園等の設計，現場監理，高等技術専門校指導員等を経て，株式会社SEEDOを設立。現在は，全国各地への出張講習やリモート講習にて，国家資格取得の支援を行っている。取得している主な国家資格は，1級電気工事施工管理技士，1級管工事施工管理技士，1級建築施工管理技士，1級建築士，建築設備士，建築物環境衛生管理技術者等。
著書は，『すらすら解ける　1級電気工事施工管理技士合格問題集（オーム社)』『ラクラク突破 解いて覚える消防設備士甲種4類 問題集（エクスナレッジ)』『スーパー暗記法合格マニュアル　1級電気工事施工管理技士（日本理工出版会)』『電験・電気工事士試験に役立つ　電気の公式ウルトラ記憶法（電気書院)』『1級管工事　超速マスター（TAC出版)』等，30冊を超える。
SEEDOホームページ：https://seedo.jp

2級電気工事施工　超速マスター［第2版］

2023年2月20日　初版　第1刷発行
2024年11月20日　第2版　第1刷発行

著　者　関根康明
発行者　多田敏男
発行所　TAC株式会社　出版事業部（TAC出版）
〒101-8383　東京都千代田区神田三崎町3-2-18
電 話 03(5276)9492（営業）
FAX 03(5276)9674
https://shuppan.tac-school.co.jp

組　版　株式会社　エディポック
印　刷　株式会社　光邦
製　本　株式会社　常川製本

ISBN 978-4-300-11258-8
N. D. C. 510

書籍の正誤に関するご確認とお問合せについて

書籍の記載内容に誤りではないかと思われる箇所がございましたら、以下の手順にてご確認とお問合せをしてくださいますよう、お願い申し上げます。
なお、正誤のお問合せ以外の**書籍内容に関する解説および受験指導などは、一切行っておりません。**
そのようなお問合せにつきましては、お答えいたしかねますので、あらかじめご了承ください。

1 「Cyber Book Store」にて正誤表を確認する

TAC出版書籍販売サイト「Cyber Book Store」の
トップページ内「正誤表」コーナーにて、正誤表をご確認ください。

CYBER BOOK STORE TAC出版書籍販売サイト

URL:https://bookstore.tac-school.co.jp/

2 1の正誤表がない、あるいは正誤表に該当箇所の記載がない ⇒ 下記①、②のどちらかの方法で文書にて問合せをする

★ご注意ください★

お電話でのお問合せは、お受けいたしません。
①、②のどちらの方法でも、お問合せの際には、「お名前」とともに、
「対象の書籍名(○級・第○回対策も含む)およびその版数(第○版・○○年度版など)」
「お問合せ該当箇所の頁数と行数」
「誤りと思われる記載」
「正しいとお考えになる記載とその根拠」
を明記してください。
なお、回答までに1週間前後を要する場合もございます。あらかじめご了承ください。

① ウェブページ「Cyber Book Store」内の「お問合せフォーム」より問合せをする

【お問合せフォームアドレス】

https://bookstore.tac-school.co.jp/inquiry/

② メールにより問合せをする

【メール宛先　TAC出版】

syuppan-h@tac-school.co.jp

※土日祝日はお問合せ対応をおこなっておりません。
※正誤のお問合せ対応は、該当書籍の改訂版刊行月末日までといたします。

乱丁・落丁による交換は、該当書籍の改訂版刊行月末日までといたします。なお、書籍の在庫状況等により、お受けできない場合もございます。
また、各種本試験の実施の延期、中止を理由とした本書の返品はお受けいたしません。返金もいたしかねますので、あらかじめご了承くださいますようお願い申し上げます。

TACにおける個人情報の取り扱いについて
■お預かりした個人情報は、TAC(株)で管理させていただき、お問合せへの対応、当社の記録保管にのみ利用いたします。お客様の同意なしに業務委託先以外の第三者に開示、提供することはございません(法令等により開示を求められた場合を除く)。その他、個人情報保護管理者、お預かりした個人情報の開示等及びTAC(株)への個人情報の提供の任意性については、当社ホームページ(https://www.tac-school.co.jp)をご覧いただくか、個人情報に関するお問い合わせ窓口(E-mail:privacy@tac-school.co.jp)までお問合せください。

(2022年7月現在)